PRIME TIME

Jay Martel

PRIME TIME

Traduit de l'anglais (États-Unis)
par Paul Simon Bouffartigue

Directeurs de collection : Fabrice Colin et Marie Misandeau
Coordination éditoriale : Marie Labonne et Marie Misandeau

© Jay Martel, 2014
Titre original : *Channel Blue*
Éditeur original : Head of Zeus

© Super 8, 2015, pour la traduction française
Super 8 Éditions
21, rue Weber
75116 Paris

www.super8-editions.fr

« Dieu nous observe, Dieu nous observe.
Dieu nous observe de loin. »
Célèbre ballade de la Terre

PROLOGUE

Note confidentielle
De : Desmond Icarus E. Upsilon
À : Membres du Conseil d'administration interplanétaire
Objet : Stratégies pour le maintien de la prédominance actuelle de
nos Prime Time dans la galaxie occidentale

*La principale quête du genre humain n'est plus la nourriture, la
sécurité ou la liberté, ni même la transmission de son patrimoine
génétique aux générations futures. Aujourd'hui, le plus grand défi du
genre humain est d'échapper à l'ennui. Nous sommes bien placés pour
savoir que, sans un flux constant et cathartique de divertissements
de qualité, l'Humanité se retournerait bientôt violemment contre elle-
même et finirait par disparaître.*
Voilà pourquoi notre travail est extraordinairement important.
*Comme vous le savez tous, nous avons toujours choisi de procurer les
meilleurs divertissements qui soient à nos compatriotes édenites, et
ce, avec le plus grand sérieux. Au cours des derniers siècles, nous avons*

connu un développement sensationnel à mesure que notre société s'implantait dans de nouveaux mondes, créant des prograplanètes à travers toute la galaxie. L'année dernière, à la cérémonie de remise de prix des divertissements extraplanétaires, nous avons remporté des Orbys dans 217 catégories sur 573 et nous ferons encore mieux cette année. Je suis actuellement en train de superviser la construction de Monde de Dingues 67 dans la nébuleuse de la Tête de Cheval, et je peux d'ores et déjà vous assurer que ce monde sera le plus dingue des mondes qui aient jamais existé. Autre nouvelle encourageante : Planète de Salopes est opérationnelle dans Rigel 4 et bat déjà des records d'audience.

La plupart d'entre vous le savent, j'ai fait mes débuts dans une agence de voyages. Ces deux secteurs d'activité ont beaucoup plus de points communs qu'on ne pourrait le croire. Pour se sentir réellement vivants, les Hommes ont constamment besoin de faire des choses nouvelles, de voir des choses nouvelles. Et c'est ce que nous essayons de leur donner jour après jour.

Dans ces deux domaines, il est également important de savoir quand le temps est venu de passer à autre chose. Je veux ici parler de notre planète située dans le bras d'Orion. Ce n'est un mystère pour personne, je suis extrêmement attaché à ce monde-là en particulier. Ça a été ma toute première planète et, sans elle, je n'aurais jamais pu entrer dans la grande famille Galaxy Entertainment. Nul ne pourra cependant contester que, depuis quelques saisons, la qualité de ses programmes connaît un relatif déclin et, même si personne n'apprécie plus que moi les spectacles de qualité qui ont été produits là-bas dans le passé, force m'est aussi de constater que les intrigues sont aujourd'hui devenues trop tordues et le casting trop antipathique pour maintenir le taux d'écoute que nous visons. Je pense que nous sommes tous d'accord pour dire que cette planète a «sauté par-dessus le requin[1]» il y a déjà bien longtemps. Qui plus est, on pourrait orienter les moyens consacrés à ce seul monde vers le développement de plusieurs progra-planètes situées dans des systèmes solaires moins onéreux.

Toutes ces considérations m'amènent à estimer, avec regret, que l'heure est venue de supprimer la Terre.

---

1. «*Jumping the shark*» : expression américaine, inspirée d'un épisode de *Happy Days*, qui désigne le moment où une série télévisée s'essouffle et où les auteurs ont recours à des péripéties scénaristiques incongrues pour la relancer mais qui n'aboutissent généralement qu'à enfoncer davantage le programme. *(N.d.T.)*

CANAL 1 : ANCRÉ DANS LA RÉALITÉ

« V *RAISEMBLANCE.* »
Perry Bunt prononça ce mot avec lenteur et solennité, espérant que cela contribuerait à bien l'enfoncer dans le crâne de ses étudiants en scénario. « Sans vraisemblance, pas le moindre espoir d'embarquer le public dans votre histoire. »

En guise de réponse, les étudiants de son cours de 10 heures le regardèrent d'un air absent, l'esprit sans aucun doute occupé à chercher un moyen de défendre la « vraisemblance » d'un chien doté de pouvoirs extrasensoriels ou d'un bébé volant. D'un certain côté, Perry ne pouvait qu'admirer la robustesse de leurs convictions. Lui aussi, autrefois, avait eu cette même confiance.

Il n'y avait encore pas si longtemps que ça, Perry Bunt était en effet réputé pour être un des meilleurs créatifs dans l'univers du divertissement. C'était comme si tout ce qu'il voyait lui donnait une idée de film. Un jour, par exemple, il se dit, en décrochant son téléphone : « Et si je pouvais appeler n'importe qui avec... même les morts ? » ; l'histoire tout entière défila alors en un éclair devant ses yeux (*sur le téléphone de son épouse décédée, un type reçoit un appel mystérieux qui lui révèle qui l'a tuée*). Et la même semaine, un grand studio prenait une option sur *Zone d'appel mortel*.

À une époque, l'esprit de Perry était même tellement rempli d'histoires qu'il ne s'y trouvait plus de place pour autre chose. Les problèmes commencèrent lorsqu'il se mit à son bureau afin de les écrire pour de bon. Car si Perry avait un sens aigu de ce qui pouvait rendre une histoire intéressante (« l'hameçon », dans le jargon de l'industrie du cinéma), il fit preuve d'une réelle médiocrité lorsqu'il fallut mettre pour de bon les mots par écrit (« l'écriture », dans le jargon de l'industrie du cinéma). Les yeux fixés sur son écran d'ordinateur, Perry eut alors cette terrible révélation : imaginer une histoire n'avait quasiment rien à voir avec le fait de l'écrire. Imaginer, c'était drôle et stimulant ; écrire, c'était éreintant et difficile. Imaginer ne demandait pas d'aller vraiment jusqu'au bout des choses ; écrire n'exigeait que cela. Et, de toute évidence, aller jusqu'au bout des choses n'était pas du tout le fort de Perry.

Quant aux producteurs pour lesquels il travaillait, c'était encore pire. Passablement stressés à l'idée de dépenser des centaines de milliers de dollars pour rien, ils commençaient par affirmer à Perry qu'ils étaient totalement emballés par ce qu'il avait écrit, avant de le mitrailler de remarques tous azimuts : « Que penseriez-vous de changer le garçon en chien ? », « Et si on transformait le chien en chat ? », « Nous sommes tous d'accord : le chat, ça ne marche pas ; un petit garçon amplifierait les enjeux émotionnels » – toutes équivalentes, dans l'industrie du cinéma, aux cris de panique qu'on entend dans un avion en flammes piquant vers le sol. Une fois qu'il se retrouvait face à toutes ces propositions contradictoires, Perry martyrisait encore davantage un script déjà bien malmené, avant d'abandonner et de se lancer dans la traque de la nouvelle Bonne Idée. Ce n'était pas qu'il fût un mauvais écrivain ; s'il avait été obligé de travailler sur une, et seulement une, de ses nombreuses histoires, il en serait certainement sorti un très bon scénario. Mais il était toujours attiré par le scénario d'après, convaincu que ce serait pour celui-là que les producteurs et le public auraient le coup de foudre. Les idées sont comme les relations amoureuses : c'est au début que c'est le plus excitant.

« Il faut six, parfois sept scénarios avant qu'on sache qui tu es », l'avait averti son premier agent.

Ce qui était indéniable, c'est qu'après que Perry eut vendu son septième scénario, lequel, comme tous ceux qu'il avait déjà écrits, ne devint jamais un film, sa carrière amorça un long déclin. Il lui fallut un petit moment avant de comprendre ce qui lui arrivait. À Hollywood, une vraie fin, ça n'est pas vraiment une fin : pas de fondu au noir, pas de musique élégiaque, pas de générique. Seulement un téléphone qui ne sonne pas. Perry apprit alors que « pas de nouvelles » ne voulait pas forcément dire « bonnes nouvelles » mais plutôt : « mauvaise nouvelle qui prend son temps ». Avant, il redoutait les coups de téléphone : les badinages pleins d'hypocrisie, les bla-bla sans fin, les publicités mensongères ; mais, aujourd'hui, tout ça lui manquait. Ça ne l'aurait pas dérangé qu'on l'appelle, même pour lui mentir, du moment qu'on l'appelle.

Pendant un moment, Perry avait continué à travailler dans le secteur du divertissement. Dans *Salut les fiancés !*, une émission qui envoyait des couples récemment fiancés sur une île des tropiques, il devait imaginer des moyens de les faire rompre. Écœuré par cette expérience, il démissionna au bout de deux épisodes en se jurant de ne plus jamais travailler pour la prétendue télé-réalité. Y avait-il d'ailleurs jamais eu un terme plus outrageusement inapproprié que « télé-réalité » ? Dans quel genre de réalité les gens font-ils ressortir systématiquement, et sous le regard de tous, leurs instincts animaux les plus méprisables ?

Ses principes lui coûtèrent cher : après *Salut les fiancés !*, il ne réussit à trouver du travail que dans une émission pour enfants avec un wombat qui parlait, bientôt remplacée par un dessin animé dont les héros étaient des koalas hyper-agressifs. Et c'est après avoir écrit un film institutionnel sur une centrifugeuse électrique que Perry toucha le fond : l'enseignement.

Ce fut un choc dont il ne s'était toujours pas remis. « BUNT CARTONNE », proclamait la une de *Variety*. Perry la conservait, toute jaunie et déchirée, dans son portefeuille, comme s'il refusait d'admettre que c'était bel et bien ce même Bunt qui donnait maintenant neuf heures de cours d'initiation à l'écriture de scénarios par semaine au Community College d'Encino, où il se faisait une affaire personnelle d'arracher de jeunes auteurs aux illusions qui avaient entraîné sa chute.

« Des idées, on en trouve à la pelle », expliqua-t-il à ses étudiants du cours de 10 heures.

Perry balaya sa classe du regard, redressant aussi droit que possible sa petite taille pour bien affirmer son sérieux. Si on l'avait trouvé autrefois plutôt beau garçon, avec son visage délicat encadré par des cheveux bruns bouclés, c'était du temps où le président était un Bush – et pas celui qui était allé en Irak.

Maintenant qu'il était au bout du bout de la trentaine, avec un début de calvitie et un peu de ventre, les traits de Perry avaient l'air de ne plus vraiment être à leur place sur une tête trop grosse pour eux. « Le tout, c'est d'aller jusqu'au bout des choses. Le tout, c'est de s'y mettre. Le tout, c'est *d'ancrer vos scénarios dans la réalité.* »

Ce qui avait suscité ce laïus éculé sur la « vraisemblance » était une scène écrite par un tout jeune homme, plutôt enveloppé et portant le bouc, nommé Brent Laskey, et qui faisait partie des étudiants que Perry appelait les *Faux*rantinos[1]. Quentin Tarantino était le cinéaste que Perry détestait le plus, non pas à cause de ses films à proprement parler mais parce que, chaque fois qu'il en sortait un, il y avait mille Brent Laskey qui allaient s'acheter un logiciel d'écriture de scénarios, convaincus qu'écrire un film consistait simplement à imaginer de nouvelles façons de faire mourir les gens.

Le scénario de Brent racontait l'histoire d'un étudiant en médecine qui payait ses frais de scolarité en travaillant comme tueur à gages pour la Mafia, avant de découvrir un remède contre le cancer. (C'était un des scénarios les plus plausibles du cours.) Dans la scène qui faisait débat, le tueur devait assassiner un baron de la drogue colombien. Comme son fusil s'enrayait, il s'emparait d'un hélicoptère, le faisait voler la tête en bas et, contre toute attente, parvenait à décapiter le parrain ainsi que tous ses gardes du corps.

« Sans plausibilité, il n'y pas de crédibilité, déclara Perry, pour conclure sa sempiternelle diatribe. Et s'il n'y a pas de crédibilité, il n'y a pas de public. Des questions ? »

---

1. En français dans le texte. *(N.d.T.)*

Le regard des étudiants exprimait toujours un vide abyssal, comme si leur manque d'intérêt était la seule chose qui fît tenir leur corps à la verticale. Perry s'apprêtait à revenir au script ouvert sur son bureau, lorsqu'une main se leva au fond de la classe. Perry eut la joie de voir que cette main appartenait à une jolie jeune femme vêtue d'un blazer bleu. Cette jeune femme s'appelait Amanda Mundo.

En règle générale, Perry répartissait ses étudiants en deux catégories : les «génies» et les «tarés». Les génies étaient des jeunes hommes et des jeunes femmes laconiques et arrogants qui, comme Perry autrefois, rêvaient de devenir des auteurs à succès. Pour eux, ce cours était une obligation fastidieuse, un marchepied pour surpasser leur professeur mal habillé et gavé de caféine, afin que leur génie soit reconnu à sa juste valeur. Lorsque Perry les félicitait, ils l'écoutaient avec attention. Lorsqu'il les critiquait, leur regard décrochait, et leur esprit se mettait à vagabonder jusqu'à la cérémonie des oscars où, pleins de gratitude, ils recevaient leur trophée, en faisant de longues pauses dans leur discours de remerciement pour essayer, en vain, de se rappeler le nom du petit homme mal fagoté qui avait jadis été leur professeur.

Ces étudiants étaient ceux que Perry aimait le moins ; parce qu'il avait été l'un d'entre eux.

Ensuite venaient les tarés. Il s'agissait d'étudiants comme Doreena Stump, une infirmière de nuit de 52 ans, une *born again* venue affûter son talent pour « délivrer la bonne parole à Honniwood». Ses scripts de deux cents pages mettaient inévitablement en scène des héros qui étaient de beaux pasteurs baptistes, des méchants qui étaient des athées conducteurs de Volvo, et des miracles, des tonnes de miracles. Lorsqu'il les lisait, Perry avait l'impression d'être un médecin obligé de soigner une souche de pneumonie résistante à la pénicilline.

Pour finir – ou, dans l'esprit de Perry : enfin ! – il y avait Amanda Mundo. Amanda transcendait les catégories. La voir arriver dans ce cours du matin, en toute simplicité, avec son grand sourire, ses taches de rousseur qui semblaient avoir été réparties le plus harmonieusement possible par un mathématicien de génie et ses longs cheveux blonds qui tombaient parfaitement sur l'une de ses épaules, était rapidement devenu le plus beau moment de sa journée. Elle avait la beauté intimidante d'une top model teutonne, mais sans la rudesse. Chaque fois qu'elle souriait ou riait – et c'était souvent –, elle plissait ses yeux noisette et ses iris devenaient alors tout un univers : deux lacs où tourbillonnaient le bleu, le vert et le gris, avec, au milieu, ses pupilles noires couronnées d'un halo doré. Elle avait une voix chantante, avec un accent que Perry n'arrivait pas à situer. Afrique du Sud ? Nouvelle-Zélande ? C'était suffisamment exotique pour la rendre encore plus séduisante, si c'était possible.

Jamais une personne aussi charmante et aussi normale n'avait suivi les cours de Perry, mais ce n'était que le hors-d'œuvre de ce qui faisait le caractère unique d'Amanda Mundo. Lorsqu'il était un scénariste reconnu, Perry avait rencontré beaucoup de belles femmes, il avait même eu quelques rendez-vous avec des stars de cinéma (brefs, toutefois, et sans baisers à la clé). Il y avait même eu, dans la vie de Perry, des périodes où il pouvait passer des *semaines* sans voir une femme avec laquelle il aurait pu avoir envie de coucher – à Hollywood, on avait en effet tendance à encourager les femmes pas très jolies à quitter les lieux ou à aller se cacher dans la cave. Dans les films, on allait encore plus loin dans l'éradication des pas beaux. C'est pourquoi, dans les scénarios de Perry, chaque nom d'héroïne était suivi d'une description du personnage qui tenait en deux mots : EXTRÊMEMENT BELLE ; sauf si l'héroïne était une femme qu'on aurait eu du mal à imaginer comme extrêmement belle, par exemple une vieille ouvrière agricole ou une poissonnière infirme, auquel cas Perry la décrivait comme EXTRÊMEMENT BELLE MAIS D'UNE BEAUTÉ RÉALISTE. Les producteurs du film auraient lu n'importe quoi d'autre, tel que PAS MAL POUR SON ÂGE ou JOLIE MALGRÉ SON HANDICAP, ils n'auraient pas tenu le choc. EXTRÊMEMENT BELLE MAIS D'UNE BEAUTÉ RÉALISTE, c'était le minimum.

Malgré tout cela, Perry n'avait jamais rencontré une personne comme Amanda – il n'en avait jamais rêvé non plus. Il ne savait même pas comment il aurait pu la décrire si elle avait dû apparaître dans l'un de ses scénarios. EXTRÊMEMENT BELLE MAIS D'UNE BEAUTÉ NATURELLE ? INCROYABLEMENT BELLE MAIS PAS À LA MANIÈRE DES FEMMES QU'ON PEUT VOIR DANS LES FILMS ? Il lui avait fallu plusieurs cours pour découvrir ce qu'il y avait de différent chez elle, mais il avait fini par trouver : en dépit de toute sa beauté, Amanda *n'avait pas l'air de savoir qu'elle était belle*. Comme si elle avait été élevée sur une île lointaine par des amish. Jamais elle ne donnait à Perry le sentiment qu'il avait de la chance de lui parler, dissipant ainsi la gêne qui avait abrégé toutes les rencontres qu'il avait pu faire avec les «extrêmement belles». Il découvrit qu'il pouvait véritablement s'adresser à elle en toute liberté et aussi, chose totalement incroyable, rester lui-même, en sa présence.

De son côté, Amanda semblait être véritablement emballée par les cours de Perry : elle prenait une profusion de notes et riait dès qu'il essayait d'être drôle, ce qui était le plus sûr moyen de le toucher droit au cœur. Lorsqu'ils commencèrent à discuter après les cours, il se rendit compte qu'elle avait un véritable talent pour révéler très peu de choses sur elle, tout en l'amenant, lui, à livrer des détails des plus personnels. Une fois, il lui demanda d'où elle venait. Face à cet épouvantable cliché, elle ne se déroba pas ; non, elle sourit et lui dit : « À votre avis ?

— Je ne sais pas, répondit-il. Je n'arrive pas vraiment à identifier votre accent. Pourtant, d'habitude, je suis assez fort pour deviner ce genre de choses.

— Vraiment ? répondit Amanda, très intéressée. Comment faites-vous ? Vous avez beaucoup voyagé ? »

C'est ainsi que, le plus simplement du monde, la conversation dévia sur l'été qui avait suivi la remise de diplôme de Perry, lorsqu'il s'était acheté un pass Eurail et s'était débrouillé pour vomir dans toutes les capitales d'Europe.

Après un autre cours, il lui raconta comment sa chance avait tourné. Et au moment précis où il pensait être allé trop loin, qu'il allait la rebuter avec les relents de ses échecs et le musc de son auto-apitoiement, elle lui décocha le plus éblouissant sourire qu'il eût jamais vu. « C'est un simple revers avant le deuxième acte, lui dit-elle. Vous savez comment ça marche, monsieur Bunt. Vous avez encore la moitié du film pour faire votre come-back. » Comme si ça ne suffisait pas, elle ajouta : « Et, en ce qui me concerne, j'irai voir le film », en lui tapotant affectueusement l'épaule.

Pendant qu'elle lui donnait cette petite tape, la manche de son blazer remonta légèrement sur son avant-bras, révélant un petit tatouage bleu à l'intérieur de son poignet gauche. Perry ne put voir exactement de quoi il s'agissait, mais le simple fait de l'avoir entrevu le chamboula tellement qu'il s'en sentit presque aussitôt gêné. Lorsqu'il était jeune, seuls les marins et les criminels endurcis se faisaient tatouer, mais, maintenant, c'était comme si tous ceux de moins de 30 ans avaient un tatouage et, pour la première fois, il comprit pourquoi.

Suite à la petite tape, une bouffée de chaleur envahit tout son corps. « Je vous en prie, lui dit-il. Appelez-moi Perry. »

Après ça, il se mit à partager avec Amanda ses secrets les plus enfouis et ses espoirs les plus brûlants. Il lui parla de sa foi indéfectible dans la vie de l'esprit et le pouvoir de la création, il lui dit qu'il était convaincu qu'il trouverait comment sortir de sa situation actuelle.

« Vous y parviendrez, je n'ai aucun doute », dit-elle.

Amanda était vite devenue la star des fantasmes de Perry. Dans son sourire, il voyait le moyen de se libérer de la solitude de son appartement minable. Dans son rire chantant, il entendait l'amour qui l'aiderait à croire à nouveau dans sa capacité à écrire. Au contact de sa main, il éprouvait la certitude qu'un jour il n'aurait plus besoin de se masturber aussi souvent qu'il le faisait, mais aussi l'ironique besoin de le faire dans l'instant.

Ses fantasmes étaient cependant teintés d'une touche de tristesse, car ça ne faisait pas l'ombre d'un doute : elle était trop bien pour lui. Perry était certain que, même si elle ne portait pas d'alliance, une femme comme Amanda avait forcément un petit ami, lequel devait posséder une paire de pantalons immaculée. Mais elle ne parlait jamais de personne et le virus de l'espoir qui avait infecté Perry commençait à lui causer quelques insomnies. Il éprouva donc le besoin de connaître la mauvaise nouvelle aussi vite que possible, pour passer à autre chose. C'est ainsi qu'en plein milieu d'une de

leurs conversations d'après cours il lui lâcha de but en blanc :
« Vous avez un petit ami ? »

À sa grande surprise, la maladresse toute aspergerienne de cette question ne fit pas tressaillir Amanda. « Oui », répondit-elle, et le cœur de Perry dégringola l'équivalent d'une cage d'ascenseur. « Mais... » Et là, son cœur se remit à battre à l'intérieur de sa poitrine. « Il habite très loin. Nous essayons de faire en sorte que ça marche.

— C'est sûr, dit Perry, qui sentait le sang circuler à nouveau dans tous ses membres. Les relations à longue distance constituent un véritable défi. »

Quelques jours avant la fin de l'année, Perry proposerait à Amanda de prendre un café et de lui parler un peu de son scénario. Elle accepterait avec joie et ce café pris ensemble deviendrait un rendez-vous amoureux. Cela, elle ne le comprendrait que lorsqu'ils se retrouveraient dans les bras l'un de l'autre. Ce rendez-vous amoureux se transformerait en plusieurs rendez-vous amoureux, puis en une relation, pour finalement devenir l'amour qui sauverait Perry de sa pitoyable solitude.

Ça, Perry le savait, c'était une Histoire d'amour, un des sept modèles à partir desquels on fabriquait tous les films à Hollywood. Mais ça ne l'empêchait pas d'y croire.

Il n'y avait qu'un seul problème dans ce plan : alors que les autres étudiants assaillaient systématiquement Perry de longs et épouvantables scénarios qui exigeaient son attention immédiate, Amanda n'avait pas écrit un seul mot. Quand la fin de l'année arriva, cela devint pour lui une source d'inquiétude. *Pourquoi vient-elle à mon cours ?* se demandait-il. Est-ce qu'elle se moquait de lui ? Est-ce qu'elle pensait pouvoir simplement s'asseoir et assister à sa déchéance sans y participer ?

« Pardon, monsieur Bunt ? »

Au fond de la classe, Amanda continuait à patiemment lever la main. Il fallut un moment à Perry pour se rappeler la discussion en cours. Combien de temps avait-il passé à la fixer comme ça ?

« J'ai une question. À propos du script de M. Laskey.

— Excusez-moi, Amanda. Quelle est votre question ?

— Est-ce que la tête de Molina a été coupée par la pale principale ou par la petite chose qui tourne à l'arrière ? »

Avant que Perry n'ait pu réagir, Brent Laskey ajusta sa casquette de base-ball à l'envers, avec toute l'assurance prétentieuse propre aux auteurs. « Le rotor principal. Mon mec retourne l'hélicoptère, le fait descendre à deux mètres du sol et *tchak*, plus de tête ! »

Amanda sourit et nota quelque chose sur son bloc. *Et toi, Amanda ?* pensa Perry. Il lança un regard noir à ses étudiants.

« La question est vraiment hors de propos, étant donné que personne, dans l'Histoire, n'a jamais utilisé un hélicoptère pour décapiter intentionnellement quelqu'un, sans parler de le faire voler la tête en bas.

— C'est pour ça que c'est génial, dit Heath Barber, un autre Fauxrantino. C'est totalement nouveau. T'as littéralement tapé dans le mille, mec. »

Pendant que Heath et Brent échangeaient un *high five*, Perry sentit monter en lui un profond agacement. En plus d'encourager l'absence de logique de Brent, Heath s'était adonné, de façon éhontée, à ce qui était une des bêtes noires linguistiques de Perry : l'emploi du mot « littéralement » pour signifier son exact opposé. En temps normal, Perry aurait corrigé ça, mais la conversation était déjà en train de lui échapper, se transformant en un débat qui consistait à savoir si on pouvait faire voler un hélicoptère la tête en bas, ce qui se révéla, à sa grande irritation, la discussion la plus animée de toute l'année scolaire.

«C'est physiquement impossible, les interrompit Perry. Nom d'un chien! C'est contre toutes les règles de l'aérodynamique, d'accord? Impossible que ça arrive!»

Les étudiants étaient en train de le dévisager; il se rendit aussitôt compte qu'il avait parlé trop fort. Il se racla la gorge et tenta un sourire destiné à désamorcer les choses mais qui tint davantage de la grimace incongrue.

«Bien sûr, c'est toujours amusant de spéculer, mais passons à autre chose.»

Étant donné ses certitudes sur le sujet, Perry fut plus que surpris lorsque, le lendemain, Brent Laskey pénétra dans la classe et jeta une coupure de presse sur son bureau.

«Voilà qui règle le problème, j'imagine?» dit l'étudiant.

Perry ramassa la coupure et lut ceci :

UN BARON DE LA DROGUE COLOMBIEN
TUÉ PAR UN HÉLICOPTÈRE
Un hélico retourné décapite le gros bonnet.

CANAL 2 : L'ÉTRANGE CAS PERRY BUNT

À LA FIN DE LA JOURNÉE, PERRY RASSEMBLA SES AFFAIRES ; au moment où il quittait la classe, son regard tomba à nouveau sur la coupure de journal. Elle était toujours sur son bureau, là où la lui avait balancée Brent Laskey, transformant son cours de 10 heures en supplice. Ses étudiants ne s'étaient pas contentés de voir leur professeur manger son chapeau, il avait aussi fallu qu'ils tournent en ridicule son apologue, maintenant totalement décrédibilisé, de la «vraisemblance». Amanda Mundo était la seule à s'être tenue à l'écart de cette curée d'enragés, observant tout cela avec un petit air peiné, que Perry avait pris pour de la pitié, ce qui, d'une certaine manière, était encore pire que si elle avait pris part à son humiliation. Maintenant qu'il était seul dans la salle de cours, il pouvait ramasser la coupure du délit ; après avoir réprimé une terrible envie de la flanquer à la poubelle, il la jeta dans son cartable.

Enveloppé d'une brume jaunâtre, Perry prit le chemin qui menait du bâtiment principal au parking de l'université, où il retrouva sa Ford Festiva, recouverte d'une fine couche de cendre. On était l'avant-dernier jour d'août. Perry avait baptisé ce mois l'« Apocalaoût », car on voyait Los Angeles se dépouiller de sa parure de pelouses vertes, de ses délicieux jardins avec piscine, pour révéler sa vraie nature : un désert torride, tout droit sorti de l'Ancien Testament. La chaleur et la sécheresse de cet été de plomb ouvraient la voie à des feux de forêt qui répandaient une fumée âcre sur toute la vallée de San Fernando ; la lumière du soleil prenait alors une couleur jaunâtre maladive et tous les habitants – hommes, femmes et enfants – étaient pris d'une toux glaireuse de fumeurs. Les experts-comptables du coin se voyaient ainsi offrir un rappel lugubre de leur condition d'êtres mortels.

Perry fit démarrer sa Festiva, balaya la cendre du pare-brise de quelques mouvements d'essuie-glaces et s'enfonça dans les embouteillages des heures de pointe.

Il n'avait qu'une hâte : rentrer chez lui et se mettre à écrire.

Être prof, c'est pas si mal que ça, se persuadait-il lui-même ainsi que les quelques amis qui lui répondaient encore au téléphone. D'accord, il avait perdu sa petite amie, sa BMW et sa maison d'Hollywood Hills. D'accord, il avait beaucoup plus de chances de recevoir un appel du fisc que de son agent. Mais Perry Bunt n'avait pas baissé les bras. Lorsqu'il était au fond du trou, qu'il faisait une pause dans la lecture des terriblement médiocres scénarios de ses étudiants pour observer les cafards se ruer sur des miettes de nourriture figées dans son épaisse moquette grise, il se jurait que, grâce à l'écriture, il trouverait un moyen de se sortir de toute cette misère. Il l'avait dit à Amanda Mundo, au cours d'un de ses moments de confession : il croyait encore et toujours aux pouvoirs illimités de son imagination, à la puissance transcendante de la créativité. Malgré une spirale de l'échec qui aurait même poussé Job à changer de métier, Perry était encore à l'affût de la Bonne Idée.

Aussi loin que remontaient ses souvenirs, il ne s'était jamais départi du sentiment d'être destiné à de grandes choses, et tous les échecs du monde n'auraient pu le détourner de cette drôle d'idée. À 6 ans, après avoir lu dans le journal que le funambule Philippe Petit avait relié les deux tours du World Trade Center en marchant sur un fil, le petit Perry avait tendu une corde entre la cheminée et un arbre du jardin pour effectuer sa propre traversée. Aujourd'hui encore, il était persuadé que, s'il était tombé, c'était parce que sa mère avait hurlé son nom ; il est toutefois possible d'avoir quelques doutes quant à la réussite de l'entreprise, même avec une canne à pêche en guise de balancier. Il s'était cassé le coccyx et la jambe droite et en prime fracturé le crâne. C'est donc allongé en traction-suspension sur un lit d'hôpital, avec deux plaques de métal dans la tête, que Perry constata avec déception que son téméraire exploit n'avait suscité aucun intérêt dans les médias.

Vivement encouragé par ses parents et ses professeurs, il abandonna la corde raide pour la machine à écrire et témoigna d'un don prodigieux pour raconter des histoires. À l'occasion de son diplôme de fin d'études, il écrivit un excellent roman où il imaginait Don Quichotte, sous les traits d'un vétéran de l'armée atteint de psychose traumatique, se lançant dans un *road trip* à travers l'Amérique. Cet ouvrage eut la particularité d'avoir été lu pratiquement jusqu'au bout par son conseiller académique. *Don Hoder* fut par la suite publié dans un petit journal universitaire et plus ou moins lu par quelques critiques qui qualifièrent Perry de «prometteur» et de «romancier de moins de 30 ans à suivre».

Ces éloges ne permettant que très modérément de rembourser son prêt étudiant, Perry partit pour Hollywood et, à 28 ans, il avait réussi à se débrouiller pour avoir de nouvelles dettes à côté desquelles son prêt étudiant faisait figure de microcrédit.

Aujourd'hui, il était toujours endetté, mais dénué de perspectives. Et pourtant, Perry Bunt continuait, avec plus de ténacité que jamais, à se cramponner à l'espoir d'être promis à de grandes choses, persuadé qu'il était, malgré tout, qu'un beau jour il finirait contre toute attente par reprendre confiance en lui et aurait plus de succès que jamais. Perry le savait : ça, c'était une Histoire d'outsider, un autre des sept modèles à partir desquels sont fabriqués tous les films à Hollywood. Mais, encore une fois, ce n'était pas ça qui l'empêcherait d'y croire.

Le plus étrange dans tout ça, c'est que Perry Bunt *avait raison* : il était bel et bien destiné à de grandes choses. Et, plus étrange encore, la survie même de la Terre en dépendait.

CANAL 3 : DERNIER JOUR D'AOÛT

PERRY RENTRAIT CHEZ LUI : UN IMMEUBLE STUQUÉ, bâti à la hâte, en haut de Ventura Boulevard, et baptisé, avec un humour totalement involontaire, les Jardins de Wellington. Perchés, pour quelque temps encore, sur le flanc abrupt d'une colline qui surplombait une faille sismique majeure, ces « Jardins » en décrépitude faisaient partie des nombreux lotissements du coin où habitaient ceux dont la chance avait tourné ou qui étaient encore trop jeunes pour faire autrement.

Dans le petit studio qui lui tenait lieu de cuisine-chambre à coucher-bureau, Perry se prépara un sandwich et alluma son ordinateur portable. Le mois précédent, il avait trouvé de quoi faire ce qu'il appelait autrefois (du temps où il vendait à tous les coups) une vente garantie, une Bonne Idée d'un tel potentiel commercial qu'aucun producteur de studio ne pourrait résister à sa parfaite adéquation aux goûts du grand public. Il s'agissait d'un film d'action intitulé *Dernier jour d'école* : l'histoire d'un groupe de terroristes adolescents qui infiltrait l'école de la fille du président des États-Unis pour la kidnapper. Et quel était le seul homme capable de les en empêcher ? Le prof de maths, un ancien Navy Seal, exclu de l'armée plusieurs années auparavant. Et par qui ? *Le président lui-même.*

Au départ, Perry avait voulu être écrivain mais, puisque le public préférait les films aux livres, il était devenu scénariste ; c'était juste avant que le public se mette à bouder les films pour regarder des vidéos de chats en train de jouer du piano. Oui, il avait réussi à poursuivre consciencieusement sa dégradation culturelle, avec toujours un temps de retard. Reste qu'avec *Dernier jour d'école* Perry était convaincu d'avoir trouvé la meilleure des Bonnes Idées, une histoire qui passerait haut la main l'épreuve d'Internet, et prouverait qu'il était un grand auteur. Pour commencer, c'était une histoire avec des ados, des tas d'ados, tellement d'ados qu'il n'arrivait pas à leur trouver à tous des noms efficaces. Les adolescents étaient devenus un enjeu capital pour l'industrie du cinéma, pour la bonne et simple raison qu'ils semblaient représenter le seul segment démographique doté d'une force inertie suffisante pour s'extraire de l'orbite de leurs petits écrans et se transporter dans un cinéma. Non seulement *Dernier jour d'école* attirerait les ados, mais le film leur présenterait une image plus gratifiante d'eux-mêmes, en train de forniquer et de s'entretuer. Ça ne pouvait pas ne pas marcher.

Ce soir-là, néanmoins, Perry avait du mal à retrouver cet élan d'auto-aveuglement nécessaire à tout écrivain inconnu pour surmonter l'idée que personne n'a particulièrement envie de le lire. Alors il temporisa ; il vérifia ses e-mails, en s'émerveillant des avancées de la technologie grâce auxquelles le fait de ne pas recevoir de courrier, qui représentait jadis une déception quotidienne, était maintenant à l'origine de trente à quarante déceptions par jour. Sans oublier les différents numéros de téléphone par lesquels il avait la possibilité de ne recevoir ni messages vocaux ni SMS.

C'était comme s'il y avait désormais une infinité de moyens de ne pas recevoir de bonnes nouvelles.

Alors que Perry était une fois de plus en train de consulter sa boîte mail vide, une pub pour des maillots de bain surgit sur son écran : de beaux surfeurs tout bronzés et de sublimes mannequins alanguis sur la plage. D'aucuns auraient pu penser que son ordinateur était bel et bien en train de se payer sa tête.

Il quitta son écran des yeux pour considérer la grosse pile des scripts de ses étudiants qu'il n'avait pas encore lus, qui l'attendait sur son bureau. Ainsi pris en étau entre son propre scénario et ceux de ses élèves, Perry opta pour une activité autre mais tout aussi futile : sa masturbation vespérale (une des deux seules activités quotidiennes qu'il appréciait, la seconde étant la version matinale du même exercice). Il ne manquait pas de stimulations, grâce à la présence d'Internet, sorte de ville frontière sans foi ni loi où même les banques vous fourguaient des prostituées et faisaient un peu de contrebande sous le manteau. Vu sous cet angle, son ordinateur s'avérait beaucoup plus profitable en tant que portail pornographique que comme machine à écrire des scénarios. Le champ des possibles avait même de quoi vous paralyser. Perry venait enfin de se décider pour un site avec ce qu'il fallait de cochonneries et de glamour, lorsqu'il fut interrompu par des coups frappés à sa porte. Après avoir traversé la pièce, en titubant parce qu'il réenfilait son pantalon, il regarda par le judas et vit Noah Overton, son jeune et gentil voisin, qui arborait le genre de pilosité faciale improbable que,

Perry en était convaincu, les moins de 30 ans adoptaient à seule fin de le contrarier.

Noah avait un porte-documents à la main et fixait le judas avec toute la sérénité de l'homme vertueux.

Perry regagna son bureau sur la pointe des pieds et s'assit tout doucement. Si jamais il ouvrait, son voisin lui demanderait de faire un don pour sauver les opprimés, les victimes de guerre, les espèces en voie de disparition, les réchauffés climatiques ou tout ça à la fois (un ours polaire tchétchène, par exemple), en lui brandissant un tract qui proclamait : CEUX QUI SONT LIBRES *DOIVENT* PENSER AUX OPPRIMÉS, ou bien : LA TERRE A LA FIÈVRE ET *NOUS* SOMMES LE VIRUS. Perry se retrouverait alors une fois de plus confronté à ses carences en matière d'humanité, sans parler de la déception qui envahirait les grands yeux marron de Noah. « Oh, Per, dirait celui-ci. Vraiment, ça me désole que tu estimes que ça ne vaut pas la peine de sauver les [nom d'une espèce ou d'une nationalité], parce que moi, *si*. Il se trouve que je considère que la *planète entière* mérite d'être sauvée. Et c'est de ça qu'il est question, ici et maintenant : la planète tout entière va mourir, sauf si nous *tous* nous nous mettons à œuvrer pour son salut, un [nom d'une espèce ou d'une nationalité] après l'autre. Allez, rejoins-nous. On commence aujourd'hui ? Allez, Per ! »

Perry frémit rien que d'y penser. Comment pourrait-on sauver le monde lorsqu'on est incapable de se sauver soi-même ?

Tandis qu'il cherchait un moyen de s'occuper jusqu'à ce que Noah abandonne et aille frapper à la porte d'à côté, ses yeux tombèrent sur la coupure de presse de Brent Laskey. Il la ramassa pour la lire. L'article allait droit au but, même s'il n'était pas particulièrement bien écrit. Perry se demanda si ce n'était pas Brent Laskey et sa cohorte de porteurs de bouc en baggy qui avaient eux-mêmes fabriqué cette coupure de presse, pour faire une blague à leur professeur.

Noah avait cessé de toquer à la porte. Perry ouvrit son ordinateur, tapa «mort par hélicoptère» sur Google et découvrit en dix-sept centièmes de seconde que la nouvelle était présente sur tous les sites d'information. Elle semblait donc *a priori* parfaitement réelle.

Ce constat poussa Perry à se remettre en cause : il passait son temps à sermonner ses étudiants sur le manque de réalisme de leurs textes, mais c'était peut-être lui qui avait besoin d'en prendre une petite dose. Peut-être que tout ce qu'il considérait comme invraisemblable était en train de se dérouler en ce moment même, quelque part sur la planète.

Pour mettre sa théorie à l'épreuve, Perry tapa «singe magique» sur Google. Un script de Heath Barber, un des pires du trimestre, racontait l'histoire d'un groupe de zoologues qui découvrait en Afrique un singe capable d'exaucer tous les vœux. Au bout de quelques secondes, Perry lut un reportage sur des paysans de Bornéo qui affirmaient qu'un orang-outan avait sauvé leur village d'une coulée de boue. Là encore, impossible que Heath ait pompé l'idée : la nouvelle datait de deux jours après la lecture de son script en classe.

Perry entra ensuite les mots-clés de trois autres scénarios étudiés dans son cours : «clown assassin», «physicien attardé mental», «corn flakes dotés de superpouvoirs». Tous le renvoyèrent à des articles qui faisaient plus ou moins écho aux faits invraisemblables qu'il reprochait à ses étudiants d'inventer.

Le coup de grâce fut porté par *Klaxonne si tu hais Jésus*, l'épouvantable scénario de Doreena Stump, l'infirmière *born again*.

C'était l'histoire d'un athée diabolique qui semait le trouble au sein d'une petite ville du Middle West qu'il sillonnait au volant de sa Volvo orné d'un autocollant « Klaxonne, si tu hais Jésus », jusqu'à ce qu'enfin les bons villageois se soulèvent, jettent la Volvo dans un fossé puis, dans une scène à faire pâlir n'importe quel *slasher movie*, finissent par dépecer l'athée diabolique. Perry trouva un reportage très semblable, qui remontait au mois précédent, à Momence, dans l'Illinois ; là, l'autocollant arborait « Klaxonne, si tu aimes Satan » et l'athée avait simplement été mutilé, pas assassiné.

Perry referma son ordinateur et soupira. Ce n'était qu'une question de temps avant que tous ses étudiants ne débarquent en brandissant des articles de journaux qui justifiaient leurs si mauvais scénarios. Il devait trouver une riposte avant son cours du lendemain.

***

Le jour qui changea l'existence de Perry Bunt et, accessoirement, le destin de la Terre entière, commença plus ou moins comme tous les autres. Perry se leva, se doucha, s'habilla et, pendant qu'il se brossait les dents dans sa salle de bains crasseuse et sans fenêtre, il fit de son mieux pour se donner un peu de courage, postulant qu'aujourd'hui serait peut-être le jour où, après le cours, il proposerait un rendez-vous à Amanda et que non seulement elle accepterait, mais qu'après avoir pris soin de fermer à clé la porte de la classe elle le plaquerait sur son bureau, avant de... Perry s'était orchestré une multitude de scénarios à partir de ces simples prémices, mais il ne ferait pas le difficile – n'importe lequel lui conviendrait. *Il est bien arrivé des choses beaucoup plus inattendues*, songea-t-il, oubliant – et ça tombait bien – que ce sont précisément les choses inattendues dont on rêve qui n'arrivent jamais.

Il quitta les Jardins de Wellington et se rendit en voiture à la supérette pour prendre un café. C'est là que Perry eut droit à la première de toute la série des rencontres malencontreuses qui émaillèrent sa journée, en la personne d'un sans-abri nommé Ralph. Il était posté à l'entrée de la supérette, sous un soleil de plomb, vêtu d'une grosse doudoune sale et d'un chapeau arborant deux porte-canette de bière (vides). Il brandissait un panneau en carton fait à la main sur lequel était écrit : « ON NOUS OBSERVE » ; rien ne reflétait mieux l'extravagance du message que le gribouillage irrégulier qui tenait lieu de calligraphie.

Mis à part un virage à gauche à un grand carrefour, surmonter l'« obstacle Ralph » était bien la tâche la plus redoutable que Perry aurait à accomplir aujourd'hui. Habituellement, il parvenait à le contourner tout en évitant le contact visuel, mais pas cette fois. Au moment précis où Perry crut qu'il réussirait à atteindre la porte en échappant au sans-abri, celui-ci lui bloqua le passage. Perry n'eut d'autre choix que de regarder son visage. Sa barbe hirsute et ses sourcils touffus encadraient deux yeux bleu ardoise perçants, qui lui donnaient un regard de husky de Sibérie ou d'aliéné visionnaire. Avec la chaleur, impossible de ne pas sentir son odeur, ce qui n'était pas très agréable, à moins d'apprécier les mélanges d'alcool, de cigarette, de sueur et d'excréments.

Ralph se mit à parler, d'une voix éraillée qui semblait sortir tout droit d'un immense réservoir de whisky caché dans les entrailles de la Terre.

«Ralph sait que les extraterrestres nous regardent, dit-il. Et toi, mon pote?»

Perry se frotta le menton, comme s'il prenait vraiment la question au sérieux, tout en se demandant pourquoi il n'y avait que les fous et les athlètes professionnels les mieux payés au monde pour parler d'eux-mêmes à la troisième personne.

«C'est pas vrai?» répondit-il.

Ralph hocha frénétiquement la tête, comme un chien qui aurait eu le museau coincé dans un pot de beurre de cacahuète.

«J'te l'dis, mon pote : ils se servent de nous! Ils se servent de nous pour s'amuser!»

Les poils qui dépassaient des narines de Ralph et qui ressemblaient à des moustaches mutantes tremblaient d'excitation.

«On n'a pas le choix! Faut jouer à tous leurs petits jeux!»

Perry acquiesça lentement puis, dans un élan soudain, il contourna Ralph et franchit précipitamment la porte en verre à deux battants. Une fois à l'intérieur du magasin, il s'arrêta un moment, savourant la fraîcheur de l'air conditionné. *Mission réussie.* Il se dirigea vers le distributeur de café, remplit un gobelet qui faisait la taille d'un petit enfant et fit la queue pour payer. Il regarda brièvement les tabloïds empilés à côté de la caisse, dont l'un arborait fièrement ce titre : DES FILMS SECRETS DU GOUVERNEMENT MONTRENT QU'ELVIS A ÉTÉ VU SUR LA LUNE. *Et on s'étonne qu'il y ait autant de tarés*, pensa-t-il.

Perry jeta un coup d'œil sur le parking et vit avec soulagement que Ralph s'était écarté de la porte pour harceler un couple qui regagnait sa voiture. Sautant sur l'occasion, il balança ses deux dollars, se précipita hors du magasin, bondit dans sa Festiva et sortit à toute vitesse du parking, comme un voleur fuyant le lieu du crime.

Au moment où il entrait dans sa classe pour son cours de 10 heures, Perry avait suffisamment de caféine dans les veines pour faire comme s'il était heureux d'être là. La présence d'Amanda au dernier rang n'y était pas pour rien non plus.

Il introduisit le débat du jour par un récit rapide de ce qu'il avait découvert la nuit précédente sur Internet.

« Par conséquent, désormais je ne vous dirai plus d'ancrer davantage vos scripts dans la réalité. » On entendit des applaudissements narquois. « Force est de constater que la réalité est devenue fluctuante et ne nous est plus d'aucune utilité. Je ne serais qu'à moitié surpris d'apprendre qu'Elvis est réellement allé sur la Lune. » Du coin de l'œil, il crut voir qu'Amanda avait l'air surprise. *Elle ne comprend certainement pas que je plaisante*, se dit-il. « Toutefois, je continuerai à vous demander d'écrire des scénarios qui me paraissent plus vraisemblables, à moi. Et ça, ça ne changera pas. » Quelques étudiants manifestèrent leur déception en poussant ostensiblement quelques gémissements ironiques. « Et si quelqu'un ici cherche une idée pour son prochain scénario, que pensez-vous de celle-ci : Dieu est à court d'idées, alors il pique celles d'étudiants scénaristes débutants d'Encino. »

Perry eut le plaisir d'entendre des rires, de vrais rires, de la part de ses étudiants, d'ordinaire plutôt réservés. Il sourit et regarda Amanda qui, contrairement à ses camarades, regardait par la fenêtre, l'air pensif. *Peut-être qu'elle n'a pas un très grand sens de l'humour*, se dit-il. *On ne peut pas tout avoir.*

Le cours touchant à sa fin, Perry attendait fiévreusement son traditionnel petit échange avec Amanda. Gonflé à bloc parce qu'il avait réussi à faire rire sa classe, il décida que ce serait aujourd'hui qu'il l'inviterait à sortir. Il en était à son niveau de confiance maximum en état de sobriété – c'était maintenant ou jamais. Seulement, à sa grande surprise, Amanda se dépêcha de prendre son sac et son cahier, puis se dirigea vers la porte. Perry l'interpella aussitôt.

«Vous êtes pressée ?»

Amanda s'arrêta, presque à contrecœur.

«Je le crains, monsieur Bunt.

— Que puis-je donc faire pour que vous m'appeliez Perry ?» dit-il, en essayant d'adopter un ton badin, qui, à son grand désarroi, paraissait éminemment suspect dans sa bouche. Le badinage n'avait jamais été son fort.

«Je suis désolée, il faut vraiment que j'y aille.

— D'accord, l'interrompit Perry. Je ne vais pas y aller par quatre chemins. Normalement, je ne fais pas ce genre de choses, mais ça fait maintenant un petit moment que vous suivez mon cours et, donc, je voulais vous demander quelque chose...

— Je suis désolée, monsieur Bunt... le coupa Amanda.

— Je vous en prie : appelez-moi Perry.

— J'ai vraiment beaucoup de travail en ce moment. J'ai bien peur de ne plus pouvoir assister à vos cours.»

L'estomac de Perry se contracta comme s'il venait d'encaisser un coup.

«C'est à cause de ce que j'ai dit ? À propos de la réalité ? De Dieu qui volerait des idées ? Si je vous ai offensée, je suis désolé...

— Je vous en prie, ne prenez pas ça personnellement, répondit Amanda. J'ai trop de travail, c'est tout. Alors... merci, monsieur Bunt. J'ai passé de très bons moments, ici.»

Elle lui adressa un bref sourire, tourna les talons et sortit de la classe.

Perry la regarda s'en aller, complètement sonné. Il s'était imaginé une tout autre histoire : un de ses scénarios du meilleur goût, avec éclats de rire et margaritas face à l'océan, suivis d'une séquence romantique avec une dose de nudité aussi stylisée qu'harmonieuse : «Ooh, monsieur Bunt, personne ne m'avait jamais touchée comme vous le faites.» En lieu et place de tout cela, c'est un fondu au noir qui l'envahit aussitôt qu'Amanda eut quitté la classe.

Perry donna ce jour-là le reste de ses cours du jour, nimbé dans un brouillard de déprime. À la fin de la journée, un étudiant trouva un blazer bleu par terre, derrière un poste informatique ; Perry reconnut immédiatement celui d'Amanda. Elle l'avait oublié, pressée qu'elle était d'échapper à son professeur et à la salle de cours. Un improbable espoir s'empara de son cœur. Il irait en personne lui rendre sa veste, lui montrant ainsi qu'il était parfaitement digne de son amour.

Ça, Perry le savait, c'était l'Histoire de la rédemption, une autre des sept histoires à partir desquelles sont fabriqués tous les films à Hollywood. Mais non, ça ne l'empêchait pas d'y croire.

Pas une seule seconde.

CANAL 4 : GALAXY ENTERTAINMENT

L A SECRÉTAIRE DU BUREAU DE VIE SCOLAIRE DE l'université gratifia Perry Bunt d'un regard soupçonneux. «Je suis désolée, dit-elle d'un ton qui indiquait tout le contraire. Je ne suis pas habilitée à transmettre l'adresse ni *quelque information que ce soit* d'ordre personnel au sujet de *quelque étudiant que ce soit* présentement inscrit dans notre université.

— Je veux simplement lui rendre sa veste, répondit Perry.

— Laissez-la aux objets trouvés, deux étages plus bas.

— Je vous remercie», dit Perry d'un ton qui indiquait tout le contraire.

Alors qu'il se dirigeait vers la porte, il eut une idée. Dissimulant son manège sous la veste bleue d'Amanda, il mit la main dans la poche de son pantalon et en retira subrepticement ses clés, qu'il glissa dans l'une des poches du blazer.

«Oh non!» s'écria-t-il, en se retournant vers la secrétaire. Il sortit ses clés du blazer. «Ce sont sûrement les clés de chez elle. Elle va en avoir besoin ce soir.»

À contrecœur, la secrétaire lui donna l'adresse du lieu de travail d'Amanda. Perry regarda sa montre : 16 h 30. Il avait encore une chance de la trouver là-bas. Le blazer bleu sous le bras, il courut vers le parking de l'université, envahi par une énergie que, depuis des années, il n'avait jamais ressentie sans le secours d'une tasse de café.

Quelques minutes plus tard, il garait sa Ford Festiva devant un grand immeuble de bureaux sans fenêtres sur Ventura Boulevard. Une grande enseigne, aux lettres d'un étrange bleu vif, était déjà allumée sur la façade :

GALAXY ENTERTAINMENT

Perry savait que Galaxy Entertainment avait le monopole de la télévision par câble dans toute la région ; lorsqu'il avait emménagé dans son appartement, il avait eu le choix entre deux fournisseurs : Galaxy ou personne. Comme il était fauché, il avait choisi le second.

Qu'Amanda travaille au sein d'une entreprise comme Galaxy n'avait rien pour le surprendre. Ses étudiants venaient souvent de la périphérie de l'industrie du divertissement, où ils étaient de simples employés, des gratte-papier qui voulaient à tout prix être considérés comme des auteurs. Perry sortit de sa voiture, récupéra le blazer d'Amanda sur la banquette arrière et se dirigea vers l'entrée principale.

Dans un quartier qui abritait toute une variété d'immeubles de bureaux dont la laideur avait de quoi laisser perplexe, celui de Galaxy Entertainment tenait incontestablement la corde. Rappelant un bunker en béton (comme si on ne l'avait pas construit mais qu'il était simplement tombé du ciel), il était surmonté d'un épais toit en acier peint du même bleu criard que le logo de la société. Perry marcha en direction de l'unique ouverture présente dans cette inquiétante façade, franchit une grande double porte battante en verre et se retrouva dans un vaste hall d'entrée. Derrière le bureau d'accueil et tout un éventail de meubles bas en métal de style moderne, on pouvait voir une porte en fer sur laquelle était affiché : EMPLOYÉS SEULEMENT – INTERDIT AU PERSONNEL NON AUTORISÉ. Le réceptionniste, un jeune homme tellement propre sur lui que c'en était désarmant, était occupé à manger, avec le plus grand sérieux, du pop-corn dans un sac en papier à rayures blanches et rouges. Il portait un blazer bleu comme celui que Perry avait dans la main ainsi qu'un badge où était il écrit :

DENNIS PERKINS
Nos prestations ne sont pas de ce monde.

Il leva les yeux de son paquet de pop-corn et aperçut Perry.

« Les factures, c'est pas ici, dit-il. Veuillez emprunter l'entrée qui se trouve de l'autre côté du bâtiment.

— Je suis venu voir une de vos employées : Amanda Mundo.

— Désolé. Amanda vient de partir. »

Perry tournait la veste bleue entre ses mains. Il devait absolument la lui remettre en personne.

« Je reviendrai demain. »

Au moment où il s'apprêtait à repartir, la porte en verre s'ouvrit dans un bruit sec. Amanda pénétra dans le hall, elle vit Perry et s'immobilisa. Il brandit le blazer. Elle rit. « Je l'ai cherché partout, dit-elle. Je me suis dit que je l'avais peut-être oublié dans ma voiture. » Elle le récupéra. « Merci, monsieur Bunt. J'espère que ça ne vous a pas causé trop de soucis. »

Au moment où elle prenait sa veste, Perry aperçut une nouvelle fois le petit tatouage bleu à l'intérieur de son poignet gauche. Toutes les choses qu'il avait envie de lui dire défilèrent dans sa tête, mais il se contenta de bafouiller un piteux « *No problemo* ». Puis, avant même qu'il ait pu ajouter quoi que ce soit, Amanda était une nouvelle fois en train de l'abandonner, se dirigeant vers la porte métallique située au fond de la pièce. Elle passa une pièce d'identité devant un scanner, ouvrit la porte, se retourna pour lui faire un signe de la main et disparut à l'intérieur.

Tu dois faire quelque chose, se dit Perry. C'était le moment où jamais : celui où, dans les films, le héros fait quelque chose de spectaculaire. Perry fit donc quelque chose de spectaculaire. Soudain doté d'une vitesse olympique qu'il n'avait pas atteinte depuis le collège, lorsqu'il avait expérimenté le vol à l'étalage, il piqua un sprint en direction de la porte en train de se refermer. Le réceptionniste bondit de sa chaise et hurla quelque chose, mais Perry avait déjà attrapé la porte juste avant qu'elle se referme. Sans hésiter une seconde, il l'ouvrit à la volée et se retrouva dans un long corridor faiblement éclairé. Il entendit vaguement des bruits de pas et des cris derrière lui, mais il avait Amanda dans sa ligne de mire et n'allait certainement pas s'arrêter maintenant. À bout de souffle, il se précipita vers elle.

« Amanda, dit-il, je voulais savoir si vous voudriez bien... »

Il ne finit pas sa phrase car il venait de s'apercevoir qu'il se trouvait dans l'endroit le plus étrange qu'il ait jamais vu : on se serait cru dans l'obscurité d'une immense cathédrale, où était aligné ce qui ressemblait à des écrans de télévision – des carrés lumineux qui tapissaient les murs à perte de vue jusqu'à devenir de minuscules lueurs bleutées. Des hommes et des femmes en uniforme rouge flottaient d'un écran à l'autre, assis dans des fauteuils volants. Au milieu se dressait une gigantesque console ronde sur laquelle étincelait toute une série de mots et d'images. L'une d'entre elles ressortait. Elle représentait la Terre et affichait ceci :

BIZARRE
LOUFOQUE
UNIQUE ET À JAMAIS
ÉTONNAMMENT DIVERTISSANTE

À mesure que les yeux de Perry s'habituaient à l'obscurité, il aperçut ce qui lui parut être un grand arbre qui bougeait au centre de la console. En y regardant de plus près, il constata qu'il s'était trompé : il s'agissait en réalité d'une énorme créature verdâtre, qui ressemblait à une limace et était recouverte d'yeux gros comme des balles de ping-pong, lesquels commençaient à le dévisager, les uns après les autres. Au-dessous de ces globes oculaires, une fente laissant entrevoir des dents écartées s'ouvrit en tremblotant.

« Nous avons un visiteur dans la salle de contrôle », vrombit-elle.

Perry était bouche bée, paralysé. Amanda lui sourit, comme pour s'excuser. « Vous n'avez pas vraiment le droit de vous trouver ici si vous n'êtes pas un employé, dit-elle. Désolée, monsieur Bunt. »

Deux vigiles en uniforme, un petit trapu et un grand maigre à moustache, jaillirent de l'ombre. Avant que Perry ait pu réagir, le grand lui saisit les bras et les lui bloqua dans le dos. Le réceptionniste bien propre sur lui arriva en haletant.

«J'ai essayé de l'empêcher...» commença-t-il, mais il ne put continuer, trop occupé à reprendre son souffle.

Perry voulut se débattre, mais l'emprise qu'exerçait le grand vigile sur ses avant-bras agissait comme une paire de menottes.

«Calme-toi, calme-toi. OK, l'ami? lui dit le petit vigile. Tout ira bien.»

Le grand vigile tourna la tête vers son collègue. «T'as ton effaceur?»

Le petit vigile opina, sortit un gros anneau de cuivre de sa ceinture et le glissa autour de la tête de Perry, à hauteur des sourcils.

Perry, qui suait à grosses gouttes, lança un regard à Amanda qui, au regard des circonstances, paraissait étonnamment calme.

«Ne vous inquiétez pas, monsieur Bunt, dit-elle. Ils vont simplement vous faire un petit quelque chose au cerveau.»

Il n'eut pas vraiment le temps de paniquer avant que tout disparaisse.

CANAL 5 : DE L'ART DU *CLIFFHANGER*

PERRY BUNT OUVRIT LES YEUX. IL ÉTAIT ASSIS DANS LE hall d'accueil de Galaxy Entertainment. Dennis Perkins, le réceptionniste si propre de sa personne, se tenait au-dessus de lui, en train de faire claquer ses doigts devant ses yeux.

« Hé ! Monsieur ! Hé ho ! Ça va ? »

Perry parcourut la pièce du regard, complètement sonné. Il lui fallut un moment pour se rappeler le très étrange fil des événements qui l'avaient amené à perdre connaissance. Et, pendant ce temps, Dennis Perkins continuait à claquer des doigts.

« Hé ! Monsieur ! Vous m'entendez ?

— Arrêtez ça, dit Perry, en écartant la main du réceptionniste. Qu'est-ce qui se passe, là-bas, bon sang ? » Il désigna la porte de sécurité en métal. « Que se passe-t-il dans cette pièce ? »

Dennis Perkins fronça les sourcils et prit un air perplexe. « Je ne vois pas de quoi vous parlez. Vous êtes arrivé ici, vous m'avez demandé où était Amanda Mundo, je vous ai répondu qu'elle venait de partir, puis vous vous êtes évanoui. Juste là. »

L'espace d'un instant, Perry accepta cette possibilité. La nuit précédente, il avait pris un Klonopin pour s'endormir. Se pouvait-il qu'il soit victime d'un effet secondaire à retardement ? Mais ce qui lui était arrivé lui paraissait tellement réel : l'immense salle, la limace géante, les vigiles en rogne. Il regarda sa chemise et vit le reste d'une tache de sueur, conséquence de son sprint pour rejoindre Amanda. Il remua la tête. « Non, dit-il. J'ai suivi Amanda dans cette pièce, là-bas. Il y avait des gens qui volaient dans des fauteuils et une grande... comment dire... un monstre en forme de limace, comme dans un mauvais film de science-fiction. Puis deux vigiles m'ont attrapé, ils m'ont collé un anneau en métal autour de la tête et ils m'ont assommé. »

Le réceptionniste éclata de rire, pour bien montrer son incrédulité.

« C'est absurde. C'est totalement absurde. Vous pensez vraiment que c'est ce qui est arrivé ? » Perry acquiesça. « Il faut recommencer, dit le réceptionniste.

— Recommencer quoi ? », demanda Perry.

Mais ce n'était pas à lui que le réceptionniste s'adressait. La porte métallique s'ouvrit et les deux mêmes vigiles, le petit trapu et le grand maigre, entrèrent dans le hall. Le grand saisit Perry comme un aigle attrape un lapin. Le petit, qui souriait comme pour s'excuser, plaça l'anneau de cuivre autour de la tête de Perry.

« Arrêtez. Pourquoi vous faites ça ? glapit ce dernier. Laissez-moi tranquille. Où est Amanda ? »

Il s'agita dans tous les sens, puis ce fut le noir complet.

***

Cette fois, lorsque Perry revint à lui dans le grand hall vide, c'est Amanda qui se tenait devant lui. Il se frotta le crâne. Son cerveau lui donnait l'impression d'être une gaufre surgelée qu'on aurait trop fait réchauffer au micro-ondes. C'était à cause de l'effaceur que le vigile avait glissé à deux reprises autour de sa tête : il ne devait être utilisé qu'une seule et unique fois. D'habitude, c'était suffisant pour effacer à peu près la dernière heure contenue dans un cerveau humain moyen. Le problème était que Perry n'avait pas un cerveau humain moyen : suite à son accident de corde raide lorsqu'il était enfant, il avait deux plaques d'acier à l'intérieur de la tête. Du coup, les impulsions d'énergie censées effacer une partie de sa mémoire immédiate n'avaient fait que réchauffer de quelques centièmes de degré le métal contenu dans son crâne, sensation particulièrement bizarre. « Mais qu'est-ce qui se passe ici ? demanda-t-il à Amanda. Pourquoi continuent-ils à me faire ça ? »

Amanda se pencha pour approcher sa bouche de l'oreille de Perry, qui huma alors quelques effluves de fleur d'oranger. « Faites tout ce que je vous dis, chuchota-t-elle. Je vous expliquerai plus tard. »

Le temps que Perry accueille cette nouvelle, le réceptionniste arrivait avec un verre d'eau. Amanda lui sourit. « Notre patient s'est réveillé », dit-elle gaiement.

Le réceptionniste sourit à son tour et tendit le verre d'eau à Perry.

« Ça va ? lui demanda-t-il.

— Ça va », répondit Amanda.

Perry opina, l'air circonspect, et but une gorgée d'eau.

« M. Bunt est arrivé et s'est tout simplement évanoui, c'est ça ? », dit Amanda à voix très haute, en adressant un clin d'œil à Perry en lui souriant comme à un bambin étranger qui aurait de surcroît un petit problème d'audition.

Perry hocha la tête. Le réceptionniste l'aida à se remettre sur ses pieds et Amanda le raccompagna à l'extérieur du bâtiment.

« Qu'est-ce qui se passe ? » dit Perry.

Amanda mit un doigt sur ses lèvres. Il aperçut à nouveau le tatouage sur son poignet mais, cette fois-ci, il le distingua mieux : il représentait une mouche bleue. « Il vaut mieux que je vous raccompagne, dit-elle. Il est possible que vous vous sentiez encore un peu vaseux. »

Malgré tout ce qui était arrivé d'étrange au cours de la dernière heure, le cœur de Perry se mit à battre à toute vitesse à la perspective qu'Amanda le raccompagne chez lui. Puis il se souvint de sa voiture.

Ils arrivèrent devant la Ford Festiva. « C'est juste un véhicule de courtoisie », bredouilla-t-il, évitant de croiser son regard. Amanda posa à nouveau un doigt sur ses lèvres et tendit la main. Il hésita, puis lui passa ses clés.

Ils roulèrent en silence sur Ventura Boulevard, jusqu'à ce qu'Amanda se gare dans un passage souterrain et coupe le moteur. Au-dessus de leurs têtes, on entendait vrombir dans les deux sens la circulation sur la Highway 101. Perry la regarda, totalement déconcerté. Normalement, personne ne se garait à ce genre d'endroit, où se multipliaient les campements de sans-abri à la peau parcheminée dans les anfractuosités du ciment fissuré.

« Qu'est-ce qu'on fait ici ? demanda Perry, avant de se rappeler qu'il était supposé se taire.

— Si jamais on me voit vous parler, je perds mon travail. C'est le seul endroit qui soit sûr, d'ici à chez vous, dit Amanda. Voyez-vous des mouches ? »

Perry fit non de la tête, comprenant que les choses n'étaient pas près de revenir à la normale.

Amanda inspecta avec soin l'intérieur de la voiture.

« Remontez bien les vitres », ordonna-t-elle.

Perry ne put s'empêcher de se sentir blessé par le ton soudainement impérieux qu'elle avait adopté.

« Je peux parler, maintenant ? » demanda-t-il.

Mais elle n'avait pas l'air d'avoir entendu.

« L'effaceur est supposé effacer la mémoire immédiate de n'importe quel individu normal.

— L'effaceur ? dit Perry.

— L'appareil qu'ils vous ont glissé autour de la tête. Pour une raison ou une autre, il n'a pas fonctionné sur vous. Normalement, ils auraient dû vous emmener dans la Salle verte. » Perry n'avait aucune idée de ce dont elle était en train de parler mais il se surprit à hocher la tête. « Vous avez l'air d'un type bien, j'ai donc fait en sorte que ça ne soit pas le cas. Mais si jamais ils découvrent que vous vous souvenez de ce que vous avez vu, ça ira très mal pour vous. » Amanda regardait fixement Perry dans les yeux. « Vous ne devez dire à personne ce que vous avez vu. Et vous ne devez plus jamais vous approcher de Galaxy Entertainment. Vous avez compris, monsieur Bunt ? »

C'était comme si elle était à nouveau repartie en mode bambin-étranger-dur-d'oreille mais, en fait, Perry ne l'écoutait plus vraiment ; son cerveau deux fois grillé était encore tout à la joie de s'être vu qualifié de « type bien ». Oui, elle avait ensuite prononcé quelques mots qui avaient l'air importants, mais comment pouvait-elle espérer qu'il y prête attention ? Amanda Mundo, la femme de ses rêves, venait de lui dire qu'il était « un type bien ».

«Je vous le redemande : est-ce que vous avez compris ? » répéta-t-elle.

Perry fit oui de la tête.

«Très bien, poursuivit-elle. On ne doit plus nous voir ensemble. Je m'en vais. »

Elle ouvrit la portière de la voiture, arrachant brutalement Perry à la nébuleuse de bonheur dans laquelle il flottait.

«Attendez, dit-il. Où allez-vous ? Qu'est-ce qui s'est passé là-bas ? »

Amanda hocha la tête, n'en croyant pas ses oreilles. «Vous n'avez rien écouté de ce que j'ai dit ? »

Bien sûr que non, mais Perry n'allait certainement pas l'admettre.

«Vous ne pouvez pas disparaître comme ça, lui dit-il. Vous ne pouvez pas m'assommer deux fois de suite avec un aiguillon pour bétail et m'abandonner sous la 101, sur le bas-côté de Ventura Boulevard. Enfin, quoi, j'ai quand même vu une limace géante qui regardait la télé ! »

Face à la détresse de Perry, Amanda referma la portière.

«Écoutez, monsieur Bunt, dit-elle. Je sais que tout ça peut vous sembler assez étrange...

— Non, "étrange" n'est pas le mot. D'ailleurs je suis incapable de trouver un mot qui puisse décrire de quoi tout ça a l'air.

— Je suis désolée d'avoir l'air pressée. Mais nous n'avons pas beaucoup de temps. Si les gens pour qui je travaille découvrent que je suis en train de vous parler, vous pourriez vraiment avoir de gros problèmes. »

Perry devint blême. «Comment ça ? »

Amanda chercha un moyen d'expliquer mieux les choses. «Les gens qui, sur Terre, découvrent ce que nous faisons... disparaissent... pour ainsi dire. »

Perry avait du mal à comprendre. «Je ne savais pas que les câblo-opérateurs étaient aussi puissants.»

Amanda posa sa main sur la poignée de la portière.

«Vous avez bien compris?»

Perry fit oui de la tête.

«Parfait.» Elle ouvrit la portière.

«C'est un nouveau genre d'émission?» ne put s'empêcher de demander Perry. Malgré tous les revers qu'avait connus sa carrière, il avait conservé cette insatiable curiosité qui était à l'origine de sa vocation d'écrivain. «Une sorte de nouvelle émission complètement secrète? C'est pour Disney, c'est ça? Avec des gros monstres qui ressemblent à des limaces?»

Agacée, Amanda referma une nouvelle fois la portière. Perry comprit qu'elle était en train de perdre patience.

«Quand même! reprit-il, vous pouvez comprendre que quelqu'un qui a vu ce que j'ai vu ne peut que se poser des questions.

— Encore une fois, je ne peux rien vous dire de plus. C'est pour votre bien.

— S'ils sont déjà prêts à me tuer à cause de ce que je sais, pourquoi ne pas m'en dire plus? Ils ne peuvent me tuer qu'une seule fois.»

Amanda soupira. «Si je vous le disais, vous ne me croiriez pas.

— Essayez toujours.»

Son obstination fit légèrement rire Amanda. «*Je ne peux pas vous le dire.*»

Perry s'arma de courage et s'efforça d'insuffler à sa voix un ton aussi menaçant que possible : «Si vous voulez que je garde votre secret, vous feriez mieux de me dire ce qui se passe.»

Une nouvelle fois, Amanda se mit à rire. «*Je vous en prie*. Vous n'avez aucun moyen de pression. Personne ne vous croirait, quoi que vous leur disiez.»

Perry se rendit aussitôt compte qu'elle avait raison et renonça à toute velléité d'intimidation.

«Très bien. Alors laissez-moi vous parler d'auteur à auteur.

— Que voulez-vous dire?

— J'ai passé toute ma vie à imaginer ce qui doit arriver. Et voilà que *cette chose* m'arrive.» Perry martela avec force le tableau de bord, se surprenant lui-même de la conviction qu'il y mettait. «Je vais passer le reste de mon existence à me demander de quoi il s'agit. C'est de la *torture*. Ça ne ressemble à rien de ce que j'ai pu écrire ou imaginer. Je ne saurai jamais! Jamais! Il y a de quoi devenir fou. Il faut me dire. Si jamais je joue un rôle infime dans l'histoire de dingue de quelqu'un d'autre, j'*exige* de savoir de quoi il retourne. C'est mon droit! En tant qu'écrivain et en tant qu'être humain.»

Cette diatribe parut légèrement amuser Amanda.

«Vous n'avez pas le moindre droit, dit-elle. Et personne n'écrit quoi que ce soit.

— Vous savez très bien ce que je veux dire, répliqua Perry. Vous suiviez mon cours. Vous savez qu'on ne doit pas laisser trop longtemps son public en suspens – vous risquez de l'énerver puis de le perdre. On ne termine pas un film sur un *cliffhanger*[1]; et vous ne pouvez pas laisser notre relation s'achever sur un mystère irrésolu.»

Amanda le regarda d'un air ahuri.

---

1. Dans l'univers des feuilletons, un *cliffhanger* est une fin ouverte et riche en suspense, censée «accrocher» le téléspectateur pour qu'il regarde l'épisode suivant. (*N.d.T.*)

«Faute de quoi, je vais vous perdre en tant que public?

– Mais non, répondit Perry, en essayant de se montrer le plus autoritaire possible. Parce que vous me respectez, moi, en tant que professeur et, surtout, parce que vous respectez les règles élémentaires de la narration. Si vous ne m'expliquez pas ce qui se passe, vous me vouez à un destin qui est pire que la mort : je vais passer le reste de ma vie à me poser des questions. Ne me faites pas ça. Je vous en supplie, d'écrivain à écrivain, s'il vous plaît, ne me laissez pas en suspens.»

Amanda sourit et hocha la tête. Elle prit une grande inspiration.

«Je crois que j'ai toujours voulu le dire à l'un d'entre vous.

— Vous qui?

— Vous autres.»

Perry fronça les sourcils ; il était complètement perdu.

«Nous autres?

— Eh bien, ceux qui vivent ici.

— À Los Angeles?»

Amanda haussa les épaules.

«Oui. Si vous voulez.

— Très bien. Alors, dites-moi.»

Amanda réfléchit un moment à la question. «D'accord, je vais vous le dire.» Elle parut surprise des paroles qu'elle venait de prononcer et se mit à remuer la tête, tant elle avait du mal à y croire. Perry se recroquevilla d'impatience sur son siège mais, pendant un moment, Amanda resta silencieuse. Ses yeux semblaient fixer un point, plusieurs kilomètres au-delà du pare-brise sale de Perry. «Je ne sais vraiment pas pourquoi je fais ça, dit-elle, vraiment pas. Ça doit être parce que... *je vous aime bien.*» Elle était maintenant véritablement stupéfaite par ce qu'elle venait de dire, comme si chaque mot avait été un œuf sorti de sa bouche par un magicien. Perry fut enchanté de cet aveu, mais aussi passablement écœuré qu'il soit enrobé d'une telle expression d'incrédulité.

« C'est très étrange, mais c'est vrai : *je vous aime bien*, et j'estime que vous avez le droit de savoir.

— Parfait, alors », dit Perry, qui aurait bien voulu qu'elle se dépêche.

Mais elle continuait à fixer un point loin derrière le pare-brise. Il remua la tête. Il n'arrivait pas à y croire. « Mon dieu, c'est comme un feuilleton où on vous laisse en plein suspense uniquement pour que vous en redemandiez. »

Amanda regarda enfin Perry.

« Ce n'est pas ça du tout », dit-elle.

CANAL 6 : ÇA N'EST
QUE DE LA TÉLÉVISION

« NOTRE PUBLIC EST BIEN TROP ÉVOLUÉ POUR CE GENRE d'artifices », dit Amanda. Elle était en train de tourner les clés de voiture de Perry autour de son index.

« Vous voulez parler des téléspectateurs du câble ? » tenta de deviner Perry. Amanda rit encore une fois. Ces petits éclats de rire commençaient à porter sur les nerfs de Perry. « Vous allez me le dire, oui ou non ? »

Amanda laissa tomber les clés sur ses genoux.

« La vérité, c'est que je ne sais pas par où commencer.

— Que se passe-t-il dans l'arrière-salle de Galaxy Entertainment ?

— Nous produisons des émissions.

— Quel genre d'émissions ?

— Appelons ça de la télé-réalité.

— Ah ! dit Perry, incapable de dissimuler son dégoût pour ce genre de programme. Je n'y connais pas grand-chose.

— Mais, cette émission, vous la connaissez. Elle se déroule en ce moment même, tout autour de vous. » Perry lui lança un regard interdit. « Nous produisons la Terre.

— Et ça passe sur Discovery Channel?»

Amanda fit non de la tête. «Nous filmons des événements ici, sur Terre, et nous les diffusons à travers toute la galaxie. Ce que vous avez vu est une des salles de régie où nous sélectionnons les images prises par plusieurs millions de caméras pour ensuite les diffuser. Celui que vous qualifiez de "monstre en forme de limace" s'appelle Guy, c'est un de nos réalisateurs. Guy est un Nakeeth.»

Perry regardait Amanda avec de grands yeux depuis déjà un bon moment lorsqu'il se rendit compte qu'il avait la bouche béante. Il la referma et s'efforça de déglutir.

«Un Nakeeth?

— Oui. Les Nakeeths possèdent quatre cent soixante-deux yeux qui bougent indépendamment les uns des autres, ce qui en fait d'excellents réalisateurs.

— Logique», commenta Perry, la bouche complètement sèche.

Amanda continua en lui expliquant qu'elle-même, les Nakeeths et ses autres collègues appartenaient à une civilisation humaine très avancée qui occupait plusieurs centaines de planètes et que, à l'instar de toutes les civilisations avancées, rien ne les ravissait plus que de jouir du spectacle de civilisations moins avancées.

«N'importe quelle personne vivant sur Terre a fait, à un moment ou à un autre, partie d'une de nos émissions, expliqua Amanda.

— Ce sont des comédies ou des drames?

— Quand vous racontez des histoires sur vous-même, vous en êtes le héros ou le bouffon?»

Perry réfléchit un instant avant de répondre.

«Le bouffon.

— Donc, vous êtes dans une comédie», dit Amanda.

Perry la fixa des yeux, l'air dubitatif. Jusqu'à présent, il ne s'en était jamais rendu compte, mais il avait passé la majeure partie de son existence à penser que sa vie était un drame.

Amanda lui expliqua que sa civilisation avait un insatiable appétit pour les comédies et qu'il n'y avait pas meilleur endroit que la Terre pour susciter des milliers d'éclats de rire à la seconde, soit bien plus qu'il ne fallait pour assouvir la faim du plus vaste des empires interstellaires ou, selon la formule d'Amanda : «le plus intelligent et le plus riche segment démographique de la Voie lactée». Galaxy Entertainment, un conglomérat du divertissement, utilisait des centaines de caméras-satellites surpuissantes mais aussi de minuscules caméras mobiles fixées sur de petits robots autopropulsés appelés «mouches» pour espionner tout ce qui se passait sur Terre et diffuser les images dans toute la galaxie. Perry fut obligé de l'interrompre :

«Des mouches? Les mouches sont des caméras?

— Pas toutes les mouches. Uniquement les bleues.»

Perry hocha la tête, comme si ça expliquait tout.

«Et nous nous sommes cachés sous l'autoroute parce que les satellites ne peuvent pas voir à travers.

— Tout à fait, répondit Amanda. Au-delà d'un mètre d'acier ou de trois mètres de béton, elles ne peuvent plus rien filmer.»

Perry prit une grande inspiration.

«Et vous trouvez vraiment que tout ce qui se passe ici est intéressant?

— Oh oui! répondit Amanda, visiblement assez décontenancée par l'air stupéfait de Perry. Je ne vois pas où est le problème. Vous ne vous êtes jamais dit que quelqu'un vous regardait ?

— Je crois que je ne me suis jamais posé la question.

— Vous vous regardez les uns les autres. Nous vous regardons. Et certains de nos scientifiques pensent que *nous* sommes nous-mêmes observés par une civilisation plus avancée appartenant à une autre galaxie. Tout le monde regarde quelqu'un.

— Mais... ça doit être prodigieusement ennuyeux. »

Amanda protesta vigoureusement. « La Terre a toujours été une de nos meilleures prograplanètes. Les événements qui se déroulent ici sont tellement incroyables que nous avons simplement à les filmer puis à les diffuser tels quels, immédiatement après. On n'a pratiquement pas besoin de montage, et c'est ce qui plaît à nos téléspectateurs : quand on ne touche à rien, qu'on leur donne des images brutes d'un comportement monstrueux et absurde. Mais récemment... » Amanda se tut, comme si elle essayait de choisir précisément ses mots. « Eh bien, les audiences ont commencé à s'effriter un peu. La concurrence est rude, là-bas. Pendant un moment, nous étions la seule société de production à avoir une chaîne consacrée à une vie terrestre primitive. Mais aujourd'hui Eden Entertainment en a tout un paquet sur Véga 6 et ils obtiennent de meilleures audiences que nous. Et puis, il y a les singes volants d'Altaïr 7... tout le monde les adore. Alors, nous sommes sous pression, nous devons absolument... booster un peu les choses. Quand j'ai commencé à travailler ici, la chaîne avait une politique de non-intervention très stricte : nous n'avions pas le droit de nous mêler à la population. Mais, ces derniers temps, elle s'est assouplie et tous nos producteurs ont dû se démener pour trouver un moyen de faire grimper les audiences. Voilà pourquoi je me suis inscrite à votre cours. »

Perry avait tout compris. « Les scénarios. Vous veniez à mon cours pour voler des idées. »

Amanda demeura parfaitement imperturbable.

« Je vous en prie, monsieur Bunt. Comme si personne ne volait jamais les idées, à Hollywood.

— Vous vous êtes servis d'un des miens ? demanda Perry, incapable de dissimuler la note d'espoir qu'il y avait dans sa voix.

— D'un de vos quoi ?

— D'un de mes scénarios.

— Non, répondit Amanda. Nous étions plutôt intéressés par les œuvres de vos étudiants. »

Les épaules de Perry s'affaissèrent. Ses scénarios n'étaient même pas assez bons pour les extraterrestres. Mais, se dit-il, elle aurait pu aller dans n'importe quel cours d'écriture sur Terre, et elle était venue au *sien*.

« Eh bien, mes cours ont dû vous plaire, dit-il.

— Absolument », répondit Amanda. Le cœur de Perry se mit à faire des bonds. « Nous avons observé plusieurs centaines de cours d'écriture de scénario, et c'est dans le vôtre qu'ont été écrits les pires scripts que nous ayons lus. Un baron de la drogue décapité par un hélicoptère ! *Voilà* le genre de choses qui poussera les gens à regarder de nouveau la Terre. Bien sûr, ça nous a coûté plusieurs millions, de bricoler un hélicoptère pour arriver à ça, mais ça valait vraiment la peine. »

Perry essaya de dissimuler sa déception.

« Mais alors, pourquoi avez-vous cessé de venir à mon cours ?

— Lorsque vous avez parlé de Dieu qui volait les idées de vos étudiants, nous nous sommes dit que vous nous aviez percés à jour.

— Eh oui, c'est ça, je me doutais qu'il y avait quelque chose qui clochait», mentit Perry.

Amanda détacha sa ceinture. «Il faut que je retourne travailler. Vous allez garder notre secret, hein?»

Perry haussa les épaules. «Oh! Vous savez, c'est pas grand-chose. J'entends des trucs de ce genre un peu tous les jours.» Amanda lui décocha un regard noir. «Je plaisante», dit-il.

Réfractaire à toute forme de plaisanterie, Amanda eut un léger hochement de tête et ouvrit la portière de la voiture. En la regardant poser le pied sur le trottoir, Perry ne put s'empêcher de penser qu'elle avait beau être une productrice de télé extra-terrestre exploitant la Terre à seule fin de divertir les masses, l'avoir menacé de le faire disparaître et avoir volé des idées dans son cours sans daigner en choisir une des siennes, elle avait toujours le plus ravissant sourire qu'il ait jamais vu. «Attendez!» laissa-t-il échapper.

Amanda s'arrêta dans l'encadrement de la portière.

«Oui?

— On pourrait peut-être prendre un café, un de ces jours?»

Elle soupira, l'air exaspérée.

«Vous êtes sérieux?

— Oui, je pensais que...

— Nous ne devons plus jamais nous revoir. Et cette conversation n'a jamais eu lieu. Vous comprenez?

— D'accord. J'ai compris... Je voulais simplement...» La voix de Perry devint presque inaudible. «Je n'ai jamais rencontré une fille aussi belle que vous», lâcha-t-il.

Amanda fit une moue sceptique.

«C'est peut-être complètement idiot de dire ça, mais c'est la vérité. Ça me fait vraiment plaisir de vous avoir rencontrée. D'accord, vous avez un métier très bizarre, mais est-ce que ça signifie vraiment que nous ne devons plus jamais nous revoir?

— *Oui*, répondit Amanda. Voilà *exactement* ce que cela signifie.»

Perry fit de son mieux pour dissimuler sa peine.

«D'accord.

— Parfait», dit Amanda.

Elle s'apprêta une nouvelle fois à sortir de la voiture puis eut un instant d'hésitation.

«Vous avez bien compris? Vous êtes sûr?

— Ouais. Ça fait juste beaucoup d'informations à digérer d'un coup.»

Le visage d'Amanda s'adoucit.

«Je suis désolée, monsieur Bunt. C'est comme ça. Je vous l'ai dit, vous m'avez vraiment l'air d'un type bien, surtout pour un Terricule.

— Un quoi?

— Un Terricule. C'est comme ça que nous vous appelons.

— Des Terricules?

— Oui.»

Perry fit la grimace.

«Mais c'est complètement naze.

— Ça n'a aucune importance.» Elle agita une de ses mains, témoignant d'un certain agacement. «Ce que je suis en train d'essayer de vous dire, c'est que je suis sincèrement désolée de ne plus pouvoir assister à vos cours. J'ai vraiment beaucoup apprécié tous ces moments.

— Moi aussi», répondit Perry.

Et elle s'en alla, le bruit de ses talons s'évanouissant dans le tumulte de la circulation sur Ventura Boulevard.

***

Ce soir-là, Perry mangea chinois devant la télé, incapable de savourer l'ironie de la chose. Sur l'écran, un bel homme, avec un beau casque de cheveux grisonnants, était en train de parler d'un terrible tremblement de terre qui avait frappé la Russie dans la journée. Le journal de la nuit fut encore plus déprimant que d'habitude : famines ! crise énergétique ! réchauffement climatique ! mort imminente ! Mais Perry n'y prêta guère attention. Son esprit était ailleurs.

La Terre était observée par des extraterrestres.

Tous les dingues en faction devant toutes les supérettes avaient donc raison.

Mais qu'y a-t-il donc à observer ? Perry fixait les stalactites de son plafond qui s'écaillait. Ils n'étaient quand même pas en train de le regarder, là, en ce moment même ? Comment le pourraient-ils ? Quel genre de plaisir pouvait-on trouver à regarder un homme, assis dans une pièce, lui-même en train de regarder un autre homme ? D'ailleurs, qu'était-il susceptible de faire qui puisse seulement les intéresser ? Perry en vint même à se dire que la seule chose qui puisse être encore plus ennuyeuse que de vivre sa vie, c'était de la regarder.

Il se leva et commença à marcher de long en large, comme un animal en cage. Il essuya le gras qu'il avait au coin de la bouche avec une serviette en papier, ouvrit la porte coulissante de son petit balcon et sortit à l'air libre. C'était la première fois depuis presque un an, depuis le jour où l'idée lui avait pris de se faire des hamburgers au barbecue, ce qui avait déclenché les alarmes à incendie de tout l'immeuble. Il s'avança jusqu'au bord et contempla la ligne de crête qui se découpait derrière les Jardins de Wellington, embrassant du regard les immenses villas des nababs du cinéma, ces hommes et ces femmes qui avaient fait fortune en exploitant les rêves et les espoirs de l'humanité entière, en ignorant totalement que, pour le reste de la galaxie, leurs énormes blockbusters étaient bien moins amusants que les épouvantables scénarios de ses propres étudiants.

Il leva les yeux vers le ciel, qui était dégagé de la brume habituelle. On pouvait voir scintiller les étoiles. *Mais non*, se dit-il. *C'est absolument impossible.*

De retour à l'intérieur, il alluma son ordinateur, naviguant d'un site à l'autre comme s'il pouvait, en cherchant bien, trouver une explication à ce qui s'était passé à Galaxy Entertainment. Sites d'information, sites pornos, sites de ragots et autres blogs défilèrent devant ses yeux, véritable nébuleuse d'informations dénuées de sens. Sur l'un de ces sites surgit une publicité pour le surf, dans laquelle on pouvait voir, sur une plage, des jeunes hommes et des jeunes filles toujours plus beaux et toujours moins habillés. *Qu'est-ce que c'est que cette histoire de surf?* se demanda Perry, avant de se rappeler qu'il avait passé beaucoup de temps à faire des recherches concernant le surf sur le Web. Il avait en effet instinctivement fait de Drake Blakely (le petit ami de la fille du président, dans *Dernier jour d'école*) un surfeur, et ce, sans connaître quoi que ce soit à ce sport. Son serveur Web, qui enregistrait toute son activité sur la Toile, avait alors décidé que Perry était un surfeur, pas seulement sur Internet, mais aussi sur l'eau, et il lui adressait des publicités ciblées. Perry créait un personnage pour son scénario et Internet, à son tour, lui créait un personnage.

Tout le monde regarde quelqu'un.

Perry était sur le point d'éteindre son ordinateur lorsqu'une voix s'en éleva : « Tu veux voir quelque chose ? » Il regarda son écran. Une femme à la peau beaucoup trop tendue pour couvrir toute la surface de son corps était alanguie sur un divan rose, à peine vêtue d'un bikini à imprimé zèbre. « Je peux faire tout ce que tu veux. » Une voix masculine lointaine lui répondit et Perry comprit que sa visite sur un site pornographique avait automatiquement ouvert une fenêtre de chat vidéo en live destinée aux hommes prêts à payer pour regarder une femme à la peau trop tendue alanguie sur un canapé rose.

Perry ferma brutalement l'ordinateur. Il se leva et retourna sur son balcon, en quête d'un peu de ciel nocturne. *Vous êtes plus barrés que nous*, pensa-t-il, *mais pas tant que ça.* Tout ça était absurde et le fit rire très fort : voilà que les Terriens et les extraterrestres en étaient réduits à ne faire rien d'autre que *regarder*. *Le pays peut bien s'enfoncer dans l'ignorance et dans l'apathie, la Terre peut bien se consumer dans ses propres émanations, l'expansion de l'univers peut bien se résoudre dans le néant, tout ce qu'on veut savoir c'est : qu'est-ce qu'il y a ce soir à la télé ?*

Perry se sentait comme un peu plus léger, sans trop savoir pourquoi. Puis il comprit : ça ne servait à rien de perdre son temps à vouloir percer le mystère de l'univers ou à réfléchir à l'existence de Dieu. Il y avait bien des individus qui nous observaient de là-haut, certes, mais étant donné leurs goûts en tant que téléspectateurs, il était quasiment certain qu'ils n'étaient pas plus éclairés que lui ou n'importe qui d'autre.

Non pas que Perry eût une religion. Malgré deux parents presbytériens, il entretenait une relation relativement inconstante avec le Tout-Puissant. Lorsqu'il estimait que croire en Dieu pouvait être réconfortant, par exemple quand il se trouvait à l'arrière d'un avion d'une compagnie low cost sur le point d'atterrir, il virait croyant. (Il arrivait parfois à Perry de penser que ce Dieu qu'il ne priait que très occasionnellement serait d'ailleurs bien stupide de croire en la foi anémiée d'un type comme lui et n'avait donc pas l'omnipotence nécessairement requise pour être Dieu, mais cela ne l'empêchait toutefois pas de se livrer à quelques prières de circonstance.) Mais, lorsque Perry n'était pas dans les airs, ni dans l'attente de décrocher un job important ou dans la crainte d'avoir contracté une maladie vénérienne, il n'était plus du tout croyant. La réalité était qu'il n'avait jamais considéré sa vie autrement que comme une chaîne quasi ininterrompue d'humiliations sans la moindre significa-tion. Or, maintenant il le savait : ces humiliations avaient une signification. Il n'était pas un loser ; il était un *entertainer*. Oui, quelqu'un, quelque part, était en train de le regarder.

Il s'adressa à la nuit étoilée : « Je vous vois », et il éclata à nou-veau de rire. Rire lui faisait du bien, alors il continua. Puis il se mit à imaginer les extraterrestres en train de regarder, de l'autre bout de la galaxie, cet homme qui riait sans raison apparente, ce qui le fit rire de plus belle. Il fut interrompu par un murmure ; il regarda en bas et vit, sur le balcon de l'étage en dessous, un couple de personnes âgées qui l'observaient non sans une cer-taine inquiétude. « Ne vous inquiétez pas, leur dit Perry. Tout ça n'a aucune d'importance. » Et il se remit à rire, jusqu'à ce que le couple se lève et retourne dans son appartement.

Était-il en train de devenir fou ? C'était une possibilité que Perry devait sérieusement envisager. Les trottoirs d'Hollywood Boulevard étaient pleins de scénaristes au bout du rouleau, qui posaient pour les touristes, vêtus d'un costume de super-héros taché, et bredouillaient tout seuls entre deux gorgées de gin.

Céder aux mirages constituait un troisième acte plus que prévisible pour un auteur raté. Et pourtant, Perry ne s'était jamais senti aussi sain d'esprit.

Après avoir enfilé le caleçon le plus propre qu'il ait pu trouver, il entreprit, à la lueur de l'unique néon qui éclairait sa salle de bains grise et sans fenêtre, de se passer énergiquement du fil dentaire entre les dents au cas où quelqu'un serait en train de le regarder. Il n'était plus un échec sur pattes vivant seul dans un appartement aussi sale que minuscule ; il était une star qui se produisait devant plusieurs milliers de milliards de téléspectateurs. Il adressa un sourire éclatant à son miroir. Ses dents étaient un peu jaunes, il devrait s'en occuper.

Il s'allongea sur son canapé convertible, en contemplant son plafond écaillé. Sa masturbation du soir n'était évidemment plus d'actualité. Mais pourquoi pas, après tout ? Ce n'était rien qu'ils n'aient déjà vu. Il haussa les épaules et s'y adonna avec enthousiasme. Et, quelques instants plus tard, force lui fut reconnaître qu'il s'était agi d'une de ses meilleures performances en la matière.

Il en conclut qu'il aimait être regardé.

Pour la première fois depuis des années, Perry s'abandonna avec sérénité dans les bras de Morphée. Il rêva en Technicolor : Amanda et lui étaient sur un magnifique plateau de cinéma, en train de chanter et de danser, comme Fred Astaire et Ginger Rogers. La pluie se mettait à tomber et ils se réfugiaient dans une somptueuse demeure mais, à l'intérieur, il pleuvait tout autant. Alors, ils se mettaient à danser plus éperdument encore tandis que des trombes d'eau dévalaient en cascade un escalier de marbre ; ils luttaient crânement contre le courant jusqu'à ce que celui-ci devienne trop fort et finisse par les emporter.

Lorsqu'il se réveilla, Amanda était là, Amanda en chair et en os, au-dessus de lui, un verre vide à la main. La seconde d'après, il comprit que, si le verre était vide, c'était parce qu'elle venait de lui en jeter le contenu sur le visage. Il cracha et s'assit.

« Qu'est-ce que vous faites ici ?

— Nous avons crocheté la serrure. Je suis désolée, monsieur Bunt. Je n'arrivais pas à vous réveiller. »

Encore vaseux, il parcourut rapidement la pièce du regard. Il faisait encore nuit dehors. Un jeune homme qu'il reconnut comme étant le réceptionniste de Galaxy Entertainment était assis sur son canapé, en train de feuilleter un vieux magazine de scénarios. « T'es sûre de toi ? » dit-il. Il examina Perry avec un air sceptique. « Il m'a l'air un peu paumé. »

« Je vous présente Dennis, dit Amanda. Vous vous êtes rencontrés hier.

— Vous avez une drôle de manière de ne plus revoir les gens.

— Nous avons besoin de votre aide. »

Elle s'assit sur le lit, à côté de Perry, qui réalisa à quel point son haleine devait être fétide. Toute sa bouche n'était qu'une espèce d'arrière-goût, un mélange létal de nouilles, de glutamate, de sodium et de sommeil.

« Ça ne peut pas attendre demain ? dit-il en se couvrant la bouche.

— Vous vous souvenez, je vous ai expliqué que nos audiences subissaient une légère érosion, et que c'était la raison pour laquelle je suivais vos cours ?

— Attends une seconde, l'interrompit Dennis. On est obligés de faire ça ici ? » Il désigna le plafond du doigt.

« Nous n'avons plus le temps. S'ils sélectionnent nos images, ils sélectionneront nos images », répondit Amanda en se penchant encore davantage au-dessus de Perry. «Nous avons reçu de mauvaises nouvelles, ce soir.» Elle fit une pause et se passa la langue sur les lèvres. «La Terre est en voie de suppression.»

Perry, toujours groggy, la fixa du regard.

«De suppression?

— Notre boulot est terminé, dit Dennis en jetant le magazine sur la table basse. Dès la fin de la semaine, ils commenceront à nous envoyer sur d'autres planètes.

— Et les producteurs délégués sont bien décidés à garder jusqu'au bout le maximum de téléspectateurs devant leur écran, poursuivit Amanda. Ils sont en train de programmer un finale spectaculaire.»

Perry tournait la tête, d'un visiteur à l'autre. «Qu'est-ce qui va se passer?

— Pas un mariage, en tout cas, répondit Dennis.

— Savez-vous ce que c'est qu'un enterrement viking?»

Oui, il le savait. Dans le jargon des producteurs de télé, on parlait d'un «enterrement viking» lorsqu'on s'emparait d'un programme voué à être supprimé, afin de lui faire outrepasser toutes les limites et d'attirer le plus de spectateurs possible pour les derniers épisodes. Perry se sentit soudain parfaitement réveillé. «Qu'est-ce qu'ils vont faire?» demanda-t-il.

Amanda hésita. Perry se tourna alors vers Dennis.

«Qu'est-ce qui se passe?

— À votre avis? répondit Dennis. Ils préparent la fin.

— Comment ça?

— Ils vont tout faire sauter.»

CANAL 7 : PROGRAMME POUR LES TÉLÉSPECTATEURS DE LA FIN DU MONDE

«TREMBLEMENTS DE TERRE, ATTENTATS TERRORISTES, effondrement des marchés boursiers», dit Dennis. Perry regardait avec ahurissement le jeune homme assis sur son canapé lui dresser allégrement la liste des catastrophes programmées pour le grand finale de la Terre. «Puis tout s'achèvera avec ça... le *coup de grâce*[1].»

Dennis fouilla dans la poche de son blazer et en sortit un stylo qu'il brandit devant le visage de Perry. On y voyait la photo d'une femme en burqa.

«C'est ce truc qui va provoquer la fin du monde?» demanda Perry. Dennis sourit et fit oui de la tête. «Un stylo?

— Regardez», dit Dennis. Il renversa le stylo et la burqa disparut, laissant apparaître une jolie brune totalement nue. «Et voici la petite étincelle qui mettra définitivement le feu aux

---

1. En français dans le texte. *(N.d.T.)*

poudres », ajouta-t-il en désignant trois mots imprimés en tout petit, à la pointe du stylo. Perry plissa les yeux et put lire :

MADE IN ISRAEL

« Nos gars du service des statistiques ont traité toutes les données disponibles dans ce domaine, poursuivit Dennis. Et ils en ont conclu qu'envoyer ce stylo à dix leaders islamiques provoquerait une autodestruction de la Terre en moins de trois semaines. »

Perry retourna le stylo à l'endroit, afin que la burqa couvre à nouveau la femme nue.

« Ce simple stylo ?

— Eh bien, ce stylo ne peut pas, à lui seul, *entièrement* tout faire. Il faut aussi concocter juste ce qu'il faut de chaos généralisé pour mettre tout le monde à cran. Ensuite, il n'y aura plus qu'à ajouter quelques mollahs en colère et à mélanger tout ça. Et alors, avant même qu'on s'en rende compte, tout le monde envahira tout le monde ou tout le monde se fera envahir, on ressortira les armes nucléaires et *boum boum boum*, ce sera la Troisième Guerre mondiale, que parachèvera un duel post-apocalyptique à mort pour la dernière goutte d'essence. » Dennis haussa les épaules. « Je sais : c'est pas très original. Pour vous dire la vérité, ça ressemble même à tous les films qu'on a déjà pu voir, mais vous avez eu l'occasion de vous faire une idée du degré d'inventivité de nos producteurs. » Il lança un coup d'œil à Amanda.

« Je n'ai rien à voir avec ça, dit-elle. Je trouve que cette idée est horrible.

— Attendez un moment. » Perry se mit debout, comme pour sortir d'un cauchemar. « Vous êtes en train de me dire que nous allons tous nous faire tuer... pour une histoire d'audience ?

— Pas *nous* tous, précisa Dennis. *Vous* tous. Hé! Ça devait bien finir par arriver, de toute façon. Avec votre manie de pomper vos énergies fossiles et de tout réchauffer, vous n'êtes déjà pas loin de la fin. Ils en ont simplement marre d'attendre.

— *Sauf* si nous leur montrons que la planète peut encore attirer du public, dit Amanda. C'est pour ça que nous sommes venus. J'ai parlé de vos cours à Dennis, des émissions sur lesquelles vous avez travaillé et des scénarios que vous avez écrits. S'il y a quelqu'un capable de trouver une bonne idée, c'est bien vous. »

Le cœur de Perry se mit de nouveau à battre à tout rompre mais, cette fois-ci, son cerveau n'y prêta aucune attention.

« Moi ? Au cas où vous ne l'auriez pas remarqué, ça n'est pas vraiment mon fort. Pourquoi ne prenez-vous pas quelqu'un qui a plutôt réussi dans la vie ? Steven Spielberg, par exemple. Il passe son temps à sauver la Terre.

— Il a raison, dit Dennis. C'est pas ce que je t'avais dit ? Spielberg ou Lucas ? »

Amanda fit non de la tête. « Les Terricules célèbres sont par nature blasés et sceptiques. Des personnes qui ont si bien réussi ne nous prendront jamais au sérieux ». Elle se tourna vers Perry. « Vous allez nous aider, oui ou non ? »

Perry était assailli de doutes terribles. Une des clés pour devenir un auteur professionnel était de savoir dans quel domaine on était bon et de s'y coller. C'est pour cette raison que Perry n'avait jamais écrit de science-fiction (il n'avait aucune idée de ce que pouvaient bien se dire des gens en combinaison spatiale), ni de drame historique (il n'en savait pas plus sur ceux qui portaient des collants), ni de comédie familiale (à la vérité, il s'y était essayé lors de sa longue période de déclin mais, malgré tous ses efforts, il n'avait rien trouvé de mignon à faire dire à un gamin de 9 ans qui partait à la recherche de sa grenouille domestiquée).

Il n'avait jamais écrit non plus quoi que ce soit qui eût sauvé quelqu'un, et encore moins sauvé le monde. Voilà pourquoi il savait parfaitement qu'il n'était pas la personne la plus qualifiée sur Terre, loin de là, pour le job que lui proposait Amanda.

Cette dernière dut d'ailleurs entrevoir la frayeur qui emplissait le regard de Perry.

«Écoutez-moi, monsieur Bunt, dit-elle. Il doit y avoir une raison pour que ce soit vous. Pour que vous soyez venu à mon bureau hier. Pour que vous vous rappeliez tout ce que vous avez vu. Pour que vous soyez le seul Terricule à savoir ce que nous faisons. Votre heure est venue. C'est la fin du premier acte, le tournant de l'histoire, le moment où le héros entreprend le Grand Voyage fatidique.» Elle sourit. «C'est une évidence. Vous me l'avez dit un jour, après un cours.

— Ah bon?

— Oui. Vous m'avez dit que, malgré tout ce qui vous était arrivé, vous persistiez à croire à la puissance de votre imagination, que celle-ci aurait le pouvoir de changer votre vie. Si votre imagination doit servir à quelque chose, c'est maintenant ou jamais. Vous m'avez expliqué que vous continuiez encore et toujours à chercher la Bonne Idée. Eh bien, elle ne sera jamais aussi bonne qu'aujourd'hui. On y est, monsieur Bunt.» Elle le regarda droit dans les yeux. «L'occasion est venue de devenir la personne que vous avez toujours pensé être.»

Une fois que Perry eut accepté de sauver la Terre, Dennis et Amanda attendirent, sur le pas de sa porte, qu'il finisse de s'habiller, puis, dans un véhicule de service, ils se rendirent dans les locaux de Galaxy Entertainment.

«Quand est-ce que leur grand finale est censé commencer ? demanda Perry, assis sur la banquette arrière.

— Ça a déjà commencé, répondit Dennis, qui conduisait le van à une lenteur exaspérante à travers les rues vides et obscures. Vous avez entendu parler du tremblement de terre en Russie ? »

Ça disait bien quelque chose à Perry, mais il y avait un petit moment déjà qu'il était relativement indifférent aux catastrophes qui n'impactaient pas sa propre existence.

«Je suis vraiment folle de rage de ne pas l'avoir vu venir, dit Amanda. Normalement, nos dirigeants ne veulent pas qu'on se mêle de la vie des Terricules – si les téléspectateurs ont le sentiment que nous manipulons les événements, ils zappent. Mais, depuis quelques années, ça a changé.» Elle lui fit la liste de toutes les fois où les cadres de Galaxy Entertainment avaient obligé les producteurs de la Terre à influer sur le développement de l'intrigue, en déclenchant différentes guerres totalement absurdes ou en créant un sirop de maïs à haute teneur en fructose. «Ça pue à plein nez la tentative de la dernière chance, ajouta-t-elle. Enfin quoi, les audiences étaient en baisse, on le savait, mais personne n'imaginait pour autant que l'heure était venue d'en finir avec *toute la planète*.

— Du sirop de maïs à haute teneur en fructose ? s'interrogea Perry. Qu'est-ce qu'il peut y avoir de divertissant dans du sirop de maïs à haute teneur en fructose ?

— Les gros font rire, répondit Amanda. Les petits génies de la maison mère se sont dit que les audiences grimperaient s'il y avait plus de gros sur Terre. Seulement, ça a trop bien marché. Les téléspectateurs ont fini par être écœurés.

— C'est dingue comme maintenant les gens d'ici sont gros, gloussa Dennis. Je suis sûr que, dans le finale, on va voir plein de gros porcs exploser. Là, on va vraiment *se marrer*.»

Perry écoutait tout ça, véritablement stupéfait.

« Mais nous sommes des êtres humains ! Vous nous prenez pour des rats de laboratoire !

— N'importe quoi ! répondit Amanda. Les rats sont très ennuyeux. »

Perry lui lança un regard noir. « Vous ne nous considérez même pas comme des personnes. Pour vous, nous ne sommes que des jouets.

— Des jouets *très précieux*, précisa Amanda. Galaxy Entertainment a dépensé quasiment vingt billiards de dollars pour cette planète. On risque d'en perdre la moitié.

— C'est tout ce à quoi vous pensez ? explosa Perry. Que vous risquez de perdre de l'argent ? Vous n'êtes qu'une bande de sociopathes meurtriers ! »

Dennis remua la tête. « Non, c'est vous les assassins. On n'a jamais tué personne, nous ; on vous regarde, c'est tout. »

Amanda gratifia Perry d'un sourire plein de sympathie, comme si sa colère la touchait. « Vous ne comprenez pas à quel point les programmes de divertissement sont importants chez nous », lui dit-elle avec une légère trace de compassion dans la voix. Cette réponse était si loin des attentes de Perry que sa vertueuse indignation se dissipa aussitôt. Totalement désemparé, il se rassit au fond de son siège et regarda les rues défiler.

« J'espère que tu sais ce que tu fais, Manda, dit Dennis. Mon bien-aimé pop-corn va me manquer, c'est sûr. »

Perry pensa avoir mal entendu.

« Votre quoi ?

— Mon pop-corn, répéta Dennis. C'est pour ça que je veux sauver la Terre. C'est tellement bon. Faut dire qu'avec tout ce putain de nitrogène dans le sol, c'est difficile de faire mieux. »

Perry, incrédule, hocha la tête. Puis il se tourna vers Amanda.

« Et vous, quelle est votre raison ?

— Je pense que vous le savez très bien. » Elle jeta un regard entendu à Perry, qui sentit son cœur faire des bonds. Puis elle ajouta : « Orgueil professionnel.

— Pardon ?

— Toute ma vie j'ai attendu de travailler ici, et je sais que, si on me laissait un tout petit peu plus de temps avec cette planète, je pourrais produire une émission qui cartonne. Mais ils veulent tout arrêter. Je ne peux pas laisser faire ça. Pour commencer, ça ferait désastreux sur mon CV. »

La colère de Perry se raviva.

« Une planète de sept milliards d'habitants est sur le point d'être détruite et la seule raison pour laquelle vous vous dressez contre cette idée, c'est votre *carrière* ?

— Hé ho ! Il y a plein de planètes avec sept milliards d'habitants, intervint Dennis. Elle, elle n'a qu'une seule carrière. »

Il gara le van devant l'immeuble de Galaxy Entertainment et éteignit le moteur. De l'extérieur, le bâtiment paraissait sombre et désert, à l'exception du vigile petit et trapu, assis à la réception.

« Alors, c'est quoi le plan, Manda ?

— Il faut l'emmener dans une salle de projection, répondit-elle.

— Jamais de la vie ! s'étrangla le réceptionniste.

— Il faut au moins lui montrer Steve, dit Amanda.

— Steve ? demanda Perry. Qui est Steve ? »

Amanda et le réceptionniste ignorèrent sa question.

« Tu ne peux pas faire ça, dit Dennis. Déjà, c'est une violation pur et simple du Code des producteurs.

— Nous n'avons pas le choix, répondit Amanda. Comment est-il censé trouver une idée pour sauver le programme s'il ne sait pas ce nous diffusons ? »

Dennis n'était pas convaincu. « Tu sais ce qu'ils vont nous faire, s'ils nous attrapent ? Ils vont nous virer sur-le-champ et envoyer l'écrivain dans la Salle verte. »

Le ton paniqué de Dennis fit mouche sur Perry.

« Il a peut-être raison, dit-il.

— Nous sommes en train de perdre du temps, conclut Amanda. Allons-y. »

Elle sortit du van, ne laissant à Perry et Dennis d'autre choix que de la suivre.

CANAL 8 : SILENCE ! MOTEUR ! APOCALYPSE !

AMANDA MUNDO ADORAIT LA TERRE. DEPUIS QU'ELLE était toute petite, ses programmes préférés étaient ceux que diffusait Channel Blue. La chaîne avait fait partie des applications de son tout premier télécran et la regarder était la première chose qu'elle faisait en rentrant de l'école. Ce qui, au départ, lui avait tant plu comme à d'ailleurs la plupart des téléspectateurs, c'était ce flot ininterrompu de violence et de bêtise. Mais elle avait vite perçu autre chose chez les Terricules, quelque chose qui émouvait profondément cette jeune Édenite élevée dans une culture exaltant la rationalité. En fait, elle aimait ces Terricules qui se tuaient littéralement à escalader de hautes montagnes, à plonger au fond des océans ou à marcher sur des fils tendus à des hauteurs impossibles. Et pourquoi faisaient-ils tout ça ? Étaient-ils traqués par des prédateurs ? Y avait-il quelque chose d'indispensable à leur survie au sommet de ces montagnes ou au tréfonds de ces océans ? Non – ils le faisaient sans raison. S'ils accomplissaient tous ces exploits, c'était uniquement parce qu'ils voulaient se prouver qu'ils étaient capables de les faire.

Comment ne pas aimer des gens pareils ?

Adolescente, Amanda avait appris tout ce qu'il fallait savoir sur sa propre civilisation, l'Empire édenite, et les trois R qui l'avaient sortie de son passé barbare : Raison, Rationalité et Respect. Elle avait appris comment son peuple était parvenu à transcender plusieurs millénaires de comportements bestiaux et destructeurs pour devenir une société d'où avaient disparu la faim, le meurtre et l'ignorance. Amanda avait beau se sentir fière de son histoire, Channel Blue demeurait un de ses plaisirs coupables. Lorsqu'elle n'étudiait pas les enseignements de ses aînés, elle rentrait chez elle pour regarder, totalement fascinée, ces malheureux Terricules rechercher, au fin fond de la jungle, de l'or qui n'avait jamais existé, s'abîmer les yeux pour écrire d'interminables livres que personne ne lirait ou se laisser mourir de faim, seuls au fond d'une grotte, en quête d'une illumination qui ne viendrait pas. Amanda ne le disait jamais tout haut, mais elle trouvait l'instinct qui poussait les Terricules à se lancer dans des quêtes sans fin, à rêver d'impossibles rêves ou à vouloir atteindre des buts inatteignables, d'une beauté déchirante.

Elle aimait aussi leur sens du devoir et de l'honneur, la façon qu'ils avaient de se sacrifier bêtement pour des causes absurdes. Elle aimait même leur curieux besoin de se diviser en tribus – ils appelaient ça des «pays» – et de célébrer leur tribu comme étant la meilleure de toutes, même si, pour le prouver, il leur fallait déclencher des guerres plus épouvantables les unes que les autres, qui les menaient à une mort certaine. Et, plus que tout, elle aimait leur foi en une puissance supérieure, capable de les sauver de ces guerres épouvantables et de cette mort certaine, une puissance qui ne se manifestait jamais sous une forme tangible et venait encore moins les secourir. Ils finissaient toujours par mourir mais, phénomène incroyable (et le plus beau de tous, aux yeux d'Amanda), cela n'ébranlait en rien la foi des Terricules qui survivaient. Au contraire, cette foi s'en trouvait raffermie car *la puissance supérieure l'avait voulu ainsi*.

Honnêtement, comment pouvait-on ne pas aimer ces gens ?

Channel Blue était un bouquet de plusieurs milliers de chaînes, mais les préférées d'Amanda venaient toutes de la tribu qui se nommait elle-même les États-Unis d'Amérique. Une réelle prospérité, une foi religieuse particulièrement affirmée, une législation très souple en matière d'armes à feu : tout concourait à ce que ce soit aux États-Unis que se déroulent les programmes de Channel Blue qui marchaient le mieux. Oui, c'était un pays où le gouvernement assassinait des gens parce qu'ils assassinaient des gens et déclenchaient des guerres pour empêcher que des guerres ne se déclenchent. Un pays où toute la folie des Terricules se distillait sur seulement quelques fuseaux horaires. En outre, les citoyens de ce pays avaient beau n'avoir – bien entendu – aucun moyen de savoir que leurs inénarrables exploits étaient diffusés à plusieurs milliards de téléspectateurs de l'autre côté de la galaxie, ils semblaient avoir un sens inné de leur prééminence. « Les Américains sont les meilleurs ! » entonnaient-ils lors de grands rassemblements patriotiques et d'événements sportifs internationaux. « Nous sommes le plus grand pays du monde », répétaient fréquemment leurs dirigeants ; et, au vu de leur aptitude à divertir, ils avaient absolument raison.

Quand on lui demandait ce qu'elle voudrait faire quand elle serait grande, Amanda n'hésitait pas à voir les choses en grand : « Je veux produire la Terre. » Ça faisait rire les adultes, qui savaient très bien qu'il était peu probable que cela arrive. Dans la société édenite, la production de divertissement était tenue pour la plus éminente profession qui soit, et les producteurs étaient bien plus révérés que les plus illustres hommes politiques, les plus illustres hommes d'affaires, les plus illustres médecins ou les plus illustres érudits. Channel Blue était en outre une des affectations les plus recherchées de toute la production interplanétaire. Or, du fait de son profil génétique, Amanda avait l'immense chance d'être dotée d'une ténacité bien supérieure à celle de ses pairs. C'est en grande partie pour cette raison qu'elle avait terminé major de sa promotion et avait été admise à la très sélective Académie des arts et sciences télévisuels.

Elle était sortie dans la botte – le 1 % d'excellence – de cette glorieuse institution et aurait pu choisir n'importe quel travail de production sur sa planète. Mais elle n'avait d'yeux que pour le gros lot. Comme il n'y avait pas de poste disponible sur Terre, elle avait accepté les jobs les plus difficiles qu'on puisse trouver dans toute la galaxie à la seule fin d'affûter ses talents, travaillant à la production de la *Nouvelle astaroïde* ou de *Monde de cinglés*. Elle voulait être fin prête lorsque l'occasion se présenterait.

Un beau jour, alors qu'elle était en train de monter une séquence de bagarre entre mutants sur Altaïr 3, elle lut sur son écran qu'un des producteurs du bureau de Channel Blue aux États-Unis partait à la retraite. Elle fut submergée par l'excitation. Non seulement c'était un poste situé sur sa planète préférée, mais il consistait à produire des émissions avec la tribu préférée de sa planète préférée.

Elle sut qu'elle décrocherait le poste avant même de passer l'entretien d'embauche.

Malheureusement, les jobs de rêve ont bien souvent leur lot de désillusions. À peine s'était-elle installée dans ses nouveaux bureaux qu'elle commença à surprendre quelques conversations inquiètes dans l'ascenseur. Pendant des années, Channel Blue n'avait eu aucun problème d'audience. La chaîne avait fait la richesse de ses cadres et la prospérité de ses actionnaires, elle avait employé plusieurs centaines de milliers de producteurs, de monteurs et de techniciens et faisait partie intégrante de la culture édenite, au point que le mot « terricule » était devenu un sobriquet affectueux pour désigner quelqu'un de long à la détente. Mais, lorsque même les chiffres de ses programmes phares commencèrent à vaciller, la chaîne donna véritablement l'impression d'être vulnérable. Arrachés à leur zone de confort, les producteurs se mirent alors en quatre pour trouver de nouvelles idées d'émissions et les hauts responsables commencèrent à regarder ailleurs lorsque les équipes de production manipulaient de façon flagrante les événements qui se déroulaient sur Terre afin de faire grimper les audiences.

Amanda fut la première à emprunter des idées à des écrivains terricules. À la différence de ses collègues, elle n'était pas uniquement une spécialiste des Terricules en tant qu'objets de divertissement, mais une spécialiste des divertissements terricules eux-mêmes. Son initiative eut beau se voir récompensée par une légère hausse d'audience, les préjugés à l'encontre de la culture terricule étaient tels que les autres producteurs n'imitèrent pas sa démarche. L'hémorragie de téléspectateurs continua de plus belle.

Mais Amanda n'avait pas nourri pendant tant d'années les rêves qui étaient les siens, ni travaillé sur tous ces astéroïdes pour renoncer sans combattre. C'était toujours le job de ses rêves. Et maintenant qu'elle l'avait, elle n'allait pas laisser les autres le faire voler en éclats à cause d'audiences pourries.

Voilà pourquoi, dans l'obscurité du parking de Galaxy Entertainment, elle demanda à Dennis de passer son blazer à Perry, qu'elle affubla également d'une casquette de base-ball Galaxy Entertainment trouvée à l'arrière du van et dont elle rabattit la visière de manière qu'elle dissimule son visage. «Baissez la tête et laissez-nous faire», lui ordonna-t-elle. Puis, de chaque côté de Perry, Amanda et Dennis se mirent en route, franchirent la double porte en verre et pénétrèrent dans le hall d'entrée. Sous la visière de sa casquette, Perry put entrevoir le vigile lever les yeux de son journal. «C'est Tim, expliqua Amanda. Il ne se sent pas très bien.»

Le vigile leur fit un signe de la main. Ils franchirent tous les trois la porte de sécurité, qui claqua derrière eux.

La tête toujours baissée, Perry entendit indistinctement des voix au milieu du bourdonnement des appareils électroniques. Il vit l'obscurité du long corridor laisser place à des réverbérations tremblotantes au moment où ils pénétrèrent dans l'immense salle remplie d'écrans. Cinq mètres plus loin, il sentit qu'on le poussait sur le côté et il entra en trébuchant dans une petite salle. Tout était soudainement devenu silencieux.

Perry releva la visière de sa casquette et vit qu'il était seul en compagnie d'Amanda dans une pièce dont les quatre murs étaient des panneaux blancs lumineux. «Dennis fait le guet dehors», lui expliqua Amanda. Elle s'approcha d'une pyramide noire et lisse qui se trouvait au milieu du sol et la toucha avec la mouche tatouée à l'intérieur de son poignet gauche. Aussitôt, des images se mirent à clignoter sur les murs et une véritable cacophonie envahit la pièce.

Sur le mur de droite défila toute une série d'images très rapides : des hommes qui se bagarraient dans un bar, des supporters de football en pleine émeute écrasés par une barrière de sécurité, et des avions se percutant en plein ciel. Ces extraits particulièrement violents étaient accompagnés d'une rafale de bandes-annonces : « Rixes dans les bars ! Bousculades au match de foot ! Shows aériens ! Tous les divertissements mortels des Terricules sont à voir dès maintenant dans *À mourir de rire !* Exclusivement sur Channel Blue, canal 752. »

Nouvelle succession d'images, à un rythme bien trop rapide pour Perry : un campeur poursuivi par un ours, un joggeur mordu par un puma, toutes sortes de surfeurs attaqués par toutes sortes de requins. « Vous adorez les voir en pleine nature ? Branchez-vous sur *Les Terricules donnent à manger aux animaux*, exclusivement sur Channel Blue, canal 753 ! » Puis ce furent des ivrognes en train de dégringoler dans des escaliers, de tomber par la fenêtre ou de se vomir dessus : « Avec leurs cerveaux complètement détraqués, ils ne contrôlent plus rien ! *Terricules sous influence*, c'est exclusivement sur Channel Blue, canaux 754, 755, 756 et 757 ! » Le bombardement d'images se poursuivit, avec la même frénésie : l'intégralité de ce qui pouvait se renverser dans une cuisine, des gens tout nus en train de s'épiler, des accidents domestiques, un homme qui mettait le feu à ses cheveux avec une torche de jardin – tout cela se mettant à clignoter de plus en plus vite jusqu'à ce que Perry, à force de regarder, finisse par avoir mal au crâne et doive détourner les yeux.

«Mais combien y a-t-il de Channel Blue ?

— Entre mille et deux mille, ça dépend des horaires, lui répondit Amanda. Nos téléspectateurs ont une capacité d'attention prodigieusement évoluée. Ils ont des centaines de milliers de chaînes à leur disposition et en regardent généralement une dizaine en même temps. Ils peuvent passer de l'une à l'autre rien qu'avec la pensée ; nous tenons donc à leur proposer autant de choix que possible.

— Mon Dieu », dit Perry.

Des hommes et des femmes élégamment vêtus étaient en train de se faire sauter des bouchons de champagne à la figure. *Champagne Show* était diffusé sur Channel Blue, canal 769.

«Mais ça n'est rien, dit Amanda. Lorsque les audiences étaient bonnes, nous en avions trois mille.

— Qu'est-ce que c'est que ça ? » demanda Perry, en désignant le mur opposé à celui où les images défilaient à toute allure. On voyait un homme, sur le bas-côté de l'autoroute, qui tentait sans succès de changer un pneu de sa voiture, en s'insultant lui-même. «Ça a l'air plutôt ennuyeux.

— Oh ! Ça, c'est un feuilleton, lui répondit Amanda. Le type en train de changer sa roue, c'est Hugh Palmer, l'Homme le plus énervé de la galaxie. »

Perry regarda le sol, où venait d'apparaître une nonne, l'air béat, en train de prier à genoux devant une Vierge Marie si vivante qu'on pouvait la voir respirer. Couronnée d'un halo de lumière aveuglant, la Vierge avait un sourire littéralement bienheureux. «Mon Dieu ! dit Perry. Cette nonne a une vision ! »

Amanda leva brièvement les yeux de la pyramide. «Ah oui ! On a bien réussi notre coup avec celle-ci. »

Perry fronça les sourcils. «Vous donnez des visions aux gens ? »

Amanda opina : « Il n'y a rien de mieux pour faire rebondir les intrigues. »

Perry, bouche bée, continua à regarder la Vierge phosphorescente, puis un autre écran attira son attention : sur le plafond, un jeune adolescent était en train de courir lorsqu'un ballon de volley le frappa à la tête. Puis ce furent deux groupes de garçons vêtus de tee-shirts et de shorts assortis qui se visaient les uns les autres avec des ballons. Perry reconnut tout de suite une séance de *dodgeball*, un rituel d'humiliation habituel dans les cours de gymnastique au lycée.

« Un cours de gym ? s'interrogea Perry.

— C'est un des programmes phares de la chaîne, lui répondit Amanda, tout en continuant à appuyer sur les petits carreaux de la pyramide. C'est l'idée d'un de nos producteurs.

— Quoi ? De diffuser des cours de gym ?

— Non. Les cours de gym. »

Perry n'était pas sûr d'avoir bien compris.

« Vous avez *inventé* la gym ?

— Mais oui, voyons. Qu'est-ce que la gym a à voir avec l'éducation ? Vous ne pensiez tout de même pas que ça servait vraiment à quelque chose ? »

Perry repensa à ses cours de gym au temps du lycée, où un nommé Coach Rasmussen, croisement alcoolique entre W. C. Fields et Staline, avec des cheveux en brosse, poussait à la violence un bataillon d'apprentis terroristes adolescents. « Maintenant que vous le dites, conclut-il, non. »

Amanda ouvrit les deux mains, comme pour dire : Nous sommes donc d'accord.

Perry remua la tête, cherchant toujours à comprendre. « Vous avez inventé la gym pour pouvoir regarder des garçons en train de se torturer les uns les autres.

— Ça peut aussi être éminemment captivant avec des filles.

— Et vous nous espionnez depuis combien de temps ?

— Vous voulez dire : depuis combien de temps nous produisons la Terre ?

— Comme vous voulez. Depuis combien de temps êtes-vous là ?

— Environ cent cinquante ans.

— Quoi ?

— Ça ne fait pas si longtemps que ça. D'autres planètes émettent des programmes depuis plusieurs siècles. »

Alors que Perry s'efforçait d'assimiler toutes ces informations, les cours de gym cédèrent soudain la place à un homme d'âge mûr sur un lit d'hôpital ; il était couché sur le ventre et un infirmier se tenait à côté de lui. Une étoile de mer en dessin animé surgit alors au premier plan et se mit à hurler, d'une voix suraiguë : « Et maintenant, *allons dans son cul* ! » Un public invisible s'esclaffa en applaudissant, tandis que l'on voyait sur l'écran les images sombres et indistinctes d'une coloscopie.

« Ça, c'est un *spectacle* ?

— Et pour quelle autre raison placerait-on une caméra dans un endroit pareil ? répondit Amanda. Je vous en prie, vous n'imaginiez pas que cela pouvait avoir un quelconque intérêt médical ? »

Perry tentait de réfléchir à la question lorsque, sur le mur qui lui faisait face, apparut une image de la Terre, enveloppée de nuages, en train de tourner sur elle-même dans l'espace, pendant que le présentateur entonnait de sa voix de stentor : « Vous en avez marre de la Terre ? Vous n'êtes pas les seuls. » Puis la Terre explosa dans un nuage de feu, avant que s'affiche le bandeau : LA FIN DE LA TERRE. « À ne pas rater, cet automne. Exclusivement sur Channel Blue. »

« Ne faites pas attention à ça », dit Amanda, toujours en train de pianoter sur la pyramide.

Perry continuait de fixer l'écran sur lequel la Terre venait d'exploser et où l'on pouvait maintenant voir ce qui ressemblait à une pub pour une tondeuse à gazon volante.

« Les gens nous haïssent à ce point ?

— Je pense que le mot "haïr" est un peu fort, répondit Amanda. Ils sont plutôt... comment dire... lassés et écœurés.

— Mais pourquoi ? Qu'est-ce qu'on leur a fait ?

— Au début du programme, les gens voulaient toujours plus de Terre. Ils vous adoraient parce que vous étiez naïfs, stupides et égoïstes, parce que vous vous entretuiez, parce que vous mangiez vos congénères mammifères, parce que vous vous faisiez la guerre pour des cailloux que vous trouviez dans le sol. Chaque année, c'était comme si vous deveniez de plus en plus amusants, en imaginant des moyens encore plus fous et plus efficaces de tuer les autres ou de vous tuer vous-mêmes : des bombes capables d'anéantir le monde entier ou des super-virus biologiques créés en laboratoire, sans oublier, bien sûr, le moteur à combustion interne qui est en soi, et sous une foule d'aspects, un sommet en matière d'autodestruction. Foncer sur l'autoroute dans des boîtes en métal, empoisonner l'atmosphère, se fracasser les uns contre les autres – notre public n'avait jamais rien vu de tel. À cette époque, il adorait *toutes* les variétés possibles de comportements irrationnels : vos ridicules conflits religieux, votre incessant besoin de forniquer, vos guerres dévastatrices qui ne riment à rien – tout ça avait l'attrait de la nouveauté. Ça a duré un moment. Puis, avec le temps, les gens ont commencé à se lasser de ce spectacle. Ça devait arriver. Enfin, vous qui vivez ici, vous devez comprendre. »

Oui, Perry avait évidemment du mal avec certaines personnes. Qui n'en avait pas ? Une partie de lui-même, tapie dans les sombres recoins de son âme, n'aurait d'ailleurs probablement pas rechigné à assister à l'éradication massive des extrémistes religieux, des commentateurs politiques, des banquiers d'investissement, des membres de fraternités étudiantes ou des patineurs artistiques. Mais de là à haïr l'humanité au point de vouloir la supprimer *dans son intégralité* !

« Nous sommes vraiment si méchants que ça ? dit-il.

— Comprenez : dans notre monde, cela fait des millénaires que la pauvreté a disparu. Ici, même dans vos villes les plus riches, il y a des gens qui n'ont rien : pas de maison ni même de quoi manger. Pour nous, c'est proprement incroyable. Comment une personne peut-elle habiter une maison d'une vingtaine de pièces alors qu'en bas de chez lui un homme vit dans une boîte en carton ? »

Perry se sentait sur la défensive, sans trop savoir pourquoi. Bien sûr, il estimait que personne ne devait vivre dans un carton. Et, nom d'un chien, il considérait également qu'il était inadmissible que des gens doivent vivre dans un appartement comme le sien ! Mais, en qualité de seul et unique représentant des Terriens dans le débat en cours, il se sentait bien obligé de défendre sa planète.

« Écoutez, dit-il. C'est plus compliqué que ça. Vous voyez, dans l'économie de marché...

— Et les *meurtres*, l'interrompit Amanda. Sur Éden, ça fait dix mille ans qu'il n'y a pas eu un seul meurtre. Mais ici, de parfaits inconnus se massacrent dans des proportions invraisemblables rien que parce qu'un type en uniforme le leur a demandé ! C'est totalement insensé ! Heureusement que vous êtes aussi ridicules et aussi drôles, tous ; autrement, ça fait long-temps que tout le monde aurait zappé. Ah ! Voilà ! »

Amanda pianota une dernière fois sur la pyramide et, sur le mur qui faisait face à Perry, apparut l'image d'un homme avec des lunettes de soleil, qui conduisait une voiture de sport en zigzaguant dans les embouteillages et en parlant dans une oreillette. Son polo de couleur vive était suffisam-ment déboutonné pour laisser entrevoir un torse bronzé et épilé, arborant une croix au bout d'une chaîne en or. « Ouais, je l'ai baisée », disait-il. Il accéléra et bloqua le passage à une autre voiture qui tentait de s'introduire dans sa file. « Raté, ducon ! » hurla-t-il à la voiture en question. Le sourire aux lèvres, il continua sa conversation téléphonique : « Ouais, elle était chaude comme la braise. Peut-être même que je vais la sortir encore, un de ces quatre. »

Perry se tourna vers Amanda, qui contemplait l'homme à la voiture avec un air de réelle fierté. « Voici l'homme le plus célèbre de la Terre », dit-elle.

Sur le mur, l'homme en voiture effectua, à grands coups de klaxon, un virage pour entrer dans un parking et coupa la route à un mini-van pour se glisser dans la dernière place libre.

Perry assistait à tout ça avec une grande perplexité.

« Qui est-ce ?

— Steve Santiago, répondit Amanda. Il est incroyable. Regardez. »

Steve sauta hors de sa voiture de sport – sur la plaque d'immatriculation personnalisée, on pouvait lire : LVE MY RDE[1] –, fonça vers un Starbucks et doubla toute la file des

---

1. LVE MY RDE est le diminutif de LOVE MY RIDE : « J'aime ma voiture ». *(N.d.T.)*

clients pour accéder au comptoir. «Je voudrais un *latte*, et *pronto*», cria-t-il à un employé. Lorsqu'une des personnes qui faisaient la queue se risqua à protester, Steve la refroidit aussitôt d'un regard furieux en lui disant : «J'ai un problème de santé, je ne peux pas faire la queue.» Puis, tout en murmurant «connard» dans sa barbe, Steve jeta ostensiblement un billet de cinq dollars dans le verre à pourboires, uniquement pour le récupérer, à peine la caissière avait-elle tourné le dos.

Amanda hochait la tête, émerveillée. «Il est tout le temps comme ça, dit-elle. Juste au moment où vous vous dites que, finalement, il est capable de faire des choses pas si horribles que ça, il vous cueille en faisant quelque chose d'encore pire.»

Tandis qu'il attendait impatiemment sa boisson, Steve plongea du coin de l'œil dans le chemisier d'une vieille dame.

Perry était toujours aussi perplexe. «C'est une de vos émissions?»

Amanda fit oui de la tête.

«Il y a quelques années encore, c'était le programme numéro un de Channel Blue. Quand les audiences ont commencé à faiblir, on m'a chargé de le relancer. Mais ça a été difficile.

— Je ne comprends pas, dit Perry. *Ce truc* est vraiment une émission?

— Steve est vendeur de Jacuzzi à Encino, expliqua Amanda. Il trompe sa petite copine, il vole des objets sur son lieu de travail, il ment à ses amis, il triche au golf, il loue son appartement pour des tournages de films pornographiques pendant la journée et, pour les vacances, il va au Mexique acheter des médicaments sur ordonnance qu'il revend à des pauvres, malades du cancer, pour se faire de l'argent. Tous les dimanches, après la messe, il va dans la salle paroissiale voler des filtres à café. C'est l'être vivant qui possède la plus fascinante concentration de défauts de toute cette galaxie et c'est la raison pour laquelle je vous ai amené ici. Tout ce que nous avons à faire, c'est de trouver une nouvelle idée géniale d'histoire pour Steve. Alors, nous pourrons sauver la Terre. Qu'en dites-vous ?

— Ce que j'en dis ?

— Il faut que vous travailliez avec moi, monsieur Bunt. Nous n'avons pas beaucoup de temps.

— C'est complètement dingue. Vous êtes en train de me dire que votre émission numéro un tourne autour d'un gros connard d'Encino ?

— Pas un gros connard, répondit Amanda. Le plus grand gros connard *qui ait jamais existé*.

— Je ne comprends pas. Je croyais que vous étiez une sorte de civilisation avancée dotée d'une intelligence supérieure.

— L'intelligence n'a rien à voir avec ça : les Terricules sont cruels et l'égoïsme est amusant. Vous devez me croire sur parole, c'est tout.

— Vous êtes un peuple de sadiques.

— Nous sommes des humains, comme vous. Pensez à tout ce que vous regardez pour vous amuser : le football, la boxe, la lutte, les humiliations de la télé-réalité, les jeux dégradants, les films ultra-violents. C'est justement parce que nous sommes plus avancés que nous avons éradiqué toutes les excuses vaseuses propres à justifier n'importe quelle humiliation publique. Nous prenons nos divertissements pour ce qu'ils sont.

Perry s'apprêtait à contester cet argument lorsque la porte s'ouvrit brusquement. Les deux vigiles, le petit trapu et le grand maigre, pénétrèrent dans la pièce.

«Veuillez tous les deux nous suivre», dit le petit.

CANAL 9 : UNE IDÉE
POUR SAUVER LE MONDE

L ES DEUX AGENTS DE SÉCURITÉ SE TENAIENT DANS
l'embrasure de la porte. « Vous êtes en violation des règles
de l'entreprise », déclara le grand à Amanda.

Perry était paralysé par la peur. Comme toujours lorsqu'il
se trouvait face à une figure d'autorité, qu'il s'agisse du plus
modeste surveillant remplaçant de salle d'étude ou du plus
menaçant des vigiles extraterrestres, il se mit à transpirer à
grosses gouttes. Amanda semblait, quant à elle, étrangement
sereine. Comme s'il cherchait à obtenir une réaction de sa part,
le grand vigile approcha son visage à quelques centimètres du
sien et lui décocha un regard réprobateur.

« Nous avons un réel problème. Vous avez introduit un
Terricule à l'intérieur de la station.

— Et alors ? répondit Amanda. Il est inoffensif. Regardez-le.
Il est évident qu'il n'est pas une menace. »

Perry avait beau parfaitement comprendre la stratégie
d'Amanda, la voir ainsi, l'air de rien, rabaisser sa dangerosité
avait quelque chose d'agaçant.

«Je sais, je sais, je n'aurais pas dû l'amener ici. Flashez son cerveau avec votre anneau et oublions tout ça.

— Négatif.» Le grand vigile baissa la tête et se mit à dévisager Perry, que ce regard menaçant fit involontairement reculer. «Il est déjà venu ici. Nous devons effacer davantage que son cerveau.»

Perry fit de son mieux pour stabiliser ses jambes flageolantes : elles lui seraient indispensables pour fuir cet endroit.

«Ne nous précipitons pas, dit le petit vigile. Nous devons d'abord en parler à M. Pythagore. Veuillez nous suivre tous les deux.»

Les deux agents de sécurité entrèrent dans la pièce; Perry saisit sa chance. De toute la vitesse dont il était capable, il bondit sur sa droite, contourna les vigiles, s'échappa par la porte ouverte et piqua un sprint dans le couloir. Il regarda derrière lui et eut la joie de voir que personne n'était à sa poursuite. Seulement, lorsqu'il se retourna, ce fut pour être à deux doigts de percuter le vigile grand et maigre. Perry s'immobilisa en vacillant, évitant de peu la collision. «Hé... hé, mais... comment avez-vous...» balbutia-t-il avant que l'agent de sécurité ne s'empare de lui.

Perry commença à se débattre et à agiter les bras. Quelque chose lui resta dans la main et, lorsqu'il regarda de quoi il s'agissait, il s'aperçut, avec horreur, que le visage du vigile lui pendouillait entre les doigts. Le vigile manifesta sa contrariété en poussant un grognement, puis récupéra son visage dans la main de Perry avant de prestement le réenfiler sur le tube d'acier qui se dressait entre ses deux épaules. Tous deux furent rejoints par Amanda et le petit vigile; le grand, le visage encore légèrement froissé à ses extrémités, poussa Perry devant lui pour qu'ils empruntent le corridor.

Perry, qui était encore pantelant, s'approcha d'Amanda.

«Qui sont-ils, nom de Dieu?

— Ce sont des roboflics. Ou, plus précisément, un duo bon roboflic/mauvais roboflic.

— Où nous emmènent-ils?

— Chez mon chef.»

Perry sentit une vague de sueur inonder le creux de ses reins et détremper l'arrière de son pantalon.

«Qu'est-ce que vous allez lui dire? Comment allez-vous lui expliquer ce que nous étions en train de faire?

— Je ne sais pas. Souvenez-vous simplement que vous ne savez rien. Je ne vous ai jamais dit ce que nous faisions ici.

«Salut, les amis! Qu'est-ce qui se passe ici?» Dennis le réceptionniste s'avançait négligemment dans leur direction, tout en mâchant bruyamment du pop-corn. Il remarqua que Perry et Amanda étaient escortés par des vigiles. «Il y a un problème?» demanda-t-il, avec une nonchalance bien appuyée.

Amanda lui décocha un regard noir.

«Qu'est-ce qui s'est passé? chuchota-t-elle. Tu étais supposé faire le guet.

— Mais je ne suis pas *gay*! répondit Dennis en ouvrant à peine la bouche.

— Tu étais censé *nous avertir.*

— Pas eu le temps», répondit Dennis. Amanda lui lança un sourire méprisant. «Allez, Manda! Tu sais très bien que le courage, c'est pas mon truc.» Puis il ajouta, sur un ton décontracté: «Hé! Tu devrais jeter un œil sur ce qui se passe dans la salle de projection 7: il y a une bande de richards qui veulent parvenir à l'illumination en crevant dans une hutte de sudation: c'est proprement *hilarant*.» Après quoi, il s'éclipsa, sans demander son reste. Une large main s'abattit violemment sur l'épaule de Perry. Il eut l'impression qu'un vautour venait de s'y poser.

« Pas le droit de parler, grogna le grand vigile. Avancez. »

Après qu'ils eurent marché une centaine de mètres, Perry et Amanda furent introduits dans une pièce immense. Tout au fond, derrière un bureau incroyablement grand, était assis un petit garçon de 9 ans, en costume et à la chevelure admirablement crantée par la Gomina, en train de regarder une multitude d'écrans qui flottaient dans l'air, tout en s'adressant à quelqu'un que Perry ne pouvait voir. « Écoute, dis-lui simplement que j'ai adoré ce qu'il a fait avec le tsunami, dit le petit garçon. Tout le monde ici a adoré ça. On a aussi beaucoup aimé le tremblement de terre en Russie, mais pas autant. Ça n'a pas été aussi *catastrophique* qu'on l'espérait. »

Perry jeta un coup d'œil à Amanda. « C'est ça, votre patron ? »

Elle haussa les épaules. « Nous sommes une industrie principalement tournée vers la jeunesse. »

Toujours en train de fixer les écrans avec une grande attention, le petit garçon fit signe à Amanda et Perry de s'asseoir. Perry put lire sur la plaque qui luisait sur son bureau :

NICHOLAS PYTHAGORE
PRODUCTEUR DÉLÉGUÉ RESPONSABLE
DE LA PRODUCTION DÉLÉGUÉE

Nick, comme l'appelaient tout à la fois ses amis et ses ennemis, était effectivement un véritable prodige : la plupart des enfants travaillant pour Galaxy Entertainment ne devenaient généralement cadres qu'à 13 ou 14 ans. Mais Nick avait tout : la jeunesse, le style et un sens particulièrement affûté des affaires. Aujourd'hui, il avait surtout un très gros problème : il avait décroché le gros lot. C'est lui qui avait remporté le contrat pour produire le finale de la Terre. Il avait présenté un projet très ambitieux, dont le budget était nettement inférieur à celui de ses concurrents. Mais les économies de bouts de chandelle avaient un prix : après seulement deux mois de catastrophes cataclysmiques toutes pires les unes que les autres, il était en retard de deux semaines sur le planning et allait exploser son budget avec le gros de l'apocalypse qui restait à venir.

« Écoute, j'en ai rien à foutre du nombre de mégatonnes ou des problèmes de profondeur ! Tout ce que je te dis, c'est que ce n'était pas suffisant. Ça ressemblait plus à un frémissement de terre qu'à un tremblement de terre. » Nick se tut un moment. « Je ne voudrais pas être blessant, reprit-il, mais je croyais qu'on était convenus que ça devait être un événement qui annoncerait *la fin de cette planète*, et pas simplement le prétexte pour un nouveau concert de charité. »

Sur l'étagère qui se trouvait derrière Nick Pythagore, Perry aperçut une étrange statue : une femme nue, en or, qui portait une planète entre ses mains. Cette femme nue avait beau mesurer moins de trente centimètres, elle avait l'air bien vivante, et la planète qu'elle tenait était une sorte d'essaim tournoyant de gaz rouges et violets. Il se pencha vers Amanda. « Qu'est-ce que c'est ? »

Amanda suivit son regard et eut un petit rire.

« Il l'a mis là pour que tout le monde le voie, répondit-elle. C'est son Orby.

— Son quoi ?

— Le trophée que décerne chaque année l'Académie des arts et sciences télévisuels pour récompenser les meilleurs programmes extraplanétaires. C'est supposé distinguer la qualité des émissions, mais tout le monde sait que ce n'est que de la politique.» Amanda jeta un regard à Nick, puis continua à parler doucement à Perry. «Nick a remporté cette récompense pour la guerre en Irak; il a vraiment eu de la chance. Normalement, le gagnant aurait dû être le producteur qui a fait élire Bush président.

— C'est un producteur qui a fait élire Bush?

— Oui, et Karl est toujours en rogne d'avoir passé à l'as comme ça. Il ne veut même plus *parler* à Nick.»

L'attention de Perry fut distraite par le bruit de la respiration agacée de Nick. «Écoute, j'ai pas le temps pour ça, disait le petit garçon. Dis-lui simplement que j'ai adoré, mais que j'ai des remarques à lui faire. Et il faut absolument qu'on se parle avant le vol 240. Je viens juste de recevoir le script et j'ai quelques soucis avec, *surtout* après la Russie. Je ne veux surtout pas que l'avion rebondisse contre ce putain de réacteur. Salut.» Nick fit un geste de la main, et plusieurs écrans flottants volèrent en formation serrée jusqu'à son bureau. Il se tourna vers Amanda et Perry. «Les auteurs, marmonna-t-il. Je demande un tremblement de terre, et j'ai un frémissement; je demande un attentat terroriste tout bête et ça devient des chansons et de la danse.»

Il s'arrêta, absorbé par les images diffusées sur un de ses écrans volants : les deux vigiles en train de surprendre Perry et Amanda. Nick sourit.

Peut-être que ça ne va pas être une aussi mauvaise journée que ça, se dit-il.

Il avait toujours considéré Amanda comme une rivale, même si elle avait un incontestable handicap; il avait pour lui la jeunesse et une ambition sans pitié, et elle, uniquement la créativité et l'intelligence. Mais, même si les avantages de la jeune femme pouvaient, la plupart du temps, constituer autant de désavantages dans l'industrie du divertissement, elle était quelquefois parvenue à le déstabiliser grâce à la force novatrice de ses idées. Seulement là, après cette terrible infraction aux règles de l'entreprise, elle était bonne pour le chômage.

Savourant le tour délicieux qu'avaient pris les événements, Nick s'enfonça dans son fauteuil. «Qu'est-ce que ça veut dire, tout ça, Mandy? Non, mais sérieusement? Je sais que tu as toujours eu un faible pour les Terricules, mais *en faire venir un ici*?» Il eut un petit éclat de rire. «Tu as perdu la tête, ou quoi?»

Amanda regardait dans le vide, comme perdue dans ses pensées. Perry, qui n'était plus qu'un nœud de peur tout transpirant, ne put en supporter davantage. «Je ne sais rien», glapit-il.

Amanda regarda Perry, l'air déconcerté, puis se tourna vers Nick. «Il ment, dit-elle. Il sait *tout*. Je lui ai même parlé du grand finale.»

Perry la regarda, bouche bée.

«Ça n'a absolument aucune importance, répondit Nick Pythagore. Le seul fait qu'il soit là signifie qu'il est en dehors des clous. Quant à toi, Mandy, prépare-toi à avoir du mal à retrouver du boulot, même comme aboyeuse sur un astéroïde d'attractions.» Il se tourna vers les vigiles : «Emmenez-le dans la Salle verte.» Le grand vigile avança prestement et saisit Perry par le cou.

«Tu ne veux pas entendre son pitch? demanda Amanda.

— Comment ça? répondit Nick d'un air renfrogné.

— Il a une très bonne idée d'émission. Je pense que ça peut nous faire rester à l'antenne.»

L'espace d'un instant, Perry fut certain que le «il» dont elle parlait ne pouvait pas être lui. Mais elle se mit à lui sourire, comme une maman un peu déconcertée qui implore son fils de 6 ans de partager une anecdote avec une amie de la famille. Perry, dont la dernière bonne idée remontait à l'époque où le format VHS était encore en usage, eut soudain la sensation de se trouver juste au-dessus d'une trappe, elle-même au-dessus d'un puits sans fond.

Amanda continua, toujours l'air de rien : «M. Bunt est peut-être un Terricule, mais c'est surtout un écrivain des plus remarquables. C'est pour ça que je l'ai contacté. On a essayé tout ce qui est imaginable. Je me suis dit qu'il pourrait peut-être trouver une idée qui sauverait nos jobs, et, tu sais quoi? j'avais raison.»

Nick ricana.

«Allons bon! Un écrivain terricule? Mais leurs divertissements à eux, ici, c'est de la *merde*. Je t'en prie! Quand même! Ils en sont encore à s'éclater à voir des gens *faire semblant d'être d'autres gens*. Nom d'Adam! Ils regardent des adultes se provoquer des lésions cérébrales en courant après un ballon. Et si tu es assez dingue pour engager un Terricule, pourquoi *Perry Bunt*, bordel de merde? Pourquoi pas Lucas ou Spielberg?»

Les traits d'Amanda se durcirent. «Tu me prends pour une idiote? Tu penses que je prendrais tous ces risques pour autre chose que la meilleure idée que j'aie jamais entendue? On en est à combien, jusqu'à maintenant, avec ton finale?»

Nick se tortilla sur son fauteuil.

«Je ne sais pas trop; 20 000 milliards ou quelque chose comme ça.

— À moi, la dernière fois, on m'a parlé de 30 000! Tu sais très bien qu'on en sera au moins à cinquante au moment du générique de fin.»

Nick tapa du poing sur son bureau. «Mais quel est le rapport, bordel? Tu te pointes avec un Terricule dans mon bureau et tu me fais chier avec *mon* budget? Viens-en au fait, nom de nom!»

Amanda se pencha vers lui. «Je sais que tu joues gros là-dessus, mais tu dois quand même admettre que nous deviendrions des héros si nous trouvions un moyen de booster les audiences, de sauver la chaîne *et* d'éviter de dépenser ces vingt derniers milliards.»

Nick pinça les lèvres, puis, au bout d'un moment, il soupira : «Putain!» Il adressa un signe au vigile, qui lâcha Perry et recula. «Deux minutes. Dis-moi ton pitch.»

Nick et Amanda regardèrent fixement Perry, qui eut l'impression que le sol se dérobait sous ses pieds.

CANAL 10 : LE DEUXIÈME ÉTAGE

ESSAYEZ DE VOUS REMÉMORER TOUS LES RÊVES anxiogènes que vous avez pu faire : ces salles de classe où on vous annonce un examen de fin d'année surprise, ces rues pleines de monde où vous devez marcher tout nu, ces scènes de théâtre sur lesquelles vous montez en ayant complètement oublié votre texte ; multipliez par dix ce que tout cela peut avoir de désagréable, ajoutez-y la peur d'une mort imminente et de la fin du monde, et vous aurez une petite idée de ce qu'éprouvait Perry pendant que le petit Nick Pythagore, producteur de son état, attendait qu'il lui révèle l'idée qui allait littéralement sauver le monde.

« Eh bien... commença Perry. Euh... c'est un peu compliqué. Je ne sais pas trop si... euh... je vais pouvoir résumer tout ça en seulement deux minutes... » Il adressa un regard paniqué à Amanda, laquelle affichait un calme qui confinait presque au ridicule.

« D'ailleurs, dit-elle, comme si Perry venait de vraiment dire quelque chose, je ne pense pas que nous devrions faire notre présentation ici. »

Nick sursauta : « Comment ça ?

— Il faudrait que le grand patron soit là. »

Nick rit jaune. « Tu ne peux pas passer par-dessus moi comme ça.

— Et pourquoi pas ? Tu es prêt à envoyer mon auteur dans la Salle verte. Je ne trouve pas que le climat soit spécialement amical. »

Nick eut tôt fait de prendre la mesure de la situation : si, par le plus grand des hasards, l'idée du Terricule s'avérait prometteuse et s'il donnait l'impression d'avoir voulu lui mettre des bâtons dans les roues, ça ne serait pas bon pour lui. D'un autre côté, si l'idée était aussi nulle qu'il le soupçonnait, Amanda ne ferait que creuser davantage sa propre tombe en la soumettant directement au président de Channel Blue. Et, qui plus est, elle cesserait d'être un problème pour lui. « OK, dit-il. Mais le Terricule ira quand même dans la Salle verte quand ce sera terminé.

— D'accord », répondit Amanda en se levant.

Quelques secondes plus tard, Perry et elle empruntaient à nouveau le long corridor. Perry jeta un coup d'œil aux deux vigiles qui les suivaient discrètement à distance.

« Je croyais que j'étais censé ne rien savoir.

— Changement de plan. »

Perry s'attendait à ce qu'Amanda lui en dise plus, mais il n'en fut rien.

« C'est quoi, la Salle verte ?

— Un endroit pour les Terricules compromis. »

Perry dut avaler sa salive.

« Qu'est-ce que ça veut dire ?

— Il y a parfois ce que nous appelons des "talents" qui passent dans nos émissions et qui en découvrent plus qu'il ne faudrait concernant certains aspects du programme. Si, pour une raison ou pour une autre, on ne peut pas les effacer, on les envoie dans la Salle verte. »

Elle avait dit tout ça en manifestant un certain énervement, comme si elle avait dû expliquer à Perry ce qu'était un arbre.

« Et qu'est-ce qui leur arrive, là-bas ?

— Ils deviennent des figurants. Parfois, ils décrochent même un rôle parlant.

— La première fois que vous m'avez parlé de Channel Blue, vous m'avez dit que vous m'aviez sauvé de la Salle verte.

— Oui. Et alors ?

— Et alors... vous aviez l'air de dire que je serais mort si j'étais allé là-bas. »

Amanda secoua la tête, agacée. « Nous ne tuons pas. Nous n'avons pas tué le moindre être vivant depuis des *millénaires.* »

Perry lui lança un regard sceptique. « Non. Maintenant vous vous contentez de mettre les êtres vivants dans une situation où ils peuvent mourir.

— On ne peut pas empêcher les gens de mourir : tout le monde meurt.

— Surtout dans la Salle verte, c'est ça ?

— Écoutez, si on réussit à taper dans le mille avec votre pitch, il ne sera même plus question de la Salle verte. »

Perry regarda furtivement autour de lui avant de reprendre la parole : « Amanda, je suis désolé de briser vos illusions, mais il n'y a pas de pitch.

— Je sais.

— Mais vous lui avez dit que...

— Il fallait que je suscite son intérêt. Il ne nous aurait pas laissés partir s'il ne pensait pas que vous aviez quelque chose.

— Mais je n'ai rien !

— Vous allez trouver quelque chose, monsieur Bunt. »

Perry n'eut pas le courage de lui dire que les espérances qu'elle plaçait en lui étaient totalement démesurées. Ils arrivèrent devant une rangée d'ascenseurs. « Maintenant que nous travaillons ensemble, dit-il, vous pensez que vous pouvez m'appeler Perry ? »

Amanda eut un petit rire. « Désolée, c'est la force de l'habitude. Nous sommes formés pour maintenir une distance respectueuse vis-à-vis des talents. »

Amanda appuya son tatouage de mouche contre les portes d'un ascenseur. Celles-ci s'ouvrirent d'un coup et la jeune femme entra dans la cabine, suivie de Perry. Sur le panneau de contrôle, il n'y avait que deux boutons lumineux : un 1 et un 2. Amanda appuya sur le numéro 2 et les portes se refermèrent. Comme l'ascenseur amorçait sa montée avec un léger ronronnement, Perry prit conscience que l'immeuble où ils se trouvaient n'avait qu'un seul étage. Soudain, la cabine fut inondée de lumière et ils se retrouvèrent très haut au-dessus du bâtiment, à l'intérieur d'une boîte translucide. Autour d'eux, il n'y avait rien d'autre que le ciel. Perry sentit son estomac se retourner en voyant, sous leurs pieds, disparaître Ventura Boulevard et ses immeubles aux toits gris et plats. Il dut se cramponner au garde-corps pour rester debout. « Qu'est-ce qui se passe ? » suffoqua-t-il.

Amanda regardait la côte californienne rétrécir comme si elle avait déjà vu ça un million de fois. « Les bureaux de la chaîne sont sur la face cachée de la Lune. »

Le souffle coupé, Perry regardait les nuages qui défilaient à toute vitesse autour d'eux.

« Personne ne peut nous voir ?

— Tout ce que les gens peuvent voir, ce sont des images du ciel projetées sur chaque surface de l'appareil. Pour toute une série de raisons pratiques, nous sommes invisibles. »

Le ciel devint d'un bleu plus sombre, qui vira à l'indigo. Des étoiles commencèrent à clignoter dans la brume violette et, sous leurs pieds, la vaste surface bleu et blanc de la Terre prit la forme d'un croissant, puis d'un gigantesque ovale, avant de devenir une perle bleue au milieu des ténèbres. Perry était tellement estomaqué par la beauté de ce spectacle qu'il en oublia momentanément le terrible destin qui l'attendait, lui-même ainsi que le reste du monde, au-dessous de lui.

Il se tourna vers Amanda, qui était en train d'examiner ses ongles. Cette femme, issue d'une race capable de créer quelque chose d'aussi merveilleux qu'un ascenseur pour la Lune, mais également d'asservir et détruire une planète entière à seule fin de divertir les foules, le déconcertait plus que jamais.

« Si votre civilisation est capable de faire des choses pareilles, lui demanda Perry, pourquoi donc les vôtres ont-ils besoin de *nous* regarder ?

— Ils ne vous regardent plus, répondit Amanda. *Et* c'est bien le problème.

— Vous voyez très bien ce que je veux dire. Pourquoi vous donner tant de mal pour traverser la galaxie et espionner la Terre alors que vous savez tout faire ? »

Amanda contempla l'espace. « Question compliquée, à laquelle je ne peux pas répondre dans le peu de temps qui nous est imparti. D'ailleurs... » Elle regarda Perry. « Vous devez réfléchir à ce nouveau programme. »

Une multitude de pensées encombrait la tête de Perry mais, malheureusement, aucune d'entre elles ne ressemblait à une idée digne de ce nom.

« Je ne comprends toujours pas ce qui vous fait penser que j'en suis capable. Je ne connais rien à votre public.

— Je vous ai montré un échantillon de notre programmation. Ça doit servir de base à votre réflexion. Concentrez-vous sur Steve Santiago.

— Mais, Steve Santiago, ça n'a aucun sens. Enfin quoi, je ne connais personne que ça amuserait de le regarder ne serait-ce qu'une minute. C'est un gros con, un point c'est tout. »

Amanda réfléchit à ce qu'elle venait d'entendre. « Pour nous, Steve est terriblement... » Elle chercha le mot juste. « Exotique.

— Mais pourquoi ?

— Pour une foule de raisons. Par exemple, ça fait des dizaines de milliers d'années que, sur Éden, plus personne ne croit en la moindre espèce de divinité. Nous trouvons ça proprement hilarant que quelqu'un comme Steve puisse faire toutes ces choses horribles, pour ensuite aller prier un dieu et s'imaginer que tout est pardonné. C'est proprement extraordinaire. »

Perry acquiesça. « D'accord. Quoi d'autre ?

— Eh bien, mais, mais *tout*, tout simplement. Tout ce que Steve peut être... égoïste, mesquin, arrogant, agressif, rancunier... c'est admirable. Comprenez : nos téléspectateurs ne sont jamais confrontés à ce genre de traits de caractère.

— Et pourquoi ?

— Parce qu'ils ont été éradiqués.

— "Éradiqués" ?

— Oui, il s'agissait des vestiges de nos origines animales, du temps où nous devions jour après jour lutter pour notre survie. Et même si, désormais, ils ne se manifestent plus en nous, nous continuons à les trouver divertissants. De la même manière que vous pouvez apprécier de regarder... je ne sais pas... des singes qui s'amusent au zoo.

— Mais qu'est-ce que vous voulez dire par "éradiqués"?

— Vous le savez. Personne ne veut avoir ce genre de traits de caractère, et personne ne veut non plus que ses enfants les aient.»

Perry regarda Amanda au fond des yeux.

«Vous êtes tous... quoi? Génétiquement modifiés?»

Amanda acquiesça.

«Même vous?»

Amanda leva les yeux au ciel. «Vous ne pensez quand même pas que mes parents auraient laissé faire *le hasard*?»

Perry voyait maintenant sous un jour nouveau les traits du visage d'Amanda : ses yeux noisette qui plissaient magnifiquement quand elle riait, ses cheveux d'un blond étincelant qui tombaient en cascade, ses taches de rousseur si parfaitement réparties. Il s'était souvent dit qu'elle était trop belle pour être réelle, et voilà qu'il venait de découvrir qu'il avait raison. Était-ce d'ailleurs le cas? Il se rappela la discussion qu'il avait eue, une fois, avec un responsable de studio concernant les poitrines refaites. Au cours d'une fête à Hollywood Hills, le producteur en question lui avait affirmé qu'il importait peu que les seins d'une femme soient vrais ou faux, tandis que Perry ne démordait pas de l'idée que savoir que des seins étaient faux les rendaient moins agréables à caresser. (Signe du destin : plus tard, dans la soirée, Perry, totalement ivre, s'était retrouvé à embrasser une actrice et s'était empressé de lui palper les seins, qui avaient la taille et la texture de deux pastèques. Il s'était dit que l'expérience n'était pas aussi prometteuse qu'il l'avait espéré, mais ça n'avait en rien amoindri sa déception lorsque l'actrice, dégrisée, s'était dégagée de son étreinte et avait reboutonné son chemisier avant de disparaître à jamais de sa vie.)

Amanda lui semblait-elle donc réellement moins attirante à présent? Mourait-il un peu moins d'envie de la serrer dans ses bras qu'un instant plus tôt? Bien sûr que non.

«Dennis a dit que le courage n'était pas son truc, dit-il.

— Le génome humain ne contient que 28 422 gènes, ce qui est peu si l'on considère que celui d'un ver de terre en contient 10 000. Par conséquent, même si vos parents engagent le meilleur programmateur en génétique de toute la galaxie, vous ne pouvez pas tout avoir.

— Pour quelles aptitudes êtes-vous programmée?

— Je suis d'un génotype de niveau 4, répondit Amanda sans la moindre once de fierté. La liste est longue, et nous devrions vraiment nous concentrer sur le pitch.

— Donnez-moi juste un aperçu.»

Amanda soupira.

«Raisonnement déductif, mémoire, prise de risque, ténacité, ambition, don pour les langues, imagination, empathie, dispositions pour les pratiques artistiques, coordination physique, planification motrice...

— C'est tout? l'interrompit Perry. Pas de don pour le bowling? Rien pour les pieds qui ne sentent pas mauvais?»

Amanda lui lança un regard réprobateur. Ordinairement, elle n'avait rien contre une bonne blague – après tout, «sens de l'humour» faisait partie des quelques caractéristiques que Perry ne lui avait pas laissé le temps d'énumérer. Mais ce n'était pas le moment.

«Nous devons trouver une idée.

— Et Dennis, pour quoi a-t-il été conçu?»

Amanda fut obligée de réfléchir un instant. «Je ne sais pas vraiment. Il a de beaux cheveux...»

Perry pouffa.

« C'est vrai que c'est essentiel.

— Ne vous moquez pas. C'est grâce à nos bons gènes que nous ne connaissons plus ni la guerre, ni la faim, ni le meurtre. Il y a bien longtemps qu'on a jeté ça dans les poubelles des laboratoires. Plus besoin d'être agressif sans raison ; nous avons le temps de profiter de la vie. »

Perry réfléchit à ce qu'elle venait de lui dire.

« Et donc, vous vous ennuyez.

— Non, répondit Amanda, laissant entrevoir que, sous sa cuirasse de sérénité, elle était légèrement sur la défensive. Nous avons plein de temps pour nous amuser. »

Perry sentit son cœur s'emballer.

« Ce qui explique pourquoi vous avez besoin de nous regarder, c'est ça ? Si nous ne nous entre-assassinions pas, votre peuple ne saurait pas quoi faire de sa vie. »

Amanda fronça les sourcils. « Je me fiche bien de ce que vous pouvez penser de nous ; vous et toute votre planète n'allez bientôt plus passer qu'en rediffusions si nous ne trouvons pas un pitch. Alors, qu'est-ce que vous avez ? »

Perry fronça à son tour les sourcils et essaya d'avoir l'air profondément absorbé, comme s'il était sur le point d'avoir une révélation. Malheureusement, une seule pensée se répétait indéfiniment dans son esprit : « Pas d'idée. »

La surface de la Lune, d'un blanc aveuglant, s'approchait à toute vitesse de l'ascenseur, jusqu'à les entourer complètement. Perry se rappela ce que lui avait dit Amanda au cours d'une de leurs conversations d'après cours. « Quand vous m'avez dit que votre petit ami vivait très loin, vous parliez d'ici ? »

Amanda éclata de rire. « Oh ! Non ! Si c'était sur la Lune, ce serait tellement plus simple. Jared travaille au service administratif sur la planète mère. Nous nous hologrammons trois fois par semaine quand nous avons le temps. » Amanda regarda la Lune, qui n'en finissait pas de grossir ; Perry crut deviner chez elle une certaine mélancolie et détourna les yeux ; il s'en voulait d'avoir abordé le sujet. L'ascenseur fit une légère embardée et entra paisiblement dans l'orbite lunaire, passant de la lumière à l'obscurité. Comme la nuit enveloppait l'ascenseur, la face obscure de la Lune s'offrit à leur vue. De gigantesques lettres lumineuses apparurent à la surface, et Perry les contempla, subjugué, avant de pouvoir lire le message complet :

ICI COMMENCE LA FOLIE

À côté de ces énormes lettres qui étincelaient se dressait une immense flèche, pointée en direction de la Terre. Tandis qu'ils s'apprêtaient à atterrir sur le I de ICI, une lumière aveuglante emplit l'ascenseur. Perry plissa les yeux pendant qu'Amanda chaussait une paire de lunettes de soleil. « Nous avons reçu des plaintes de la part de vaisseaux spatiaux qui passaient dans le coin, dit-elle. Mais ça nous fait une bonne publicité. Et, en ce moment, nous en avons bien besoin. »

Perry n'eut pas l'occasion de répondre car l'ascenseur était en train de descendre à toute vitesse vers la surface lunaire. Comme le sol crayeux donnait l'impression de monter vers eux, il s'accrocha de plus belle au garde-corps pour se préparer à l'impact. Puis l'ascenseur ralentit, vira pour descendre dans un petit cratère, et glissa silencieusement sous la surface. Avant que Perry n'ait pu réagir, un doux carillon retentit – *ding* – et la porte s'ouvrit sur un grand vestibule très éclairé. Les talons d'Amanda claquèrent lorsqu'elle posa les pieds sur le sol brillant.

« Bienvenue à la Station de base de Channel Blue, dit-elle. On se retrouve après la décontamination.

— Pardon ? » s'écria Perry tandis que deux individus, un grand et un petit, vêtus de combinaisons blanches, s'approchaient de lui.

« Par ici, monsieur », dit le petit.

Perry les regarda. Aussi impossible que cela puisse paraître, il s'agissait bien des deux vigiles de Galaxy Entertainment.

« Amanda ! » hurla-t-il.

Amanda s'arrêta. « Ne vous inquiétez pas. Ce sont des modèles différents, des roboflics reformatés en décontaminateurs. Ils sont parfaitement inoffensifs. » Et elle reprit son chemin.

Perry laissa à contrecœur les deux silhouettes qui ne lui étaient que trop familières lui faire franchir une porte coulissante pour pénétrer dans une pièce vitrée, très lumineuse. Le grand type scella la porte et les deux décontaminateurs se saisirent de longues baguettes métalliques. « Déshabillez-vous, s'il vous plaît », dit le petit. Perry retira lentement tous ses vêtements à l'exception de son slip blanc (lequel, à sa grande honte, était sale). « *Tous* vos habits », aboya le grand. Perry hésita, puis retira son sous-vêtement. Les décontaminateurs échangèrent un regard, puis le grand leva sa baguette, qui émit une pulsation électrique bleutée, laquelle alla droit à l'entrejambe de Perry. Celui-ci eut tout à coup une curieuse sensation de chaleur puis baissa les yeux pour constater que ses poils pubiens avaient disparu. Il ressemblait à une version prépubère et assez grotesque de lui-même.

« C'est bon, dit le petit, en désignant une porte que Perry n'avait pas remarquée. Des vêtements sont à votre disposition de l'autre côté. »

Perry franchit la porte et se retrouva dans une pièce entièrement vide, à l'exception d'un banc sur lequel était posé un survêtement en velours bleu plié avec soin.

Quelques instants plus tard, il pénétrait, vêtu de son survêtement bleu, dans une grande salle où l'attendait Amanda, elle-même vêtue d'un même survêtement bleu.

«Pourquoi ne m'avez-vous pas dit qu'ils allaient me brûler les poils? demanda-t-il.

— Oh! J'avais oublié cette histoire, répondit-elle tout en examinant un petit écran qu'elle tenait à la main. Ça fait des milliers d'années que nous n'avons plus de poils pubiens – on a dû estimer qu'il s'agissait d'une possible source de contamination. Nous avons de la chance. Le président de Channel Blue peut nous recevoir maintenant.» Elle regarda Perry. «Vous avez déjà des idées?

— Comment pourrais-je trouver des idées alors que deux robots viennent de m'envoyer des boules de feu dans l'aine?»

Amanda glissa son écran dans l'une de ses poches.

«Nous avons encore un peu de temps.

— Amanda, ça m'ennuie de vous le dire, mais je n'ai même pas ne serait-ce que l'*ombre* d'une idée.

— Ça va venir.»

Perry remua la tête. «Qu'est-ce que j'ai bien pu faire qui vous ait donné l'impression que je suis capable de travailler sous pression? Parce que, autant vous le dire tout de suite, ce n'est pas du tout le cas.»

Amanda semblait totalement imperturbable.

«Quelque chose va peut-être vous venir à l'esprit.

— Comment pouvez-vous être aussi calme?

— À quoi cela servirait-il de paniquer?

— Rien ne servirait à rien, je crois. Je ne suis pas le type qu'il vous faut pour ce job. »

Amanda haussa les épaules. « Il est trop tard pour trouver quelqu'un d'autre. »

Perry avait envie de hurler : « Écoutez-moi : je n'ai pas d'idée maintenant, et je n'en aurai pas une dans les quinze minutes qui viennent. »

« Vous me paraissez vraiment tendu. » Amanda le regarda pensivement, en se tapotant les lèvres du bout des doigts. « Je sais ce qui pourrait vous aider : un orgasme. »

Perry se sentit soudain submergé par un flot d'adrénaline. Il parcourut furtivement l'ensemble du hall, qui était complètement vide.

« Vous croyez ?

— Absolument, répondit Amanda. Pourquoi est-ce que vous ne vous masturberiez pas un coup avant la réunion ? »

Perry ne put dissimuler sa déception.

« Pardon ?

— Je sais que vous êtes vraiment sous pression – un orgasme pourrait vous détendre. En vérité, ça me dirait bien, à moi aussi. »

Amanda sortit une petite boîte de sa poche, en fit tomber une pastille violette au creux de sa main et l'avala. Elle sortit une autre pilule, qu'elle tendit à Perry.

Celui-ci examina la pilule, plutôt soupçonneux.

« C'est quoi, ça ?

— "ENCORE".

— Encore ? Encore quoi ?

— Extenseur Neuronal de Contentement Onanistique Récréatif. Regardez. »

Amanda se tapota le ventre juste au-dessous de l'estomac et se mit soudain à respirer très fort. Sous le regard à la fois gêné et follement intéressé de Perry, elle jeta sa tête en arrière et commença à gémir de plaisir, puis elle sourit à Perry, sans manifester la moindre gêne.

« Ouh ! dit-elle. Vous êtes sûr que vous n'en voulez pas ? »

Perry eut soudain conscience de la bosse glabre qui gonflait durablement son pantalon depuis le rapide orgasme d'Amanda.

« S'il y a bien une chose pour laquelle je n'ai pas besoin d'une pilule, c'est bien me masturber.

— Mais c'est tellement plus rapide avec, plus facile et plus intense, dit Amanda. Avant ENCORE, nous perdions une grande partie de notre vie à nous livrer à cette quête absurde de relations sexuelles. » Elle eut un frisson de dégoût. « Pareils à des animaux en chaleur, prêts à mourir pour nous entre-frotter les muqueuses et poser notre bouche partout sur le corps de l'autre. Vous savez... comme vous. Maintenant, nous sommes libres. »

Une nouvelle fois, Perry ne put dissimuler sa déception.

« Vous n'avez pas de relations sexuelles ?

— J'ai connu quelqu'un qui avait essayé, une fois, au lycée, dit Amanda en grimaçant. Beurk ! C'est tout bonnement incroyable d'avoir pu confondre une activité aussi laide et violente avec l'amour, uniquement parce que c'était lié à la reproduction.

— Donc vous n'avez jamais...

— Non !

— Mais alors... » Perry essaya de trouver les mots justes. « Qu'est-ce que vous *faites* les uns avec les autres ?

— Intimité physique, répondit Amanda. Vous savez, on se fait des câlins, on se prend dans les bras, on se serre très fort. Des actes véritablement dignes du concept d'amour.

— Vous vous embrassez ? »

Amanda fronça le nez et remua la tête.

« S'embrasser est une activité héritée des singes qui mâchent la nourriture de leurs petits pour la leur recracher dans la bouche. Non merci.

— Jamais ?

— Mais non ! » Amanda observa le visage de Perry. « Vous allez bien, monsieur Bunt ? Vous êtes tout pâle.

— Ça va.

— Vous êtes vraiment sûr que vous n'avez pas besoin de vous masturber ?

— Ça va !

— Peut-être plus tard, alors. » Amanda glissa la pilule violette dans la poche extérieure de Perry. « Si vous vous sentez tendu au cours de la réunion, allez-y. Tout le monde comprendra. »

Perry était incapable de rassembler suffisamment ses esprits pour conceptualiser un monde entièrement dénué de tout ce qui pouvait avoir un intérêt à ses yeux.

« Si vous ne vous embrassez pas, si vous n'avez pas de relations sexuelles, comment montrez-vous à quelqu'un que vous tenez vraiment à lui ? demanda-t-il.

— Pardon ?

— Comment vous montrez-vous votre amour ?

— Je ne savais pas que l'amour était quelque chose qui devait se montrer. Vous l'éprouvez ou vous ne l'éprouvez pas, n'est-ce pas ? »

Perry remua la tête : « On doit vraiment s'éclater quand on fait la fête avec vous.

— Absolument, dit Amanda.

— C'était de l'ironie.

— Je sais, mais nous sommes sur la Lune, maintenant. Les sarcasmes des Terricules ne s'élèvent pas jusqu'ici. » Elle adressa à Perry un sourire condescendant. « Nous considérons qu'il est plus efficace de dire ce que l'on pense. Alors, profitez de ce que nous sommes ici pour essayer un coup. Au moins jusqu'à ce que la réunion soit terminée.

— Avec plaisir », dit Perry, avec autant d'ironie que possible.

Un petit véhicule à deux places sortit d'une fente qui venait de s'ouvrir dans le mur, et flotta dans l'air. « Notre taxi est arrivé », dit Amanda. Elle s'assit sur un siège et fit signe à Perry de la rejoindre. Il monta prudemment dans la voiture volante, qui démarra immédiatement à pleine vitesse dans le hall vide. *Évidemment, les civilisations avancées ont toutes de grands corridors vides*, pensa Perry. La voiture tourna à un angle et se retrouva soudainement au milieu d'une foule d'hommes et de femmes de races variées, qui marchaient ou volaient dans toutes les directions en parlant différentes langues et vêtus uniformément d'un survêtement bleu. Les hommes avaient le corps musclé, la chevelure abondante et les traits parfaitement dessinés des stars de cinéma, tandis que toutes les femmes irradiaient une beauté extraordinaire et éthérée, tout cela donnant à un Perry abasourdi le sentiment d'être complètement inadapté. C'était comme si Hollywood s'était occupé du casting d'une version futuriste des Nations unies.

Perry comprenait maintenant pourquoi Amanda n'avait pas l'air consciente de sa propre beauté. Au milieu de tous ces gens, elle était *normale*.

« Pourquoi ces tenues bleues ? demanda Perry.

— Pourquoi pas ? répondit Amanda. Elles sont très confortables.

— Personne n'a envie de porter autre chose ?

— Oh ! Vous voulez dire quelque chose à la mode ? s'esclaffa-t-elle. Encore un vestige de nos origines animales. Plumage et ainsi de suite. Une *colossale* perte de temps et d'argent. Très distrayant, cela dit. Une de nos émissions qui a le plus de succès diffuse d'ailleurs des images filmées à l'intérieur des cabines d'essayage du monde entier. »

La voiture traversa une immense salle surmontée d'un dôme où s'alignait toute une succession de couloirs et de portes. « Mon appartement est juste là, dit Amanda, désignant un point à mi-parcours du labyrinthe. Je vous le montrerai, si nous avons le temps. »

Perry se sentit légèrement excité à l'idée de se retrouver seul avec Amanda dans son appartement, avant de se rendre compte que, s'il n'y avait ni baiser ni sexe, ça n'aurait pas grand intérêt.

« Alors, comme ça, vous vivez sur la Lune, dit-il.

— Bien sûr, dit Amanda. Vous ne pensiez tout de même pas que je vivais là-bas, en dessous ? »

Perry soupira.

« Vous savez, vous n'arrêtez pas d'insulter la Terre, comme si ce n'était pas de là que je venais. Comment suis-je supposé prendre ça ?

— Je suis désolée, dit Amanda. J'oublie, parfois. Nous sommes arrivés. »

La voiture s'arrêta en l'air. Amanda en sortit d'un bond et commença à emprunter le couloir à pas vifs. Perry sortit à son tour de la voiture, s'arrêtant un moment pour la voir disparaître dans une fente du mur. « Monsieur Bunt ! » le héla Amanda. Perry la rejoignit et ils franchirent tous deux une imposante porte coulissante pour pénétrer dans un bureau qui ne ressemblait à aucun de ceux qu'il avait pu voir jusqu'à maintenant. Pour commencer, il y avait un mur entièrement en verre à travers lequel on pouvait voir la surface de la Lune et l'obscurité vide de l'espace. Les autres murs étaient couverts de petits écrans qui diffusaient en direct les images de Channel Blue : des enfants en train de vomir à leur anniversaire, des ouvriers en bâtiment qui se donnaient des coups de marteau sur les doigts, des automobilistes qui emboutissaient leur voiture contre les murs de leur garage – mais, dans ce bureau, la Terre semblait très, très loin. Sur fond d'étoiles lointaines se trouvait un majestueux bureau encadré par des étagères où se dressait une multitude de trophées, parmi lesquels Perry reconnut plusieurs Orbys d'or. Un homme corpulent, vêtu d'une combinaison de pilote en velours bleu, avec un casque de cheveux blancs, était assis dans un fauteuil, derrière le bureau, en train de contempler l'espace. Amanda et Perry s'assirent et l'homme se retourna pour leur faire face.

« Alors, que se passe-t-il ? » dit-il d'une voix grave et traînante reconnaissable entre mille.

Perry avait déjà entendu cette voix. C'était la voix du King.

L'homme assis dans le fauteuil était Elvis Presley.

CANAL 11 : UN PITCH POUR LE KING

C'ÉTAIT BIEN ELVIS. IL AVAIT PRIS DE L'ÂGE, MAIS ÉTAIT incroyablement bien conservé pour un homme de plus de 80 ans. Perry le regardait avec un sourire figé, incapable de prononcer un mot. Tandis que l'homme assis derrière son bureau, lui, regardait Perry en attendant qu'il parle.

Amanda intervint pour débloquer la situation.

« Comme on a dû vous l'expliquer, dit-elle, M. Bunt a une nouvelle idée d'émission qui va sauver Channel Blue.

— Vous avez pris de sacrés risques, jeune fille, dit d'une voix traînante l'homme à la banane blanche. Pour vous-même et pour l'entreprise.

— Ça valait le coup, vous allez voir. »

L'homme jeta un rapide coup d'œil à Perry puis regarda à nouveau Amanda.

« Je dois avouer que je suis quelque peu sceptique, dit-il. Personne ne tient autant que moi à ce que Channel Blue reste à l'antenne. J'ai toujours eu une tendresse particulière pour les

Terricules et leurs drôles de frasques. Mais bon, pas moyen de déguiser la nullité spatiale ; les audiences sont en train de sombrer dans un trou noir.

— Alors, nous n'avons rien à perdre, répondit Amanda. On s'apprête bien à tout faire sauter et à tirer un trait dessus, non ? Donc, au point où nous en sommes, tous les programmes que nous pourrons en tirer, ça n'est que du bonus. »

L'homme hocha lentement la tête. « Je ne suis pas un expert en matière d'auteurs terricules mais, si on doit suivre cette voie, pourquoi pas plutôt Lucas ou Spielberg ? »

Perry avait beau être toujours totalement abasourdi, il fut tout de même un peu vexé. « Vous n'avez peut-être jamais entendu parler de lui, mais M. Bunt est le meilleur, dit Amanda. J'ai une totale confiance en lui. Je n'abuserais pas de votre temps si ce n'était pas le cas. »

Le président de Channel Blue pianota sur son bureau, puis se tourna vers Perry. « Très bien, dit-il. Je vous écoute. »

Perry regarda le vieil homme. « Je suis désolé, lâcha-t-il, mais il faut que je vous pose la question. Vous êtes Elvis Presley ? »

L'homme fit un signe de tête affirmatif. « J'ai commencé comme producteur de terrain sur Terre », répondit-il sur un ton lapidaire indiquant qu'il ne tenait pas à s'étendre sur le sujet.

Perry l'avait parfaitement remarqué, mais ne put s'empêcher de demander : « Que faites-vous ici ? »

Amanda lui lança un regard furieux. « M. Presley aimerait connaître votre idée. C'est un homme très occupé.

— Mais oui, dit Perry. Bien entendu. »

À cet instant, la boule de billard qu'il avait l'impression d'avoir dans le ventre se transforma en boule de bowling. Pourquoi était-ce à lui que ça arrivait, se demanda-t-il. Il y avait sept milliards d'êtres humains, et c'était à lui de sauver la Terre ? Ça ne suffisait pas de devoir être anéanti par les extraterrestres, il fallait en plus qu'il se retrouve responsable de la destruction de la planète ? Il secoua la tête pour essayer en vain d'y mettre de l'ordre.

« Il a vraiment une idée, n'est-ce pas ? demanda Elvis.

— Mais bien sûr que oui », répondit Amanda. Elle se tourna aussitôt vers Perry, les yeux brillants. « Et la meilleure des idées ! »

Perry la regarda à son tour et, malgré son extrême nervosité, il sourit jusqu'aux oreilles. Elle croyait en lui ! Incroyable ! Alors, si elle croyait qu'il était capable d'arranger tout ça, eh bien, pourquoi n'en serait-il pas capable ? Après tout, le petit garçon de 6 ans qui pensait être destiné à de grandes choses, avec une telle ferveur qu'il avait risqué sa vie sur une corde à linge, c'était bien lui ! Et puis, elle n'était pas si lointaine que ça, l'époque où, nageant dans un océan d'argent, il culminait encore dans la stratosphère réservée aux scénaristes hollywoodiens ! Mais oui, bon sang ! C'était quand même lui qui était parvenu à bluffer son monde lors d'une centaine d'entretiens comme celui-ci et à s'en tirer en décrochant des contrats à un million de dollars ! D'accord, les entretiens n'étaient pas *exactement* comme celui-ci : il n'avait jamais vraiment eu l'occasion de présenter son idée sur la Lune, à une rock star défunte, dans le but de sauver l'humanité. Mais cela ne revenait-il pas exactement au même ? À convaincre quelqu'un que c'était lui qui avait la solution qu'il leur fallait, alors que ce n'était absolument pas le cas ?

Perry continua à sourire, s'efforçant, de toutes les fibres de son être, de retrouver cette confiance en lui qu'il avait laissée sur Hollywood Hills. « Mon idée, dit-il à voix haute, un peu comme s'il essayait d'évaluer la justesse de ce terme, mon idée est très, très simple. On ne peut plus simple. » Jusqu'ici, tout se passait bien : Elvis se pencha en avant, comme pour lui consacrer toute son attention. *Et maintenant, quoi ?* pensa Perry. Puis il se rappela un de ses précieux artifices du temps glorieux où il participait à des entretiens : lorsqu'on n'est pas trop sûr de soi, il faut réaffirmer l'évidence.

« Channel Blue a connu le succès pendant des années. Et maintenant, ce n'est plus le cas. » *Continue comme ça,* se dit Perry. *Tu dois continuer.* « Au début, vos téléspectateurs regardaient la chaîne parce qu'ils trouvaient que les habitants de la Terre se comportaient de façon ridicule, absurde, et la plupart du temps terrifiante. » Elvis fit un léger signe d'acquiescement. *C'est bon !* pensa Perry. *Ça marche !* Il l'avait cueilli ! « Qu'est-ce qui a bien pu changer ? Les habitants de la Terre se comportent-ils de façon moins ridicule, absurde et la plupart du temps terrifiante ? Je ne pense pas. Ce qui a changé, continua Perry, qui commençait à s'emballer, c'est que vos téléspectateurs en ont marre. Alors, que pouvons-nous faire pour y remédier ? Comment faire pour que les gens portent un nouveau regard sur Channel Blue et redeviennent des téléspectateurs assidus ? »

Elvis le regardait attentivement. Amanda buvait ses paroles. Perry ouvrit la bouche... et rien ne sortit. Ça y est, il était dans une impasse. Il était devenu une coquille vide stérile, dépourvue de la moindre idée. Il était redevenu un imposteur, un scénariste au chômage qui habitait un appartement sordide et n'était absolument pas à la hauteur. Il sentit la sueur perler sur ses sourcils alors qu'il parcourait désespérément la pièce du regard, à la recherche de n'importe quel objet susceptible de faire sauter le verrou qui emprisonnait son cerveau.

« Allez-vous finir par me dire que quoi il s'agit ? demanda Elvis. Parce que je ne suis pas tellement d'humeur à jouer aux devinettes. »

C'est alors que le regard de Perry tomba en plein dessus : sur l'un des écrans qui montraient des Terriens en train de s'humilier eux-mêmes, il reconnut Steve Santiago, la créature la plus détestable de la galaxie, en train de dormir, les cheveux dans une résille. Au-dessus de son lit, il y avait un portrait de Jésus-Christ, le genre de tableau qui avait toujours mis Perry mal à l'aise : Jésus regardait vers le ciel tandis qu'un cœur sanglant et ceint d'épines sortait de sa poitrine.

Et soudain Perry tint son idée.

« Steve Santiago a une vision, dit-il. Jésus lui apparaît. Et Jésus lui dit qu'il va détruire la Terre et toute l'humanité sauf si Steve devient quelqu'un de bon. Pour sauver sa propre vie et celle de la planète, Steve entreprend de ne plus être l'individu le plus égoïste de la galaxie et devient l'individu le moins égoïste de la galaxie. »

Amanda se mit aussitôt à sourire. « Je vous avais bien dit que ce serait génial », dit-elle.

Perry se sentit soudain submergé par la vague d'euphorie qui envahit un condamné soudainement libéré.

Elvis hocha lentement la tête.

« Pas mal. Mais faire apparaître Jésus… En fait, nous n'aimons pas tellement provoquer des visions. Notre public n'apprécie pas trop de nous voir manipuler ceux d'en bas. C'est depuis ces foutues années 1960. Beaucoup pensent que c'est à partir de ce moment-là que Channel Blue a commencé à dérailler.

— Mais personne ici ne suggère d'introduire du LSD au sein d'une population qui ne se doute de rien, intervint Amanda. Pas plus que les coupes mulet, les 4 × 4, ou les shorts pour femmes avec des inscriptions sur les fesses. Et encore moins le rock and roll.» Il y avait un brin de provocation dans ces derniers mots, et Elvis eut un petit sourire entendu. «Nous parlons ici d'une seule et unique vision céleste, dont les répercussions positives sont potentiellement illimitées.» Les yeux d'Amanda brillaient plus que jamais – Perry pouvait voir combien elle avait de talent dans ce genre d'entretiens. «La quête de Steve prouvera à notre public que les habitants de la Terre ne sont pas tous des égoïstes ni des mollusques apathiques. Nous obtiendrons un accroissement de leur sympathie tout en leur donnant leur pain quotidien : échecs et humiliations. Steve Santiago qui essaie d'être bon ? Ça va les rendre dingues. Personnellement je suis impatiente de voir ça.»

Elvis eut un haussement d'épaules. «Vous avez deux jours», dit-il, et il fit pivoter son fauteuil pour se retrouver à nouveau face aux lointaines immensités de l'espace.

CANAL 12 : LA PLUS GRANDE STAR
DE LA TERRE

« Qu'est-ce qui s'est passé ? » demanda Perry une fois qu'Amanda et lui furent à nouveau en train d'arpenter un grand couloir très éclairé, sous la surface de la Lune. Amanda ne lui répondit pas ; elle lui colla un écran sous les yeux. On y voyait différents portraits de Jésus-Christ datant de la Renaissance.

« Lequel préférez-vous ? » lui demanda-t-elle. Comme Perry hésitait, elle lui dit : « Allez, monsieur Bunt ! Vous avez entendu ce qu'il a dit : nous n'avons que deux jours pour réussir. Nous devons immédiatement commencer le casting.

— Vous êtes sérieuse ? demanda Perry. Ce n'était pas une vraie idée. Je temporisais, c'est tout, j'essayais de gagner un peu de temps.

— Eh bien, ça a marché. Maintenant, nous avons une émission à réaliser. »

Ils arrivèrent devant une rangée d'ascenseurs. Amanda appuya sur un bouton et, avec un joli bruit de carillon, une des portes s'ouvrit. Une fois dans la cabine, Amanda pressa le bouton 1. Les portes se refermèrent en glissant, puis, d'un coup, l'ascenseur jaillit de la Lune pour se retrouver dans l'espace.

« Si nous voulons avoir la moindre chance de réussir, nous devons tout faire pour que Steve ait la vision à son réveil, c'est-à-dire dans une heure. » Amanda désigna sur son écran un Jésus à l'air sombre. « Qu'en pensez-vous ? Il vous semble assez vindicatif ? Ou devrions-nous chercher quelque chose d'un peu plus, comment dire... vous voyez... un peu plus apocalyptique ? »

Perry avait tellement de questions à poser qu'il était incapable de se concentrer. « Elvis produisait des émissions pour Channel Blue ? »

Tout en contenant son impatience, Amanda lui expliqua que, pendant les années 1950, les audiences de Channel Blue avaient commencé à baisser (« Même les guerres devenaient ennuyeuses », précisa-t-elle). Alors, Elvis Presley, qui était à l'époque un simple assistant producteur pour Galaxy Entertainment, avait eu l'idée d'encoder le message « Faites l'amour et éclatez-vous » à l'intérieur de sons que l'on émettrait à l'intention des Terricules. Ce message était devenu si populaire qu'on avait envoyé Elvis sur Terre afin qu'il le diffuse lui-même et il avait fini par devenir la star de sa propre émission. « Beaucoup de nos producteurs de terrain sont devenus des figures célèbres de votre univers culturel, dit Amanda. J'imagine que c'est ce qui arrive quand on se mêle de chambouler un peu les choses.

— Qui ça, par exemple ?

— Jimi Hendrix, Kurt Cobain, Harvey Korman. Lorsque leur contrat avec la chaîne est arrivé à terme, ils ont été "éliminés", et ont trouvé un nouveau boulot. Mais pas Elvis. Lui, il est resté et il s'est débrouillé pour finir président de la chaîne. C'est un fan absolu de la Terre, comme moi. Cette histoire de grand finale, ça lui fend le cœur, vraiment.»

Cela n'attendrit guère Perry. «Mais pas assez pour empêcher que ça arrive.

— Il donne sa chance à votre émission, non? Alors, allons-y.» Amanda lui montra le portrait d'un Jésus en colère, une énorme épée à la main. «Ce sera *lui*, notre sauveur.»

Concernant son idée, qui n'en était pas vraiment une, Perry avait vraiment des doutes. «Écoutez : même si, par miracle, Steve Santiago devenait un saint, et que tous les Terriens devenaient des gens aimables et bienveillants, vos téléspectateurs finiraient pas s'en lasser aussi, non? Le fondement même de Channel Blue n'est-elle pas notre égoïsme à tous?»

Amanda réfléchit un instant. «Voir les Terricules adopter un comportement digne de ce nom serait une grande nouveauté; ça attirerait indéniablement les téléspectateurs. Ensuite, oui, vous avez raison : les gens finiraient par se lasser et cesseraient de regarder. Mais, au moins, ils ne se délecteraient pas d'assister à votre destruction, qui ne promettrait plus un pic d'audiences.»

Alors que l'ascenseur pénétrait dans la partie supérieure de l'atmosphère terrestre, Amanda transmit au département des effets spéciaux plusieurs instructions relatives à l'apparence de Jésus. Perry entendit alors une sonnerie familière, dans sa poche. Il en sortit son téléphone portable et vit qu'il avait trois messages, tous provenant de GALL. L'appareil sonna à nouveau et Perry répondit.

«Perrrrrrryyyyyyyy, roucoula Dana Fulcher de Global Artistic Leadership Limited. Où étais-tu passé? C'est littéralement la croix et la bannière pour te mettre la main dessus.»

Pour faire au plus bref, Perry laissa passer ce «littéralement», atrocement métaphorique.

«J'étais occupé, répondit-il. Quoi de neuf?

— J'ai repensé à *Dernier jour d'école*. Je t'ai préparé des synopsis pour cet après-midi.»

Perry devina que Dana avait soumis son idée de film à quelqu'un qui avait plus de pouvoir qu'elle, et qui avait aimé. En ne répondant pas aux appels de Dana, il avait créé un faux sentiment d'urgence et, à Hollywood, il n'y avait que ça qui marchait.

«Désolé, dit-il, je suis occupé.»

Il y eut un silence décontenancé. «Occupé? dit Dana, qui avait quelque peine à dissimuler son incrédulité. À cause de tes *cours*?» Le mot «cours» avait été prononcé avec un si parfait assemblage de condescendance et de dégoût que, l'espace d'un infime instant, Perry s'en émerveilla presque.

«Non. Autre chose.

— Quoi donc? Qu'est-ce qui est plus important que de vendre un script?

— Je ne peux pas en parler.

— Un nouveau projet?»

Il y avait dans la voix de Dana comme un mélange de peine et de contrariété.

«Oui», répondit Perry, tout en regardant Los Angeles se déployer sous ses pieds. L'ascenseur était en train de fondre droit sur Ventura Boulevard.

«Oh, Perry! Ne me dis pas que tu vas refaire de la télé. Je t'en supplie, ne me dis pas ça.»

L'ascenseur ralentit avant de s'engouffrer dans le toit de l'immeuble de Galaxy Entertainment. «Il faut que j'y aille», dit

Perry avant de raccrocher. Les portes s'écartèrent et Amanda sortit de la cabine au pas de charge. Perry la suivit et se retrouva face à face avec... Jésus. L'illustre Nazaréen semblait passablement en colère et brandissait une magnifique épée au-dessus de sa tête. Le souffle coupé, Perry eut un mouvement de recul. Une très jolie rousse apparut derrière Jésus.

« Alors ? Qu'en pensez-vous ? demanda-t-elle.

— Faites-moi entendre une réplique, ordonna Amanda.

— Steve Santiago, tonna Jésus d'une voix grave et métallique, qui semblait avoir été enregistrée à la mauvaise vitesse. Tu es un misérable pécheur ! »

Cela ne parut faire ni chaud ni froid à Amanda.

« Jeff n'est pas disponible ?

— Oui et non, répondit la rousse. Tu connais Jeff.

— Je suis tout à fait capable de travailler au débotté ! affirma Jésus. On m'a donné le script il y a seulement trente secondes.

— Je te tiens au courant, dit Amanda avant de s'en aller prestement dans le hall.

— Tu ferais mieux de te dépêcher, lui cria la rousse. On est à l'antenne dans vingt minutes. »

Perry courut pour rattraper Amanda.

« D'où vient Jésus ?

— C'est un fac-similien, répondit-elle. C'est une race de métamorphes – un peu comme vos méduses, mais en beaucoup plus sophistiqués. Ils nous sont très utiles pour les visions, les rêves ou les hallucinations. La plupart d'entre eux sont experts en mimétisme visuel, mais leur imitation de la voix humaine laisse un peu à désirer. Et ils ont besoin de scénarios : ils sont totalement incapables d'improviser. Jeff est le meilleur que nous ayons, mais il est un peu caractériel. Heureusement, il me doit un service. »

Amanda s'arrêta devant une porte ornée d'une étoile et frappa avec humeur. Pas de réponse. Elle ouvrit la porte et entra. Perry la suivit dans une petite pièce, uniquement éclairée par les petites ampoules d'un miroir à maquillage fixé au mur, face auquel se tenait, comme drapé autour d'une petite plateforme, ce qui ressemblait à une serviette-éponge blanche. La chose tremblota lorsqu'ils entrèrent dans la pièce.

« Jeff, j'ai besoin de ton aide », dit Amanda en s'adressant à la serviette. Celle-ci répondit par un embrouillamini de sons graves qui rappelaient le bruit d'un métro roulant dans une flaque de boue. Amanda secoua la tête : « Tu sais bien que je ne te comprends pas quand tu es comme ça. »

La serviette émit un grognement exaspéré. Elle s'éleva dans les airs, commença à se dilater et à changer de forme ; toute sa surface fut traversée par divers motifs colorés puis, à la grande émotion de Perry, il se retrouva face à face avec la jumelle d'Amanda, identique jusqu'à la plus infime tache de rousseur qu'elle pouvait avoir sur le nez. « Je te l'ai déjà dit plusieurs fois, dit le sosie, d'une voix légèrement plus grave que celle d'Amanda, fini les Jésus, fini les Yahvé, fini les Anges de la mort, fini les fantômes. Tu sais très bien que c'est beaucoup trop contraignant et qu'on se retrouve vite catalogué.

— Je sais, Jeff, répondit Amanda. Et je sais aussi que tu as un immense potentiel.

— Merci, dit la deuxième Amanda. Tu le diras bien à ces crétins de producteurs ? Tout ce qu'ils veulent, ce sont des icônes et des archétypes. Aucun enjeu là-dedans, il n'y a absolument rien à interpréter.

— Je passe mon temps à le leur dire », répondit Amanda. Elle prit les deux mains de sa jumelle dans les siennes et la regarda droit dans les yeux. «Tu sais combien j'admire ton intégrité et la qualité de ton travail.» Perry regarda, totalement médusé, Amanda tendre la main vers la blonde chevelure de son sosie et la caresser avec une infinie douceur. C'était comme si elle flirtait avec elle-même. «Sache que je ne te demande pas ça de gaieté de cœur. Mais nous avons besoin de toi pour ce pilote et c'est extrêmement urgent.»

La jumelle d'Amanda soupira. «Pourquoi est-ce toujours à moi de sauver les émissions faites à la va-vite? Pourquoi?

— Parce que tu es le meilleur, répondit Amanda. Et il ne faut pas voir tout en noir. Rappelle-toi qui j'ai casté pour interpréter Freddie Mercury dans le rêve érotique du Premier ministre?»

La jumelle pouffa. «Oh, Amanda! C'est vrai! Je ne peux rien te refuser.»

Amanda sourit. «Tu ferais mieux d'y aller. Tu as ton texte et l'adresse?» Amanda 2 acquiesça. «Alors, merde à toi», lui souhaita Amanda 1. Les deux jumelles s'embrassèrent sur la joue, ce qui ne manqua pas d'émoustiller Perry en dépit de l'insondable étrangeté du phénomène. Un panneau s'ouvrit dans le plafond et la lumière du jour jaillit dans la pièce jusque-là plongée dans le noir. La jumelle d'Amanda se mit à fondre, à se racornir jusqu'à ce qu'il ne reste plus qu'un petit monticule sombre sur le sol. Ledit monticule tremblota légèrement avant que n'en émerge un gros corbeau. L'animal croassa très fort, fit un unique petit bond, avant de s'envoler et de s'échapper à tire-d'aile par l'ouverture du plafond, que Perry était encore en train de regarder, éberlué, lorsqu'il entendit le claquement des talons d'Amanda qui s'éloignait. Il comprit qu'elle était déjà repartie dans le corridor et la rejoignit à toute allure.

« C'était incroyable. Il se transforme toujours en vous, comme ça ?

— C'est plus facile pour eux de communiquer lorsqu'ils prennent l'apparence de la personne à qui ils s'adressent, répondit Amanda.

— D'où viennent-ils ?

— Ce n'est pas le moment de poser des questions, monsieur Bunt. Nous allons passer à l'antenne. »

Amanda arriva devant une porte sur laquelle était inscrit SALLE DE RÉGIE D et l'ouvrit. Ils entrèrent dans une pièce plongée dans l'obscurité avec, sur les murs, toute une série d'écrans. Plusieurs techniciens étaient en train de s'affairer silencieusement autour d'une console. Au-dessus, un écran géant montrait Steve Santiago en train de tranquillement dormir, les cheveux sous sa résille, avec un masque de nuit. Amanda prit Perry par le coude et le conduisit, dans la pénombre, jusqu'à une deuxième console, devant laquelle une sorte de gigantesque limace verte couverte d'yeux était assise dans un fauteuil pivotant.

« Guy, dit Amanda, voici M. Bunt. C'est l'auteur. »

La créature limacesque inclina la partie supérieure de sa tête visqueuse et la moitié de ses yeux convergèrent en direction de Perry. « Je n'oublie jamais un visage », dit-elle. La large fente située en bas de ce qui lui tenait lieu de corps s'aplatit pour former ce qui était sans doute un sourire.

« Bienvenue dans l'équipe.

— Nous avons vraiment de la chance que ce soit Guy qui réalise notre pilote, dit Amanda à Perry.

— Oh… je t'en prie », dit Guy, tandis qu'un liquide jaune visqueux suintait d'une partie de son corps vert et gélatineux.

Pendant que Perry luttait de toutes ses forces pour s'empê-cher de vomir, Amanda l'amena près de la console située tout au fond de la pièce et face à laquelle était déjà assis Nick Pythagore. Il avait devant lui une bouteille de vin ceinte d'un ruban aux airs de fête.

«Amanda», dit-il. Amanda lui adressa un signe de tête un peu brusque. «On a vraiment mis notre *dream team* sur le coup. On va y arriver.» Nick sourit à Perry, qui remarqua que le petit producteur avait encore quelques dents de lait. «Félicitations! dit-il, en faisant glisser la bouteille sur la console en direction de Perry. Il faut croire que je vous ai sous-estimé.»

Perry examina la bouteille. «C'est un bourgogne de Cassiopée, dit Nick. Le meilleur vin de la galaxie. Autant que vous le sachiez, il y en a beaucoup qui s'interrogent, dans la chaîne : "Quoi? Une émission écrite par un Terricule? Vous êtes fou? Ça ne marchera jamais! C'est une idée complètement stupide." Mais je crois en vous, monsieur Bunt. Je pense que nous allons cartonner.»

Perry sourit; il en était moins convaincu.

«Merci.

— Silence, s'il vous plaît, dit l'un des techniciens. Trois, deux, un... Lancez la vision céleste...»

Sur l'écran, une mare de lumière chatoyante apparut au pied du lit de Steve Santiago, accompagnée d'une ambiance sonore éthérée. Steve s'agita et ouvrit les yeux. La mare de lumière prit alors la forme de Jésus-Christ, avec tunique blanche, épée et sourcils froncés. Perry nota que ce Jésus avait l'air encore plus en colère que celui qu'il avait rencontré avec Amanda devant l'ascenseur.

Amanda se pencha vers Guy. «Bel effet spécial», lui dit-elle.

Le réalisateur eut un petit rire.

« Attends qu'il se mette à brandir son épée.

— C'est Jeff ? » demanda Perry.

Amanda acquiesça : « C'est le meilleur.

— Steve Santiago ! » À l'écran, Jésus tonna d'une voix de baryton qui fit trembler les haut-parleurs de la salle de régie. Le vendeur de Jacuzzi s'assit sur son lit, l'air tout simplement terrorisé. « Je suis venu pour toi ! »

Steve s'écroula sur le sol et, tremblant de partout, se mit à genoux.

« Seigneur ?

— Tu es un terrible pécheur ! » hurla Jésus.

Des larmes jaillirent des yeux de Steve tandis qu'une tache humide et sans équivoque apparut à l'entrejambe de son caleçon. « Oui, Seigneur, gémit-il. Oui. C'est vrai. »

Amanda se tourna vers Perry, le regard exalté. « C'est bon, ça, murmura-t-elle. Steve ne s'est jamais souillé auparavant. Le simple fait d'envisager une chose pareille le terrifie. »

Jésus lançait des regards fulminants au pécheur qui tremblait de tout son corps. « J'ai donné ma vie pour ta rédemption et tu ne fais preuve de rien d'autre que de méchanceté », psalmodia-t-il. Steve secouait la tête, il gémissait et sanglotait.

Amanda se pencha vers Guy.

« "Je n'ai que faire de tes larmes de femmelette !" dit-elle.

— Je n'ai que faire de tes larmes de femmelette ! déclara le Jésus à l'écran, arrachant une nouvelle crise de larmes à Steve Santiago.

— Et maintenant, on envoie le climax », dit Amanda à Guy.

Guy inclina son énorme tête.

Jésus se mit à brandir son épée et un rugissement féroce ébranla les murs de la maison de Steve Santiago. « Je vais vous faire disparaître de la surface de la Terre, toi et tous les hommes ! »

Steve gémit de plus belle, il était bien au-delà de l'état de terreur. «S'il vous plaît! Je vous en supplie... Je... Laissez-moi encore une chance!

— Il n'y a qu'une seule et unique façon d'apaiser mon bras, dit Jésus. C'est que toi, Steve Santiago, tu cesses de faire le mal et que tu fasses le bien. Le feras-tu?»

Steve hocha la tête, avec ferveur.

«Oui, Seigneur, oui!

— Fais-tu, ici et maintenant, devant moi, le serment de mener une vie vertueuse?

— Oui, Seigneur, je le jure!

— Alors, je t'accorde une chance», déclara Jésus.

Et, après un ultime moulinet de son épée, il disparut de la chambre de Steve Santiago. Steve regarda, totalement hébété, l'endroit où se tenait Jésus quelques instants auparavant, ses yeux clignant d'incompréhension. Il se redressa lentement sur ses pieds, les jambes tremblantes, et alla dans sa salle de bains.

Une clameur de triomphe retentit dans la salle de régie.

«Vous avez vu dans quel état il était? dit l'un des techniciens.

— Ça va être un carton! dit Guy, une bonne partie de ses yeux grands ouverts d'excitation.

— Génial!» dit Amanda. Elle serra Perry dans ses bras, lequel fut envahi d'une joie aussi extatique que soudaine, qui le mit au bord de l'évanouissement : «On ne pouvait pas rêver d'un meilleur début.»

Perry ne pouvait y croire; hier, il n'était qu'un pauvre scénariste, avec aucune œuvre à son actif. Et aujourd'hui, voilà que non seulement on avait produit l'un de ses scripts, mais que celui-ci allait être diffusé dans toute la galaxie, atteignant une audience que les plus grands scénaristes d'Hollywood ne pouvaient espérer qu'en rêve.

«Attendez», dit Nick. Le petit garçon producteur était en train de regarder un des moniteurs plus petits. «Passez la salle de bains sur l'écran principal.» Sur l'énorme écran central apparut l'image de Steve Santiago, penché au-dessus de sa baignoire, en train de retirer un carreau du mur avec ses ongles. Le silence envahit la salle de contrôle.

«Qu'est-ce qu'il fait? demanda Perry.

— Il a fait un trou dans le mur pour mater sa voisine sous la douche, répondit Nick, incapable de dissimuler sa joie. Et le plus dingue, c'est qu'elle a 50 ans et qu'elle pèse cent kilos.» Nick arracha la bouteille de vin des mains de Perry. «Vous n'aurez pas besoin de ça. Je savais que ça ne marcherait pas.» Perry le regardait bouche bée, totalement décontenancé par un changement de ton aussi soudain. «Vous n'avez pas compris? Votre émission est terminée. Finie. Compris? Vous n'êtes plus dans le coup.»

Perry se tourna vers Amanda; c'était la toute première fois qu'il la voyait avoir l'air quelque peu ébranlée. «Ça n'a pas marché, dit-elle. Steve ne pouvait pas changer plus de cinq minutes, encore moins le temps d'une saison.»

Les deux roboflics entrèrent. Le visage du grand était toujours froissé au niveau du menton, là où Perry l'avait arraché le jour précédent.

«Emmenez-le dans la Salle verte», dit Nick.

Le grand vigile sourit et attrapa Perry par le cou. «Avec plaisir, dit-il. Dis au revoir, Terricule.» Avant que Perry n'ait eu le temps de s'exécuter, on l'avait déjà traîné hors de la pièce. La dernière chose qu'il vit fut le visage d'Amanda qui le regardait partir, éclairée par la lumière pâle de la salle de bains de Steve Santiago.

CANAL 13 : LA SALLE VERTE

U NE FOIS DE PLUS, PERRY SE RETROUVAIT DANS UN ascenseur de Galaxy Entertainment. Mais, cette fois-ci, la cabine s'enfonçait dans les ténèbres.

Flanqué des deux robots, qui regardaient droit devant eux, Perry méditait sur la suppression brutale de sa première et, vraisemblablement, dernière émission ainsi que sur les terribles conséquences qui allaient en découler. On l'emmenait vers une mort affreuse, c'était certain, et le fait que la planète entière soit elle aussi condamnée ne facilitait en rien les choses. Ses pensées l'emmenèrent loin, très loin. Il repensa à son meilleur ami de l'école primaire, le premier de ses proches à être mort. Le jour de ses 18 ans, l'ami en question avait bu trop de bière et était tombé de l'arrière d'un tracteur, dans une moissonneuse-batteuse. Lorsque Perry avait appris cette tragédie, la mort était pour lui une chose totalement abstraite, à l'image de la Mongolie ou de n'importe quel pays étranger où personne ne va jamais et où l'on n'aura jamais l'intention d'aller. Mais, au cours de ces deux dernières années, il avait eu amplement l'occasion d'envisager sa propre condition de mortel car, à Hollywood, un échec professionnel ressemblait de très près à la mort : on perdait tout, y compris ses amis, et on était obligé de partir pour un endroit nettement moins enviable.

Il se mit à penser à ses parents. Il se dit qu'il aurait dû leur téléphoner plus souvent. Il attendait toujours, pour les appeler, d'avoir une bonne nouvelle à leur annoncer. Seulement, ces deux dernières années, il n'y avait eu aucune bonne nouvelle. Et aujourd'hui, il lui arrivait ce qu'il lui arrivait. Au moins, ils n'auraient pas à ressasser trop longtemps la vie brève et malheureuse de leur fils avant que le monde ne touche à sa fin. Et qu'ils n'aient jamais connaissance de son ultime échec – avoir reçu la Terre entre les mains et l'avoir laissée tomber – n'était pas pour lui le moindre des réconforts.

Il repensa soudain à Debbie Drimler, une directrice de production avec laquelle il était sorti, du temps de sa réussite. Debbie était jolie, intelligente, avait beaucoup d'humour et, surtout, elle l'aimait bien. Et puis, à leur troisième rendez-vous, dans un restaurant de Beverly Hills, alors qu'ils étaient en train de discuter spiritualité, Debbie s'était distraitement mise à ouvrir et à refermer sans arrêt son sac à main en jean. Sur le coup, Perry n'y avait pas vraiment prêté attention mais, plus tard au cours de la journée, alors qu'il allait lui passer un coup de fil, il n'arrivait plus à effacer cette image de sa tête. Voilà soudain qu'ils étaient mari et femme à la cérémonie des oscars. Il était sur le point d'aller chercher son trophée et elle, elle était en train d'ouvrir et de refermer son foutu sac à main en jean. Et tout le monde les regardait en se demandant : Comment un scénariste aussi brillant peut-il être avec cette femme pleine de

TOC ? Et quelle idée de venir aux oscars avec un sac à main en jean ! Perry ne l'avait pas rappelée. Ni ce jour-là, ni les suivants. Aujourd'hui, Debbie avait sa revanche : il allait mourir et il ne pensait qu'à elle.

Il se demandait de quelle manière il allait mourir. La Salle verte devait être une sorte de Guantanamo version Galaxy Entertainment, un donjon réservé aux prisonniers que l'entreprise ne pouvait pas poursuivre en justice, mais qu'elle ne pouvait pas non plus relâcher dans la nature. Perry déglutit avec difficulté et essuya ses mains moites sur son pantalon. À quelles affreuses tortures aurait-il droit avant de devenir l'ultime victime du grand finale de la Terre ? L'ascenseur ralentit et, lorsqu'il s'arrêta, Perry sentit son cœur s'emballer. Les portes s'écartèrent ; il ferma très fort les yeux, dans l'attente des coups de ses geôliers. Mais, au lieu de cela, il entendit de la musique. Une musique douce et apaisante. Il ouvrit les yeux et vit une pièce aux murs vert clair et au sol recouvert d'une moquette immaculée. Les roboflics l'escortèrent hors de l'ascenseur avant de s'engouffrer à nouveau à l'intérieur. Les portes se refermèrent et ils disparurent.

Perry reconnut la musique. C'était une version instrumentale de *Suspicious Minds*.

Une jolie jeune femme apparut soudain à côté de lui, une enveloppe blanche à la main. « Bienvenue, monsieur Bunt. Nous vous attendions. Aujourd'hui, vous allez interpréter le rôle du passager en détresse n° 72. » Elle lui tendit l'enveloppe. « Vos répliques sont dans cette enveloppe. Le reste de la distribution vous attend. » Elle lui désigna une porte à l'autre bout de la pièce. « Mettez-vous à l'aise. Le réalisateur va venir sous peu vous parler de votre scène. »

Perry était paralysé, ne sachant absolument pas quoi faire. La jeune femme lui sourit de nouveau. «Allez-y, lui dit-elle. Et, je vous en prie, si nous pouvons faire quoi que ce soit pour vous, n'hésitez pas à en faire part aux assistants directeurs de casting.»

Son enveloppe à la main, Perry franchit lentement la porte et se retrouva dans une grande salle aux murs verts meublée de divans, verts aussi. Même s'il semblait y avoir au moins une centaine de personnes réparties dans la pièce, on n'entendait pratiquement pas le moindre bruit ni la moindre conversation.

Une autre jolie jeune femme, que Perry identifia comme le sosie de la première, sinon qu'elle était blonde au lieu d'être brune, s'approcha de lui. «Bonjour, monsieur Bunt, dit-elle. Puis-je vous offrir de l'eau, un café ou quelque chose d'autre à boire?» Perry refusa d'un signe de tête. «N'hésitez pas à vous servir au buffet.» Elle indiqua d'un geste une table garnie de somptueuses victuailles, dressée contre le mur du fond. De succulents paniers de fruits et des plateaux chargés de donuts étincelaient sous la lumière tamisée; tout cela avait quelque chose de réconfortant. «Si vous n'avez pas faim, asseyez-vous où vous voulez.»

Perry se dirigea à pas lents vers un premier ensemble de canapés, tout en observant les visages de celles et ceux qui les occupaient. La plupart étaient en train de lire des livres ou des magazines, d'autres somnolaient et un petit nombre d'entre eux regardaient droit devant eux, l'air d'attendre sereinement quelque chose. Parmi ceux-ci, Perry reconnut Ralph, le sans-abri qui le mettait si souvent mal à l'aise lors de son expédition matinale pour un café à la supérette. Difficile de le remettre : Ralph avait subi un relooking complet. Il était propre, rasé de près et portait un polo et un pantalon treillis. Perry prit place à côté de lui, sur le même canapé.

« Ralph ? »

Ralph regarda Perry, qu'il sembla immédiatement reconnaître.

« Salut, mon pote. C'est pas génial, tout ça, dis ? »

Perry ne sut pas trop quoi répondre.

« Savez-vous ce que nous faisons ici ?

— Bien sûr que Ralph le sait. Ça fait des années que Ralph sait tout. Les extraterrestres nous regardent depuis très longtemps. Ralph l'a toujours dit aux autres ; des fois, les drôles d'hommes en bleu emmènent Ralph dans leur van, ils envoient quelque chose dans le cerveau de Ralph, et ça le rend tout bizarre ; puis ils recommencent et recommencent encore mais Ralph leur dit : Ça sert à rien d'envoyer quelque chose dans la tête de Ralph, parce que Ralph a fait la guerre. Ralph est un héros de l'Amérique. On ne peut pas toucher au cerveau d'un héros de l'Amérique. »

Perry regarda Ralph en s'efforçant de trouver un sens à toutes ces absurdités. Ralph désigna les deux côtés de son crâne. « Embuscade à Tikrit. Deux plaques d'acier. » Il rayonnait de fierté. « *Personne* ne peut toucher au cerveau de Ralph. »

Perry comprit soudain pourquoi Ralph et lui partageaient le terrible privilège de connaître l'existence de Channel Blue. « Alors, au bout d'un moment, ils m'ont dit : "OK, Ralph a gagné. Ralph peut faire partie de l'émission." » Ralph applaudit de joie. « Ralph n'arrive pas à y croire. Ralph est le passager de première classe n° 12 ! » Il sortit de sa poche une feuille de papier pliée et lut posément ce qui était écrit dessus : « "Dieu nous vienne en aide !" » Il se tut un instant, savourant sa réplique. « Ralph hésite. C'est quoi, le mieux, tu penses ? "*Dieu* nous vienne en aide !" ou

"Dieu *nous* vienne en aide!"? Ralph veut bien faire. On pourra le dire seulement lorsque l'avion commencera à tomber.»

Perry cligna des yeux.

«Lorsque l'avion commencera à tomber?

— Ben oui, répondit Ralph. C'est notre avion, le thème de l'émission. Ça s'appelle *Vol 240*! Ça en jette, hein? Rien que le titre, ça me donne des frissons.»

Perry avala sa salive. «Vol 240?» Il se rappela que, pendant son entrevue dans le bureau de Nick Pythagore, il avait entendu le petit garçon parler d'un vol en rapport avec le grand finale. Il se souvenait vaguement d'une histoire d'avion percutant une centrale nucléaire.

«Mmh mmh, acquiesça Ralph.

— Vous savez d'autres choses au sujet de l'émission? Sur ce qui va arriver?

— On va s'écraser contre un réacteur nucléaire et plein de gens vont mourir. C'est quoi, ta réplique?»

Perry le regarda fixement. Ralph lui désigna l'enveloppe blanche qu'il avait à la main. Perry l'ouvrit et en sortit une feuille de papier. N'y figuraient que ces quelques mots :

PASSAGER EN DÉTRESSE N° 72 :
ON VA TOUS MOURIR! AAAAAAAAAAAAH!

Ralph regarda la feuille par-dessus l'épaule de Perry. «Qu'est-ce qu'il y a marqué?»

Perry sentait son cœur battre à tout rompre. «"On va tous mourir! Aaaaaaaaaaaah!"» répondit-il.

Ralph fut secoué par un petit rire. «Va falloir faire mieux que ça, dit-il. Allez, mon pote. C'est l'occasion ou jamais. La moitié de la galaxie va nous regarder.»

Perry regarda tout autour de lui, faisant de son mieux pour dissimuler sa peur panique. Il sortit très lentement son téléphone portable de sa poche. Pas de réseau. Il s'inclina davantage vers Ralph et lui dit, en chuchotant : « Ralph, écoutez-moi. Tous ceux qui vont monter dans cet avion vont mourir *pour de vrai*. Et l'avion va vraiment s'écraser sur une centrale nucléaire. Ça fait partie de leur grand finale. Ils sont en train de détruire la Terre.

— Trop *cool*, dit Ralph. Tu as lu le scénario, c'est ça ? Tu peux en avoir une copie pour Ralph ? »

Perry dut se retenir de hurler. « *Je ne parle pas d'un scénario*. Ils vont vraiment faire s'écraser cet avion. Si nous montons à bord, nous allons vraiment mourir, nous et plein d'autres gens. »

Depuis un petit moment, d'autres figurants observaient la conversation entre Perry avec Ralph. Un homme corpulent aux cheveux gris, lui aussi assis à côté de Ralph, lui tira la manche.

« Qu'est-ce qu'il dit ? demanda-t-il.

— Il a pu lire le scénario », répondit Ralph, de plus en plus surexcité.

L'homme sourit jusqu'aux oreilles.

« Comment ça ? C'est quoi, la fin ?

— Tous les habitants de la planète meurent, répondit Perry.

— Waouh ! dit l'homme aux cheveux gris. C'est génial.

— Je sais, dit Ralph. Ma mère va adorer ça. Elle adore les histoires qui parlent de fin du monde, comme celle du Prince de Bel-Air avec son chien. »

Perry se frotta la tête, faisant de son mieux pour contenir son énervement.

« Seulement, celle-ci, personne ne pourra la regarder, parce qu'il n'y aura plus personne de vivant.

— Ouais ! C'est bon, ça.

— J'en crois pas mon bonheur, dit l'homme aux cheveux gris. Ça fait dix ans que je suis concierge pour cette boîte du câble. Hier, je me suis trompé de porte et j'ai vu une limace géante. Après, la seule chose dont je me souvienne, c'est qu'on m'a proposé un rôle. Ça prouve bien que tout finit par arriver. Il ne faut jamais abandonner. À presque 60 ans, c'est mon premier job en tant qu'acteur! »

Perry se rassit sur le canapé, complètement abattu.

« S'il vous plaît, puis-je avoir votre attention », dit l'assistante directrice de casting blonde qui se tenait à l'entrée de la pièce. Perry ne distinguait aucun micro, mais la voix était parfaitement amplifiée. « Nous avons l'immense privilège d'avoir parmi nous le réalisateur de l'émission, qui est venu vous dire quelques mots à tous. Veuillez, s'il vous plaît, accueillir Richard DeLong. »

Toute la salle se mit à applaudir ; un homme grand et maigre, avec des lunettes teintées, franchit la porte. Il était vêtu d'un jean fraîchement repassé et d'un blouson d'aviateur avec le logo de Channel Blue cousu sur la poche avant. « Bonjour, tout le monde, dit-il. Je voudrais tout d'abord tous vous remercier de participer à cette aventure. C'est un projet magnifique et, à Galaxy Entertainment, nous sommes tous totalement emballés. Comme beaucoup d'entre vous le savent, la Terre est depuis de nombreuses années le décor de plusieurs de nos meilleurs programmes, et nous estimons que ce que nous sommes en train de faire, en ce moment, ici-même, deviendra aussitôt un classique. Si vous avez été choisis aujourd'hui, c'est à cause de l'intérêt que vous portez à ce que nous faisons. Je vous assure que nous savons l'apprécier. Alors, applaudissez-vous. »

Tous ceux qui étaient dans la pièce applaudirent, sauf Perry, qui n'en croyait pas ses yeux. Le réalisateur poursuivit son discours : « Dans quelques instants, vous serez tous conduits sur notre plateau de tournage : l'aéroport de Los Angeles. Vous ferez semblant d'être des passagers et vous embarquerez à bord du vol 240. » L'annonce du vol-titre fut accueillie par une série d'applaudissements survoltés. « Souvenez-vous : une fois que l'avion aura décollé, détendez-vous et restez vous-mêmes jusqu'à ce que vous entendiez le moteur droit exploser. Ce sera le signal pour dire les répliques qu'on vous a distribuées. On se fait une petite répétition ? Lorsque je dirai "Boum", ce sera le moteur qui explose. »

Le bruit des feuilles de papier que dépliaient les acteurs emplit toute la salle. « Vous êtes prêts ? OK, on y va. BOUM ! »

Et ce fut une cacophonie de hurlements hystériques. À côté de Perry, Ralph se mit à crier : « Dieu nous vienne en aide ! » sans interruption, accentuant un mot, puis l'autre, tandis que l'homme aux cheveux gris à côté de lui hurlait simplement : « Noooooonn ! », de toute la force de ses poumons. Après ce qui parut à Perry un temps interminable, le réalisateur dit : « C'était génial ! Vous pouvez vous applaudir encore une fois ! »

Une fois les applaudissements terminés, Richard DeLong reprit la parole : « Autre chose : il est possible que l'avion mette plus de temps que prévu à toucher le sol, alors vous me ferez le plaisir de garder toute cette énergie pendant toute la chute, même si vous avez l'impression de le faire pendant très longtemps... »

Perry ne put en supporter davantage. Il se leva. « Nous allons vraiment mourir ! Ne montez pas dans cet avion ! Il va vraiment s'écraser et nous allons vraiment mourir ! »

Le réalisateur eut un petit rire. «C'est super! J'adore! Mais on garde ça pour le tournage, OK?»

Ralph fusilla Perry du regard. «C'est même pas ta réplique.»

L'assistante directrice de casting brune surgit près de Perry et lui prit le bras. «Venez avec moi, Perry», dit Amanda. Il se retourna. La jeune femme avait beau ne pas être Amanda, elle parlait exactement comme elle. «Je vous parle à travers la robo-casteur. Suivez-la. Je suis dans la pièce à côté.»

Alors que Richard DeLong continuait à s'adresser à l'assemblée, l'assistante directrice de casting fit sortir Perry et le conduisit dans un couloir où l'attendait Amanda. Il se demanda s'il avait déjà été aussi heureux de revoir quelqu'un.

«Merci, mon Dieu, dit-il. Vous pouvez me sortir de là?»

Elle fit un signe affirmatif. «Je leur ai dit que vous n'étiez pas fait pour ce rôle et vous avez été redistribué. Allons-y avant que Nick ne s'en aperçoive.»

Perry commença à la suivre, puis s'arrêta. Il regarda en arrière et, à travers la porte entrouverte, il aperçut Ralph, qui était en train de répéter silencieusement son texte en remuant les lèvres. «Attendez, dit-il, je dois aller chercher quelqu'un.»

Une fois que Perry se fut à nouveau glissé dans la Salle verte pour récupérer Ralph, ils se précipitèrent tous les trois dans un ascenseur. Les portes se fermèrent et la cabine se mit à monter.

«Lorsque les portes s'ouvriront, traversez le hall pour gagner directement la rue, leur expliqua Amanda. Ça aurait été beaucoup plus facile si vous étiez tout seul, mais si vous avez l'air de savoir où vous allez, peut-être que personne ne vous remarquera.

— Ralph ne comprend toujours pas pourquoi il ne peut pas jouer son rôle, dit Ralph.

— Ça ne vous allait pas bien », lui répondit Perry. Il se tourna vers Amanda. « Vous venez avec nous ? » Elle fit non de la tête. « Alors, qu'est-ce qu'on fait, maintenant ?

— À propos de quoi ?

— Pour le finale ? Vous vous souvenez ? La fin du monde ? »

Amanda prit une profonde inspiration. « Je suis désolée. Nous avons tenté le coup. Je ne peux rien faire de plus. »

Les tempes de Perry se mirent à battre très fort.

« Ralph avait une bonne réplique, dit Ralph. Il avait vraiment très envie de cet accident d'avion.

— Il n'y aura pas d'accident d'avion, Ralph ! » aboya Perry, puis il se tourna vers Amanda. « C'est tout ? »

Amanda eut l'air assez contrariée.

« Je vous ai sauvé de la Salle verte. Je vous ai sauvé la vie.

— Oui, uniquement pour que je puisse mourir avec le reste de la planète.

— Si je pouvais faire quoi que ce soit d'autre, je le ferais.

— Vous ne pourriez pas actionner deux ou trois interrupteurs dans la régie ? Histoire de ralentir un peu les choses ? »

Amanda fit non de la tête. « J'ai déjà enfreint le Code des producteurs. Et, même si je n'étais pas sous surveillance, c'est une trop grosse production. Tout est planifié depuis bien trop longtemps et il y a trop d'argent en jeu. Nous avons des stations comme celles-ci dans le monde entier... » Elle baissa la voix. « À ce stade, personne ne peut l'arrêter.

— Ralph aurait été génial, dit Ralph.

— La ferme ! » hurla Perry, avant de s'adresser à Amanda : « Et si je trouve une autre idée ?

— Je suis désolée. Nous avons déjà tenté notre chance. Maintenant, c'est Nick qui dirige le programme. » L'ascenseur ralentit. « Dirigez-vous vers votre droite, franchissez la double porte et ne vous arrêtez pas avant d'être dans la rue.» Les portes de l'ascenseur s'ouvrirent et ils sortirent. Le hall était vide. «Allez-y», dit Amanda.

Perry eut un instant d'hésitation.

«Qu'allez-vous devenir?

— Dans deux semaines, nous serons tous renvoyés à la maison mère», répondit-elle.

Perry regarda Amanda. Elle le regarda à son tour, sans manifester la moindre émotion. Il s'approcha à quelques centimètres d'elle. Elle ouvrit de grands yeux.

«Sauvez-vous», dit-elle. Perry se retourna et vit plusieurs grands vigiles leur foncer dessus. «Vite, le hall! dit Amanda. Je vais les ralentir.»

Elle pivota en direction des roboflics en train de charger et se mit à crier : «J'ai une douleur à la jambe droite, la bouche sèche et ma respiration est irrégulière!»

Les agents de sécurité interrompirent net leur cavalcade, le regard vide; ils avaient visiblement l'air perturbés.

Elle se tourna vers Perry et Ralph. «Qu'est-ce que vous faites encore là? Vous avez vingt secondes, tout au plus. Allez-y!

— Pourquoi se sont-ils arrêtés? demanda Perry.

— La première génération de robots était uniquement constituée d'ordinateurs médicaux. On peut encore les embrouiller en leur signalant des symptômes réels. Maintenant, *sauvez-vous!*»

Perry prit Ralph par le bras et l'entraîna vers la double porte. Une fois qu'ils y furent parvenus, il se retourna vers Amanda. Incroyablement belle dans la lumière crue du hall, elle se tenait en sentinelle face à la bande de robots sécuritaires.

«Adieu», dit Perry. Amanda fit un geste d'impatience dans sa direction, afin qu'il s'en aille. Au lieu de cela, il courut vers elle, la prit dans ses bras et l'embrassa. Le temps que dura ce baiser – et Perry n'eut aucune idée de sa longueur, trois secondes ou une minute –, ce fut comme si toutes les terminaisons nerveuses de son corps convergeaient vers ses propres lèvres, qu'il sentit comme en fusion avec celles d'Amanda. L'espace de quelques vertigineux instants, il ne sut plus où lui-même il finissait, où commençait Amanda, et encore moins si cela avait d'importance. Ils se séparèrent et se regardèrent, stupéfaits. On aurait dit qu'Amanda avait vu un fantôme.

« C'était quoi, *ça* ?

— Je viens de vous embrasser, répondit Perry.

— Je sais. Mais... Qu'est-ce qui vous a... Pourquoi... »

Pour la première fois de sa vie depuis qu'à l'âge de 14 mois un roboprof lui avait appris à parler Amanda Mundo était à court de mots.

« Symptômes psychosomatiques, dit l'un des vigiles.

— Allez-y ! Maintenant ! » dit Amanda.

L'urgence dans sa voix était pleinement justifiée : Perry comprit que les gardes, qui continuaient à répéter les mots « symptômes psychosomatiques », avaient repris leurs esprits et se dirigeaient vers eux au pas de course. Perry attrapa Ralph et franchit la double porte. Maintenant les vigiles couraient et s'approchaient d'eux à toute vitesse.

« Plus vite ! hurla Perry à Ralph.

— Ralph ne veut pas partir, suffoqua Ralph. D'ailleurs pourquoi est-ce que Ralph est en train de courir ? »

Ils franchirent à toute vitesse la porte en verre et dévalèrent l'escalier de granit en direction du trottoir de Ventura Boulevard. Mais ils furent aussitôt encerclés par les vigiles à chemise bleue ; ils n'avaient plus nulle part où aller.

CANAL 14 : DES COCHONS ET DES HOMMES

AVEC TOUT LE COURAGE DONT PEUT FAIRE PREUVE UN véritable lâche, Perry se mit à se débattre contre les agents de sécurité. Mais les roboflics eurent tôt fait de l'immobiliser, enfonçant leurs mains, telles de véritables serres, dans chaque muscle de ses bras et de ses jambes.

Pareils à des fourmis-soldats qui auraient prestement transporté deux énormes miettes de pain, les vigiles s'emparèrent de Perry et Ralph pour les ramener dans les locaux de Galaxy Entertainment.

Perry, aussi défait qu'il fût, eut soudain une inspiration : « J'ai mal à la tête... et j'ai des convulsions... des éruptions cutanées... » Il fouilla dans son cerveau à la recherche d'autres symptômes. « Et un torticolis. J'ai un torticolis ! »

Sans l'ombre d'une hésitation, les vigiles aboyèrent : « Méningite ! » et continuèrent leur chemin.

« Que se passe-t-il ici ? » demanda une voix. Les agents de sécurité interrompirent leur marche en direction de la double porte. Une contractuelle à l'air passablement contrarié s'apprêtait à entrer dans la bataille. Elle avait le teint mat, était assez boulotte, incroyablement petite et, dans son uniforme marron clair moulant, elle ressemblait à une poire Beurré Bosc. Au sommet de son crâne trônait une casquette qui paraissait avoir pris un coup sur le côté. Sur sa veste brillait une plaque où l'on pouvait lire :

SERGENT DORIS SANCHEZ
POLICE DU STATIONNEMENT DE LOS ANGELES

Tout en lançant des regards furieux au groupe de vigiles, la contractuelle redressa ostensiblement sa casquette, comme pour bien montrer à quel point elle était de travers. « Vous avez un problème ? Je dirais que oui. Parce que là, tout de suite, vous êtes tous en train de porter atteinte à la capacité de la police du stationnement de Los Angeles d'agir conformément à ses compétences, à savoir la détermination rapide de toute appropriation illégale de l'espace par un véhicule, ainsi que la prompte application de la sanction légale subséquente. » Cette tirade avait rendu les agents de sécurité aussi cois que l'énumération des différents symptômes d'Amanda. Le sergent Sanchez braqua son regard d'acier en direction de Perry et Ralph.

« Ces gorilles sont-ils en train de vous molester ? leur demanda-t-elle. Car leur intégrité juridictionnelle cesse d'être en vigueur à la limite précise de l'espace trottoirien. » Elle regarda de nouveau la bande de vigiles, qui, soumis à cet examen, semblèrent se décomposer. « Et c'est quoi, ces putains de photocopies ? Vous êtes des clones ou quoi ? »

Les vigiles relâchèrent Perry et Ralph, et se mirent à remonter l'escalier à reculons, de façon si parfaitement synchronisée qu'on eût dit une chorégraphie.

«Nous ne faisions que procéder à l'expulsion de ces intrus hors du bâtiment, répondit l'un d'entre eux.

— On ne veut pas d'ennuis, ajouta un autre.

— Eh ben, y en aura pas, répondit le sergent Doris Sanchez, tant que vous respectez l'autorité de la police du stationnement de Los Angeles, et l'autorité de la police du stationnement de Los Angeles, c'est *moi*.»

Un des vigiles qui battaient en retraite frôla alors Perry. «Dans trois semaines, tu es mort», murmura à son oreille la voix de Nick Pythagore. Perry se retourna, mais tout ce qu'il vit fut le dos du dernier vigile qui disparaissait derrière la double porte de Galaxy Entertainment.

Le sergent Doris Sanchez hocha la tête. «Putain de photocopies», marmonna-t-elle, en tournant les talons pour aller inspecter une voiture garée devant un parcmètre. Comme il restait une minute de stationnement au véhicule, elle prit tout son temps pour écrire sa contravention.

«Allons-y», dit Perry à Ralph, lui donnant un léger coup de coude pour le faire avancer sur le trottoir.

***

Même pour Los Angeles, le spectacle de Perry et Ralph en train de descendre Ventura Boulevard avait quelque chose d'éminemment bizarre : Perry, toujours vêtu de son survêtement bleu, avait son portable collé à l'oreille tandis que Ralph, malgré son pantalon treillis et son polo tout neufs, s'arrêtait à chaque poubelle, pour y ramasser des cannettes ou des bouteilles vides.

Avant qu'ils ne parviennent au bout du pâté de maisons, Perry avait eu le temps d'appeler l'antenne du FBI à Los Angeles et, sans donner son nom, avait averti le standardiste du sort qui attendait le vol 240 à l'aéroport. Pendant ce temps, Ralph, extrêmement amer, continuait à se plaindre de ce qu'on l'avait privé de sa chance de devenir une star. « Ralph aurait pu devenir un héros de l'Amérique *et* une superstar galactique », disait-il.

Lorsque Perry eut raccroché, il attrapa Ralph et le tourna face à lui. « Écoutez-moi. Essayez de mettre votre folie en veilleuse et de m'écouter juste un petit moment. »

Ralph jeta un coup d'œil aux mains de Perry, qui paraissaient étrangement petites sur les épaules du sans-abri. Perry n'arrivait pas à croire qu'il était en train de malmener un aliéné aussi costaud, mais il avait l'impression d'avoir réussi à capter son attention pour un instant.

« À l'heure actuelle, vous et moi sommes les deux seules personnes sur Terre à connaître l'existence de Galaxy Entertainment et à ne pas être leurs prisonniers. »

Ralph hocha la tête.

« Ah ouais ?

— Nous savons que, dans quelques jours, ils vont détruire la Terre. »

Ralph hocha à nouveau la tête.

« OK.

— Ce n'est pas une émission, Ralph. »

Ralph haussa les épaules.

« D'accord.

— Donc, puisque personne d'autre ne nous croira, vous et moi, nous devons trouver un moyen d'empêcher Galaxy Entertainment de détruire la Terre. C'est à *nous* de jouer. »

L'espace d'un instant, Perry pensa qu'il était sur la bonne voie. Puis Ralph plissa les yeux. «Euh... pourquoi ça?»

Perry soupira. «Vous *voulez* vraiment qu'ils fassent tout exploser?»

Ralph réfléchit un moment. «Faut admettre que ça rendrait super bien à la télé.» Il sembla ensuite perdre tout intérêt à la conversation et se mit à fouiller dans une poubelle dont il sortit une bouteille de bière. Perry remua la tête et reprit sa marche. «Relax, mon pote! s'écria Ralph dans son dos. C'est pas comme si c'était la fin du monde!»

***

Assise à son bureau, Amanda était en train de ranger ses affaires dans une boîte en plastique bleue. D'ordinaire, c'était le genre d'activité pratique et terre à terre qui lui permettait de se remettre les idées en place mais, cet après-midi, non. Elle n'arrivait pas à comprendre ce qu'elle ressentait. Elle aurait dû éprouver une certaine appréhension à la perspective de perdre son emploi, de l'inquiétude face aux conséquences qu'entraînerait l'exfiltration d'un Terricule hors de la Salle verte, ou encore de la colère, vu la manière lamentable dont on était en train de gérer le finale. Mais elle se sentait, au contraire, totalement euphorique. Et tout ça semblait être dû à cet absurde – non, à ce parfaitement grotesque – baiser.

Avant celui-ci, elle n'avait jamais envisagé Perry Bunt ni n'importe quel autre Terricule comme pouvant s'inscrire dans quoi que ce soit qui ressemblât à une situation romantique. Elle n'était pas certaine que ce fût d'ailleurs le cas. Cela aurait été parfaitement ridicule, aussi absurde que de devenir amie avec un poisson. Sur un plan pratique, elle appartenait à une espèce différente de celle de Perry et ses congénères terricules ; et, même si elle était prête à admettre qu'il pouvait être charmant et relativement intelligent pour un Produit aléatoire de Fornication, la simple idée de partager la moindre espèce d'intimité avec lui la déroutait totalement. C'est pourtant ce qui leur était arrivé et, maintenant, Amanda ne parvenait pas à mettre de l'ordre dans ses idées. Celles-ci n'étaient plus qu'une lave en fusion qui l'étourdissait. Qu'est-ce qui clochait chez elle ? Après que les roboflics l'eurent ramenée dans son bureau « en attente d'investigations supplémentaires concernant un cas d'atteinte à la sécurité » et l'eurent laissée tranquille, elle avait pris une pilule d'ENCORE, estimant que ça la calmerait. Elle eut rapidement une si forte succession d'orgasmes qu'elle dut éviter tout contact physique avec les meubles pour ne pas s'évanouir. Elle demeura totalement immobile, dans un coin de son bureau, se sentant plus troublée que jamais.

Au bout d'un moment, elle eut la surprise de constater que ses pensées étaient en train de dévier vers un territoire extrêmement étrange : elle se mettait à imaginer des scénarios qui lui permettraient de sauver Perry Bunt de la destruction de sa planète. Les raisons pour lesquelles cela lui paraissait parfaitement insensé étaient pourtant innombrables. Outre le fait que venir en aide à un talent terricule allait à l'encontre du Code des producteurs, de plusieurs autres lois, de diverses considérations d'ordre éthique et ainsi de suite, que ferait-elle de lui, à supposer qu'elle puisse le sauver ? Au vu de son patrimoine génétique déplorable et de son QI microscopique, il serait impossible à Perry de s'intégrer aux Édenites. Il y avait tant de choses qu'il ignorait ! Et, s'il finissait par les apprendre, voudrait-il simplement continuer à vivre et, qui plus est, évoluer dans un monde où il serait considéré comme un être inférieur?

Amanda ramassa la plaque argentée qui était posée sur son bureau. On pouvait y lire :

AMANDA MUNDO
PRODUCTRICE DÉLÉGUÉE DÉLÉGUÉE

Elle la regarda un instant, perdue dans ses pensées. Et puis elle se mit à songer à quelque chose d'encore plus étrange que de vouloir sauver M. Bunt : elle se mit à se dire que mener la Terre à l'autodestruction était peut-être une erreur. Pas seulement une erreur en termes de programmation – ça, elle l'avait toujours pensé. Mais une erreur d'un point de vue éthique. Comme si la Terre avait quelque chose de différent par rapport aux autres prograplanètes qui s'auto-immolaient régulièrement pour faire grimper les audiences. Comme si les pathétiques occupants de ces mondes reculés ne se trouveraient pas beaucoup mieux dans un état de non-existence, libérés de leurs désirs aussi ridicules que futiles. Quelle idée! Mais était-il moral de maintenir la Terre en vie? Outre que cela ne ferait que prolonger les souffrances de ses malheureux habitants, que se passerait-il si cette civilisation progressait suffisamment pour être capable d'exporter son égoïsme et son agressivité dans d'autres mondes? Non. Non. Même le plus bienveillant des étudiants en éthique d'Éden préconiserait de sauver la Terre d'elle-même.

Et pourtant...

Amanda se frotta les tempes, tentant désespérément d'insuffler un peu de logique au fil de ses pensées. Elle savait ce qui pourrait l'y aider. «Jared», appela-t-elle, et un hologramme en trois dimensions du visage de son petit ami, Jared Corley, apparut instantanément sur son bureau. Comme tout homme édenite, Jared était d'une beauté à tomber. Des traits magnifiquement dessinés avec un regard tout à la fois profond, expressif et perçant, encadré par une abondante chevelure blonde aux reflets chatoyants. Mais ce qui avait surtout attiré Amanda chez lui, c'étaient ces petites bizarreries qu'aucun programmateur génétique n'est capable de prévoir, et tout spécialement la façon dont il tordait légèrement la bouche lorsqu'il souriait, comme en ce moment.

« Salut, championne ! » dit-il. Déjà, Amanda se sentait un peu mieux. Elle avait rencontré Jared à l'Académie, dès leur deuxième semaine de cours et, pendant deux ans, ils ne s'étaient plus quittés. Tandis que son seul objectif à elle était de produire des émissions sur la Terre, lui était davantage intéressé par l'aspect administratif des choses. Lorsqu'elle avait dû partir travailler sur sa toute première planète, il avait décroché un emploi au quartier général de Galaxy Entertainment, sur Éden, où il était devenu vice-président responsable des acquisitions planétaires. Elle lui avait promis qu'elle reviendrait à la fin de son contrat sur la Terre. Même si le fait qu'elle ait décroché un poste aussi lointain ne l'avait pas vraiment enchanté, les relations à distance étaient souvent la meilleure solution pour les jeunes Édenites ambitieux : protégés de toute distraction d'ordre personnel, ils pouvaient se jeter à corps perdu dans leur travail.

« Salut, Jer.

— Alors, tu as des ennuis ? »

Le ton était léger mais, à sa surprise, Amanda se demanda si elle n'y décelait pas une petite once, sous-jacente, de réprobation.

«Tu as entendu parler de quelque chose ?

— Les potins galactiques habituels. Tu aurais cloué le bec à Pythagore devant le King.» Jared eut un petit rire. Comme tout mâle de plus de 10 ans, il ne supportait pas l'idée qu'il puisse exister un producteur âgé de seulement 9 ans. «Il paraît que tu aurais trouvé un Terricule avec une idée pour sauver la chaîne et saboter les grands projets du moutard. Ça me donne pas mal envie de travailler sur ce programme.

— Eh bien, tu as besoin d'une petite mise à jour. La nouvelle émission n'a pas marché. Nick aura bien son grand finale.»

Jared demeura imperturbable. «Hé! Tu t'attendais à quoi ? C'était l'idée d'un Terricule, non ?»

Amanda se sentait sur la défensive, même si elle savait que, dans le cas présent, c'était totalement hors de propos. Jared avait raison : comment imaginer qu'un Terricule puisse sauver Channel Blue ? «Son idée était bonne, dit-elle. Je pense que ça aurait marché avec quelqu'un d'autre que Santiago.»

Jared haussa les épaules.

«Celui qui vit comme un con mourra comme un con.

— Il faut croire, oui. Mais je pensais vraiment que ça allait marcher.

— Tu as tenté le coup, non ? Tu as bien fait. Quand on en aura terminé avec la Terre, tu n'auras aucun regret.»

Amanda était incapable de dire s'il minorait son revers de fortune par égard pour elle ou s'il croyait vraiment ce qu'il disait. Elle prit une grande respiration. «Je ne sais pas trop ce qui m'arrive, Jer. J'ai vraiment douté de moi, ces derniers temps.»

Jared fronça les sourcils.

«Vraiment ?

— Je ne peux pas m'empêcher de penser que je peux encore faire quelque chose ici.

— Amanda, on a déjà eu cette conversation, et je sais que tu sais très bien que ni toi ni personne ne peut plus rien faire pour sauver la Terre. Les plus grands cerveaux de la boîte – et tu en fais partie, championne – ont déjà tout essayé avec cette planète, mais c'est toujours la cata.» Jared avait adopté à fond le style grand frère, soit l'attitude qu'Amanda appréciait le moins chez lui. Elle avait parfois envie qu'il se contente simplement de l'écouter mais, au lieu de ça, il s'adressait à elle comme l'animateur d'une émission de coaching, quelques secondes avant la coupure de pub. «Et personne, je dis bien *personne*, ne t'en tiendra rigueur quand on fera fondre ce petit caillou. Crois-moi, tu te sentiras beaucoup mieux lorsque tu seras revenue ici et que la Terre ne passera plus qu'en rediffusions. Une grande partie de ce boulot consiste à savoir quand arrêter les frais et larguer les amarres. Tu retomberas parfaitement sur tes pieds.»

Amanda se prit à regretter qu'on n'ait pas isolé le gène de l'usage des clichés avant la conception de Jared. Elle fit un geste de la main. «Je sais tout ça. Mais tu n'as jamais...» Elle essaya de trouver les mots qui ne la feraient pas passer pour folle. «Tu n'es jamais tombé sur une planète dont tu savais qu'il fallait la sauver? Et tu ne t'es jamais senti... mal parce que tu étais convaincu qu'il ne fallait pas la détruire?»

Jared réfléchit à la question, en plissant le front.

«Certainement, si. Mais c'est le métier que nous avons choisi, n'est-ce pas? Si c'était facile, n'importe qui pourrait le faire.»

Amanda attendit un moment avant d'opiner.

«Tu as raison.

— Tout va bien, championne ? Tu m'as l'air un peu ailleurs.

— Tu as déjà embrassé quelqu'un ? »

Les mots s'étaient échappés de sa bouche avant même qu'elle ne réalise ce qu'elle était en train de dire.

Jared écarquilla les yeux et fut secoué par une série de petits rires nerveux.

« Tu rigoles, ou quoi ? » Il fit la grimace. « Par le fantôme d'Adam ! Mais qu'est-ce qui t'arrive, aujourd'hui ?

— Je ne sais pas.

— Tu ne serais quand même pas en train de me la jouer à la terricule ? dit-il en haussant les sourcils pour bien montrer qu'il plaisantait.

— Non, je suppose que c'est mon esprit qui vagabonde.

— Eh bien, remets-le dans sa cage. Je te conseille de prendre deux pilules antistress et de poser le reste de ta journée.

— Tu dois avoir raison. Je te rappellerai plus tard. »

Le magnifique visage de Jared s'attarda sur son bureau.

« Je suis sérieux, championne. Tout va bien ?

— Oui.

— Souviens-toi : ce n'est qu'une émission comme les autres.

— Je sais, je sais.

— C'est notre métier. C'est ce que tu as toujours voulu faire. »

Amanda se hâta d'acquiescer. « Je sais. Au revoir. »

Jared disparut. Amanda se leva et se mit à faire les cent pas dans son bureau. Parler à Jared ne l'avait pas du tout aidée. Elle se sentait plus perdue que jamais. Que lui arrivait-il ?

Sa rêverie fut interrompue par l'apparition, en plein milieu de la pièce, d'un cochon à l'aspect débraillé, vêtu tant bien que mal d'un pyjama d'enfant. Il couina d'agacement avant de tirer sur le pantalon dudit pyjama avec ses dents.

Amanda regarda le porc avec une profonde vénération. Jamais elle n'avait été aussi proche d'un animal, même si, en l'espèce, il ne s'agissait pas à proprement parler d'un animal. Ce cochon était un hologramme qui apparaissait, sur ordre du gouvernement, tous les jours à midi, heure d'Éden, dans le bureau de chaque producteur de la galaxie. Il était destiné à rappeler régulièrement à tous les salariés le rôle essentiel que jouait le divertissement dans le maintien de la civilisation édenite. Pour Amanda, c'était comme si les créateurs de l'hologramme avaient précisément pensé à elle car, ce jour-là, le porc la ramena vite sur terre (pour ainsi dire).

Si elle avait été occupée à mettre au point une émission ou à se battre contre une deadline, Amanda n'aurait pas prêté attention au cochon. Mais, ce coup-ci, elle le regarda avec la plus grande attention, tout en se récitant à elle-même l'histoire qu'on lui avait enseignée, à elle et à tous les Édenites, du plus loin de ses souvenirs :

« Il y a bien des siècles, le peuple d'Éden a conquis l'espace, colonisé des planètes entières, éradiqué la guerre, la pauvreté, les maladies et, plus important que tout, ses plus vils instincts bestiaux. Les Édenites étaient alors en mesure de travailler autant ou aussi peu qu'ils le désiraient, de parcourir en une semaine l'ensemble de la galaxie et de vivre deux cents ans en moyenne.

« Mais ils s'ennuyaient. Ils s'ennuyaient beaucoup, ils s'ennuyaient et s'ennuyaient encore.

« Leur évolution entière avait été déterminée par leur capacité à vaincre tout ce qui pouvait contrecarrer leur bien-être ; et maintenant que leur bien-être était la seule chose qu'ils possédaient, ils ne savaient plus où aller. La violence, ce vestige de

leur lointain passé, ressurgit avec force. Les Édenites commencèrent à se battre pour échapper à l'ennui. Des émeutes éclatèrent. Deux planètes se firent auto-exploser, désespérées par
leur désœuvrement.

« Bref, les habitants d'Éden s'ennuyaient à mourir.

« Cette épidémie de destructions insensées se répandit à travers tout l'empire jusqu'à atteindre le cœur de celui-ci, la planète
Éden elle-même, où plusieurs milliers de citoyens marchèrent
sur le capitole, les armes à la mains, en hurlant : "Il n'y a rien
à faire !" ou "La vie est bien trop facile !". Sur tous les écrans
géants répartis sur la surface du capitole, le président démo-
cratiquement élu d'Éden appela au calme. La foule se mit à le
huer, à le siffler, couvrant le son de sa voix : "On en a marre du
calme !", "Ton calme, tu peux te le mettre où je pense !", "On va
calmement réduire ce monde en cendres !"

« Puis, par un coup du destin qui sauva l'humanité, l'image
du président se transforma en celle d'un cochon habillé d'un
pyjama d'enfant. En voyant ce porc se tortiller pour se libérer de
ses vêtements humains, la foule des émeutiers s'apaisa, sous les
caméras des principales chaînes d'information qui diffusèrent
cela en direct. Allait-il réussir à se défaire de son pyjama ? Nul
ne pouvait le dire. Tout l'empire le regardait, totalement subjugué. Lorsque le cochon parvint finalement à faire passer son
haut de pyjama par-dessus sa tête puis, en agitant son arrière-
train, à se débarrasser du bas, ce furent plusieurs milliards
de spectateurs qui se mirent à rire et à applaudir. La foule qui
encerclait le capitole se dispersa rapidement et rentra chez elle
pour se repasser les images encore et encore.

« Il s'avéra que le cochon s'était échappé d'une ferme des envi-
rons de la capitale et que c'était le fils du propriétaire qui l'avait

déguisé avec son propre pyjama. Lorsque le porc était arrivé à proximité du capitole, il avait été immédiatement repéré par une caméra de surveillance. Le voir apparaître sur un de ses moniteurs avait tellement amusé un agent de sécurité qu'il avait accidentellement fait basculer l'image sur un des écrans géants qui recouvraient le bâtiment.

« Grâce à ce cochon, nos dirigeants ont compris à quel point le divertissement était crucial pour la sécurité et le bien-être de notre empire. Grâce à ce cochon, les événements qui avaient été sur le point d'entraîner la destruction d'Éden, le Grand Abêtissement, ne se sont jamais reproduits. Grâce à ce cochon, la race humaine fut sauvée de l'autodestruction.

« Ce cochon avait pour nom... Adam. »

Lorsque Amanda eut terminé sa récitation, l'hologramme avait disparu. Elle regarda avec une certaine mélancolie l'endroit où il se tenait quelques instants plus tôt. C'est notre métier, se dit-elle. C'est pour ça que nous faisons ce que nous faisons. Sans divertissement, il n'y aurait que le chaos et la mort.

« En train de méditer sur ta déchéance soudaine ? » Le visage figé en un sourire particulièrement déplaisant, Nick Pythagore était parvenu à se glisser dans son bureau sans qu'elle s'en aperçoive, ce qui n'avait rien de surprenant étant donné son petit mètre vingt. « À la vérité, je suis plutôt surpris de te trouver ici. Je pensais que tu serais encore en train de te balader avec ton petit copain terricule. »

Amanda rougit. Elle se demanda bien pourquoi, avant de se dire que ça devait être un effet secondaire de sa pilule d'ENCORE. Nick ricana. « Oh ! Mais, par le ciel, tu *rougis* ! dit-il. Regarde-toi. » Il prit la plaque nominative qui était sur le bureau d'Amanda et la brandit devant elle pour qu'elle voie son propre reflet. «Ce sera quoi, la suite? Tu vas avoir des poils qui poussent?»

Profondément agacée, Amanda s'empara de la plaque et la reposa violemment sur son bureau.

«Et une agression en prime, dit Nick avec étonnement. Tes programmateurs génétiques ont vraiment de quoi être fiers de toi, aujourd'hui, Mandy.

— Qu'est-ce que tu veux, avorton?» lui demanda Amanda, en prenant soin de détacher chaque mot, pour bien expulser sa colère.

Elle savait qu'elle rentrait ici à fond dans le jeu du tout jeune producteur, mais ça lui faisait du bien.

Nick redevint sérieux. «Tu te rends compte de ce que tu as fait, quand même? En aidant ce Terricule à s'enfuir, tu as saboté une séquence très importante de mon grand finale.

— Le vol 240 était une idée totalement éculée, gratuite et hasardeuse, riposta Amanda. J'estime par ailleurs qu'elle enfreignait les lois prohibant la mise en danger directe des talents.

— Ils étaient tous volontaires. Mais je ne suis pas venu débattre de problèmes de droit du divertissement extraplanétaire. La bonne nouvelle, c'est que la suite du finale est lancée. Et pour qu'on soit sûrs d'aller jusqu'au bout, tu resteras bouclée dans la station. Tu peux finir de ranger tes affaires et ce sera tout.»

Amanda prit une profonde inspiration à seule fin de ne pas hurler. «Tu n'as pas le droit de faire ça. Je ne suis pas ta prisonnière.

— Non, répondit Nick, mais tu vas quand même bientôt finir en prison. Suite à toutes tes violations du Code des producteurs, je te prévois au minimum deux ans sur un astéroïde aussi misérable qu'il conviendra. Mais ce sera à une commission d'enquête d'en décider. Pour le moment, ma tâche consiste à t'empêcher de saboter la suite du programme. »

Nick leva la main et deux roboflics entrèrent dans la pièce. Le petit toucha la visière de sa casquette. « 'jour, madame Mundo. » Le grand se contenta de lui lancer un regard mauvais.

Amanda se leva.

« Hors de question qu'on me surveille comme un animal !

— Je suis désolé, Amanda. J'ai l'accord du président, répondit Nick d'une voix maintenant tranquille, qui donnait l'impression qu'il avait vraiment de la peine. D'aucuns pensent que tu souffres peut-être de satanisme. »

Amanda le regarda, incapable de croire ce qu'elle venait d'entendre. C'était une des accusations les plus graves que l'on puisse proférer contre un producteur. Le satanisme était une maladie mentale qui tirait son nom de Leslie Satan, un ancien producteur de Galaxy Entertainment. Un siècle plus tôt, Leslie Satan produisait une petite prograplanète dans la nébuleuse du Crabe. Un jour, son supérieur chargé de l'ensemble de la production lui avait demandé de mettre des armes nucléaires à la disposition des habitants de la planète, dans le but de faire grimper les audiences. Leslie Satan avait refusé, arguant que mettre des armes nucléaires entre les mains de dirigeants dénués de toute vision à long terme mènerait la planète à sa perte. On ne tint pas compte de son avis et, bien sûr, la planète s'autodétruisit peu après (tout en arrivant – il faut le noter – en tête des audiences pour la première fois de son histoire).

À la suite de cela, Leslie Satan quitta Galaxy Entertainment et fonda la MERDE (Mission Exécutive pour une Révision des Divertissements Extraplanétaires), qui chercha pendant plusieurs années à renforcer la législation gouvernementale concernant ce que Satan appelait l'«exploitation des formes de vie inférieures pour le bienfait du complexe spectaculo-industriel». Ce fut un échec. Satan fit donc entrer son organisation dans la clandestinité où elle prit bientôt le nom de Mouvement et devint un fléau pour toutes les sociétés de production de la galaxie. Non seulement le Mouvement se mit à faire sauter les caméras-satellites et à bombarder les stations relais, mais aussi plusieurs de ses membres, qui étaient souvent d'anciens employés de l'industrie du divertissement mécontents, s'infiltrèrent au sein des populations de certaines planètes pour saboter les projets des producteurs édenites. Il était de notoriété publique que des agents de ce type avaient été particulièrement actifs sur la Terre en y introduisant, entre autres, les antibiotiques, les droits civiques, l'énergie solaire ou la méditation. Satan lui-même, qui savait très bien se déguiser, avait fait de mémorables caméos en tant que conseiller de Gandhi ou de Martin Luther King Jr., pour prêcher la non-violence auprès des Terricules avant que Galaxy Entertainment ne le repère et le renvoie dans l'espace.

Maintenant âgé de 195 ans, Leslie Satan continuait à échapper au gouvernement édenite et à combattre ce qu'il appelait le «divertissement colonialiste» depuis un vaisseau spatial en piteux état qui sillonnait la galaxie, devançant ordinairement ses poursuivants de quelques années-lumière. La dernière polémique qu'il avait lancée était encore plus folle que ses premiers coups d'éclat : dans des discours diffusés à travers toute la galaxie via des chaînes pirates et des fréquences sub-spatiales, il avait stupéfié jusqu'à ses disciples en affirmant que les Produits de Fornication ne devaient plus être considérés comme des formes de vie inférieures. Il annonçait une «révolution des PF» et prédisait qu'un jour un ou une PF unirait ses congénères issus du hasard génétique afin de constituer une armée qui mettrait fin à l'asservissement des siens et régnerait sur la galaxie.

Être accusé de satanisme revenait ainsi à être accusé d'aliénation mentale. Amanda saisissait parfaitement le coup de force qu'il y avait derrière le petit jeu de Nick.

«Je vais très bien, répondit-elle. Et tu le sais. J'ai toujours considéré qu'arrêter Channel Blue était une mauvaise idée, et je le pense toujours. Ne pas être d'accord avec toi ne fait pas de moi une malade mentale.

— Reconnais simplement que tu as perdu la bataille.

— Ça aussi, tu vas ordonner aux robots de me forcer à le faire?

— Je te trouve bien têtue. Aujourd'hui je te découvre telle que tu es vraiment.

— Dégage.»

Amanda s'empara de sa plaque nominative et la jeta en avant. Le bras du grand robot jaillit et l'intercepta à quelques centimètres de la tête de Nick. Celui-ci s'en empara, très calmement, et la reposa sur le bureau d'Amanda.

«Tu ferais mieux de la garder, dit-il. Dans deux mois, tu en auras besoin pour te rappeler qui tu étais.»

CANAL 15 : LE STYLO TOUT-PUISSANT

PERRY SORTIT DU TAXI QUI S'ÉTAIT GARÉ AU PIED DE SON immeuble, avec deux gros sacs de provisions sous les bras. Le premier contenait deux pots de glace, une boîte de bonbons, un paquet de cookies aux pépites de chocolat, deux cheeseburgers au bacon et une portion de frites dans des sachets de papier blanc d'où suintait déjà la graisse, une cartouche de Camel et une bouteille d'un whisky single malt très onctueux et très cher. Perry s'était dit que, si c'était la fin du monde, autant faire tout son possible pour en profiter.

L'autre sac contenait un fusil à pompe Mossberg 500 tout neuf et deux boîtes de munitions.

Arrivé en haut de l'escalier qui menait à son appartement, il s'aperçut qu'il avait perdu ses clés – probablement lorsqu'il avait été contraint, sur la Lune, de se mettre tout nu devant les robots. Sans autre forme de cérémonie, il prit un pot de fleurs, brisa la fenêtre de sa cuisine et l'enjamba pour entrer chez lui.

Perry alluma la télé, déboucha sa bouteille de single malt et s'alluma une Camel. Il était en sueur, sale et totalement épuisé – il n'avait pratiquement pas dormi depuis deux jours – mais, pour le moment, aller se coucher lui semblait hors de question. Hors de question que la fin du monde survienne alors qu'il était au lit.

En fouillant dans les poches de son survêtement bleu, il trouva la petite pilule rose d'ENCORE que lui avait donnée Amanda sur la Lune. *Et puis merde*, se dit-il, et il l'avala avec une gorgée de scotch. Il croisa les jambes et poussa un gémissement tandis que le plus extraordinaire orgasme qu'il ait jamais ressenti se propageait à travers tout son corps. Après quoi, il se rassit et reprit son souffle en se demandant comment il était possible qu'il se retrouve sans la moindre trace d'humidité sur son pantalon et n'ait même pas eu le temps d'avoir une érection. Il décroisa les jambes et ça recommença ; ce fut même encore plus intense : un séisme, une avalanche, un raz de marée de plaisir qui parcourut son corps, de son entrejambe au sommet de son crâne et à l'extrémité de ses orteils. Il s'efforça à nouveau de reprendre son souffle, comme un poisson échoué sur le sable. C'en était trop pour lui.

Il se rassit dans son fauteuil et jouit ; il se recroquevilla sur lui-même et jouit encore une fois. En pleine hyperventilation, il essayait d'aspirer autant d'air qu'il pouvait.

Mon dieu, pensa-t-il, *mais cette pilule va me tuer.*

Il se leva lentement, très lentement, comme si son corps était fait de nitroglycérine. Cela parut maintenir les orgasmes à distance. Y contribua aussi grandement le fait que l'édition de l'après-midi du journal télévisé local venait de commencer. S'il y avait quoi que ce soit qui puisse tenir lieu de contre-orgasme, ce serait certainement de regarder les informations.

Les grands titres étaient composés de l'habituelle litanie de meurtres, de catastrophes naturelles et de pandémies, que personne n'aurait eu l'idée d'associer à la prochaine fin du monde, à moins d'avoir consacré les douze dernières heures de sa vie à essayer de la retarder. Entre deux reportages démoralisants, on annonça que le vol 240 qui devait décoller de l'aéroport international de Los Angeles avait été annulé «sans que les raisons en soient précisées». Le correspondant en direct de l'aéroport n'avait pu interviewer aucun passager, tous ceux-ci ayant été emmenés dans «un lieu tenu secret afin de retrouver leurs familles».

Perry vit à l'écran plusieurs visages croisés dans la Salle verte, que l'on faisait monter dans un bus. Il allait éteindre lorsque le présentateur annonça :

«Et enfin, l'assemblée générale des Nations unies a aujourd'hui été perturbée par le représentant iranien qui s'est plaint au sujet d'un stylo. Oui, j'ai bien dit : un stylo.» Il eut un petit sourire satisfait. «Nous n'avons pas pu encore voir l'objet du délit, mais, apparemment, il menacerait la paix mondiale, en tout cas aujourd'hui. Et demain, qu'est-ce que ce sera ? Je parierais pour les portefeuilles.»

Leur stylo à la main, les deux présentateurs se mirent à ironiser : «Voyons, Joe, vous me mettez vraiment en rogne avec cet objet.» En regardant tout ça, Perry avait blêmi. *Ils ont envoyé les stylos*, se dit-il. Combien de temps le réceptionniste avait-il dit qu'il resterait avant la fin du monde à compter de ce moment-là ? Trois semaines ?

La Terre était au bord de l'extinction et personne ne s'en rendait compte.

Perry sortit de son sac le fusil et la boîte de munitions. Il se rassit trop vite et subit un nouvel orgasme incapacitant. Se calant au fond de son canapé, il se leva calmement, souleva le fusil et ouvrit la chambre. Tout en louant Dieu d'avoir créé ces lois sur les armes si permissives, que, pendant des années, il avait considérées comme une catastrophe nationale, il glissa les cartouches dans la chambre vide, conformément aux instructions du vendeur de chez K-Mart. Il savait parfaitement que ce serait une mission suicide, mais il se disait qu'il pourrait peut-être causer suffisamment de dégâts dans la salle de régie de Galaxy Entertainment pour ralentir la production. Une cartouche lui glissa des mains et tomba bruyamment sur le sol. Il se pencha – très lentement – pour la ramasser, avant de s'immobiliser. Il avait le sentiment d'être observé. Il se rendit d'ailleurs compte qu'il avait cette impression depuis qu'il avait pénétré dans son appartement. Puis il entendit un bruit, un bourdonnement. C'était sur sa gauche ; il se tourna juste à temps pour voir un petit insecte se poser sur la télévision.

Une mouche.

Perry s'approcha, sur la pointe des pieds, et se retrouva juste au-dessus d'elle. L'insecte pivota dans sa direction. Il était maintenant suffisamment près d'elle pour entrevoir un reflet bleu sur son abdomen. Rapide comme l'éclair, il mit sa main en coupe et l'abattit brutalement. Est-ce qu'il l'avait eue ? Oui : il la sentait grimper à l'intérieur de sa paume. Il referma rapidement la main.

«Alors, le spectacle vous plaît ? demanda-t-il à la mouche prise au piège. Dites-moi ce que vous pensez de ça ?» Il leva la main, avec la ferme intention d'écraser l'insecte contre le mur. Puis il eut une meilleure idée. Il alla dans sa cuisine et trouva un pot de beurre de cacahuète vide dans le bac de recyclage. Il y glissa la mouche, revissa le couvercle et le posa sur la télé. Il s'accroupit pour se trouver à la hauteur des yeux de la mouche. «Amanda, chuchota-t-il, Amanda, vous êtes en train de regarder?» La mouche était au fond du pot, immobile. «Si vous êtes en train de me regarder, faites quelque chose. Que la mouche vole en rond.» La mouche continuait de le regarder, impénétrable.

Perry prit une grande respiration. «OK. J'ai quelque chose à dire à la personne qui regarde, quelle qu'elle soit», dit-il. Et maintenant? Perry avait la bouche sèche. Il avait besoin de trouver une nouvelle idée pour sauver la Terre, mais mener un projet à terme n'avait jamais été son fort. Seulement, il n'avait pas d'autre projet auquel se consacrer à l'heure actuelle. Il n'avait plus le choix. Il obligea sa bouche à parler : «Vous pensez que, sur cette planète, nous sommes tous des crétins égoïstes et violents? Vous pensez que nous ne méritons pas de vivre? Eh bien, vous avez tort.»

Perry avait parfaitement conscience de la médiocrité de ce qu'il venait de proférer. Voilà pourquoi son métier avait toujours consisté à écrire et non à improviser. Il aurait aimé disposer de quelques minutes pour rédiger un petit quelque chose. Mais, si on était bel et bien en train de le regarder, qui sait combien de temps cela continuerait? «Les habitants de la Terre sont fondamentalement des gens bien. Vous ne pouvez pas le savoir, parce qu'on ne vous montre que les Steve Santiago de ce monde. On ne vous a pas donné l'occasion de voir une personne se comporter comme un être humain digne de ce nom. Eh bien, maintenant ça y est!» Perry eut un instant d'hésitation. Il balaya son appartement du regard et aperçut son portefeuille, posé sur la bibliothèque. Il le ramassa et en sortit sa carte bancaire, qu'il brandit devant la mouche. «Et je m'en vais d'ailleurs aussitôt vider mon compte en banque et donner tout mon argent aux pauvres. »

La mouche donnait presque l'impression de l'avoir écouté. Mais, en réalité, la seule chose qui la préoccupait était de trouver un moyen de sortir de son pot, pour la bonne et simple raison que cette mouche était une mouche, et pas une caméra de Channel Blue. Il se trouve cependant qu'une des caméras-satellites de Channel Blue était précisément en train de survoler l'immeuble de Perry, et l'image de ce Terricule en train de faire la conversation à une mouche tout ce qu'il y a de plus commune fut jugée suffisamment bizarre pour déclencher une alerte depuis le détecteur automatique d'une station relais. Cette machine avait pour fonction de trier les millions d'images vidéo émises depuis la Terre et d'en sélectionner les 0,005 % susceptibles de constituer un programme divertissant pour les téléspectateurs de Channel Blue. Après avoir repéré l'interaction entre le Terricule et la mouche, la station relais entra en communication avec un satellite, qui braqua tous ses objectifs sur l'appartement de Perry et lança un appel à toutes les mouches qui se trouvaient dans le secteur, lesquelles entrèrent chez lui par la fenêtre cassée de la cuisine et se placèrent de manière à adopter le meilleur point de vue pour observer Perry. La même machine alerta ensuite un technicien humain qui se trouvait dans la salle de régie de Ventura Boulevard. Pendant que Perry sortait de chez lui et se dirigeait vers sa voiture, le technicien en question se connecta aux caméras et put observer Perry prendre le pot qui contenait la mouche, l'attacher au siège passager de sa voiture, conduire jusqu'à la succursale de sa banque la plus proche, retirer 478 dollars au distributeur (soit le montant total de son compte après sa frénésie acheteuse en vue de se préparer à la fin du monde) et se rendre dans un quartier défavorisé, de l'autre côté de Ventura Boulevard, où de petites maisons délabrées s'entassaient, comme des clochards honteux, derrière des jardinets envahis par les mauvaises herbes.

Perry gara sa voiture et se mit à marcher dans la rue, le pot à mouche dans une main et une liasse de billets de 20 dollars dans l'autre. Il passa devant plusieurs maisons condamnées et des voitures désossées. En temps normal, il aurait ressenti une grande appréhension à s'aventurer dans un quartier pareil. Mais aujourd'hui, il ne ressentait pas la moindre peur. Après tout, il était là pour aider.

Il avait parcouru près d'une centaine de mètres et n'avait toujours pas trouvé quelqu'un à qui donner son argent. C'est alors qu'il aperçut une petite fille en train de pousser un tricycle rouillé dans un des jardinets envahis par les mauvaises herbes. Elle portait une robe blanche sale et bien trop petite pour elle mais, en ce qui concernait Perry, elle était parfaite : elle était pauvre.

«Bonjour, ma petite, dit-il. Tiens, c'est pour toi».

Il tendit deux billets de 20 dollars à la petite fille, qui hésita. Elle regarda Perry et les billets d'un air soupçonneux.

«Vas-y, prends», lui dit Perry. Au bout d'un moment, elle finit par tendre le bras et prit les billets. Émerveillée et incrédule, elle les regarda, en les serrant fort dans sa main. Un sourire à vous fendre le cœur illumina alors son petit visage. Perry lui sourit en retour. «Que vas-tu faire de cet argent?»

Elle contempla les billets en clignant des yeux.

«Emmener Papy et Mamie au restaurant», répondit-elle doucement.

Perry brandit le pot à mouche en direction de la petite fille. Il avait réussi son coup.

« C'est quoi, ce bordel ? »

Perry se retourna et vit quatre adolescents qui marchaient dans sa direction. Ils étaient grands, et leurs vêtements encore plus. En fait, il était difficile de savoir si c'étaient les ados qui portaient les vêtements ou les vêtements qui portaient les ados. L'un d'eux colla son visage contre celui de Perry.

« Qu'est-ce que tu branles ici, espèce de taré ? » Il se tourna vers la petite fille. « Qu'est-ce qu'il t'a fait ?

— Il m'a donné de l'argent, répondit-elle.

— Il t'a *quoi* ? »

Perry prit soudainement conscience de ce que son geste envers la petite fille pouvait avoir de ridicule et même d'inquiétant : un Blanc tout débraillé vêtu d'un survêtement de velours bleu qui donnait de l'argent à une petite fille. « Vous avez besoin d'argent ? demanda-t-il aux ados. Voyez-vous, j'essaie simplement d'aider un peu. On a tous besoin d'un peu d'aide, hein ? »

Il leur tendit une main tremblante et pleine d'argent. Les quatre garçons furent secoués d'un rire qui tenait davantage de l'aboiement et se jetèrent sur Perry. Le pot de verre lui tomba des mains et se brisa sur le trottoir.

Perry, bien trop occupé à se faire taper dessus, ne vit pas ce qu'il advint de la mouche à l'intérieur du pot ; il supposa qu'elle était partie. Mais la mouche n'était pas allée bien loin. Elle avait trouvé un perchoir au sommet d'un panneau de circulation, à côté de toute une rangée d'autres mouches – l'angle de vue parfait pour observer Perry Bunt en train de démontrer que les habitants de la Terre étaient fondamentalement bons.

CANAL 16 : UN HOMME EN MISSION

« **P**ER? PER? ÇA VA?» LA VOIX SEMBLAIT VENIR DE LOIN, de très loin, presque une centaine de kilomètres. Perry ouvrit les yeux; il vit Noah Overton, penché sur lui, l'air soudain rassuré. «Mon Dieu! Mais qu'est-ce qui t'est arrivé?»

Perry était étendu sur le trottoir, devant un jardinet envahi par les mauvaises herbes, au milieu d'éclats de verre. Tout son argent avait disparu. Il avait atrocement mal à la tête et son corps entier n'était qu'une immense douleur. Il s'assit lentement et se palpa le visage pour vérifier si tout était encore en place. Ça allait.

Il raconta à Noah sa bagarre avec le groupe d'adolescents. «J'ai dû m'évanouir quand j'ai heurté le trottoir», dit-il.

Les grands yeux marron de Noah se remplirent d'inquiétude. «Que faisais-tu dans un endroit pareil?»

Comment expliquer son ultime tentative de prouver aux extraterrestres que les occupants de la Terre méritaient d'être sauvés ? Tandis que Noah l'aidait à se remettre debout, il entendit un bourdonnement. Il pensa d'abord que c'était un effet secondaire dû au choc de sa tête contre le sol, puis il remarqua l'essaim de mouches qui voletait au-dessus de lui. «Bizarre, hein ? dit Noah. J'ai jamais vu autant de mouches. Comme si les gens d'ici n'avaient pas assez de problèmes.»

Perry se mit à sourire, lentement. Ils regardaient. Eh oui, bon sang ! Ils étaient vraiment en train de regarder ! Et plus longtemps il parviendrait à les maintenir devant leurs écrans, plus il aurait de chances de faire reporter le finale. Il se tourna vers Noah Overton. Et tout ce qui, d'ordinaire, l'insupportait dans le visage de celui-ci – ses yeux de biche tout pleins d'innocence, son petit nez mutin, son sourire en coin un rien suffisant, sa semi-barbe en poils pubiens, ses cheveux hirsutes si soigneusement décoiffés – lui parut soudain magnifique. Et bien plus encore.

«Je sais que je n'ai pas été le meilleur des voisins, dit Perry. Mais je veux changer.»

Noah eut l'air légèrement interloqué.

«Qu'est-ce que tu veux dire ?

— J'ai compris que tu avais raison : nous devons sauver la planète.

— Eh bien, c'est super, dit Noah, sur un ton qui ne semblait pas vraiment convaincu.

— Et *tu* es la personne idéale pour m'y aider, dit Perry en relevant légèrement la tête vers une mouche qui volait près de lui. Parce que tu es quelqu'un de bien. Tu es généreux, compatissant, toujours à la recherche d'un moyen d'aider les autres. Je me trompe ?»

Noah regarda Perry avec circonspection.

«Je devrais peut-être t'emmener à l'hôpital. Ce serait bien que tu te fasses examiner...

— Je n'ai jamais voulu l'admettre, mais tu *te préoccupes vraiment* des autres. Et tu essaies, oui, tu essaies vraiment de faire changer les choses.

— Sérieusement, Per... Tu as peut-être une lésion cérébrale ou quelque chose comme ça.

— Tu m'as sauvé la vie. Tout simplement.

— Je passais là en voiture et je t'ai vu étendu par terre. N'importe qui se serait arrêté. »

Perry tourna son regard vers la camionnette qui était garée au bord du trottoir, ses feux de détresse en train de clignoter. Dessus, on il était écrit : À CHAQUE JOUR SON REPAS BÉNI.

Perry eut un sourire triomphant. «Tu étais en train de distribuer des repas aux affamés !

— Enfin, essentiellement à des grabataires et des personnes âgées, répondit Noah. Je retournais justement à l'église pour aller en chercher d'autres.

— Alors, on y va ! Allons aider les gens ! Parce que c'est bien ce que tout le monde fait sur Terre, hein ? On aide les gens. »

Noah eut un moment d'hésitation.

«Tu te moques de moi ?

— Non, non, dit Perry. Mon Dieu, non ! Pourquoi ferais-je une chose pareille ? Tu es quelqu'un de tellement bien. »

Noah regarda longuement Perry, puis le fit monter dans sa camionnette.

Les deux hommes parcoururent une succession de rues où s'alignaient des bungalows écrasés par le soleil, jusqu'à l'église Saint-Jude qui se dressait au-dessus des bicoques en planches, avec ses flèches gothiques et, au sommet de son clocher, une énorme croix couverte de néons, qui indiquait le bon chemin, mais probablement pas de la manière dont l'avaient prévu ses concepteurs ; les automobilistes qui s'étaient perdus dans le coin savaient que, pour regagner des quartiers plus cléments, ils n'avaient qu'une chose à faire : s'éloigner à tout prix de cette croix.

Assis sur le siège passager, Perry soumit Noah à un interrogatoire exhaustif concernant l'ensemble des associations pour lesquelles il travaillait ainsi que les causes justes auxquelles il croyait. Mais son voisin de palier interrompit la conversation : « Qu'est-ce que c'est que toutes ces mouches, mec ? » Il ramassa un plan de la ville et en écrasa une sur le tableau de bord.

Perry suffoqua et arracha le plan de la main de Noah. « Ne fais pas ça. Les mouches sont gentilles. Crois-moi. »

Noah remua la tête. « Per, j'ai l'impression que tu traverses un moment difficile. Tu peux m'en parler, tu sais.

— C'est de *toi* que je veux parler, et de tout ce que tu as fait pour cette planète. »

Noah soupira. « Écoute, c'est bon. J'ai fait un peu d'aide psychologique dans des centres de désintox. » Il adressa un regard entendu à Perry. « Je suis très sérieux. Dis-moi ce que tu prends. »

Ils se garèrent sur le parking quasiment vide de l'église. Perry voulut absolument aider à charger des plateaux-repas supplémentaires dans la camionnette, mais Noah estima que son enthousiasme serait plus utile s'il travaillait en tant que bénévole à l'intérieur du refuge, et il lui fit traverser le parking.

Le refuge pour sans-abri de la paroisse Saint-Jude occupait le sous-sol d'une annexe de l'église, qui ressemblait à un gros cube et avait été bâti le long de ce sanctuaire centenaire au cours des années 1970, avec un luxe tout ecclésiastique de ciment et d'enduit. Perry descendit une rampe qui longeait le bâtiment et tira une lourde porte de fer. La première chose qui le frappa, ce fut l'odeur : un mélange étrange de produits ménagers, d'effluves corporels et de crasse humaine. Puis, comme ses yeux s'habituaient, il vit une grande pièce grise et sans fenêtres garnie de bancs et de corps, inertes pour la plupart. Certains étaient assis à table, devant des plateaux en fer où trônait une nourriture informe ; d'autres étaient allongés par terre, à côté de caddies remplis de ce qui avait tout l'air d'être des déchets. L'autre bout de la pièce s'ouvrait sur une cuisine où quelques bénévoles, derrière un buffet chauffant, étaient en train de distribuer de la nourriture à une longue file d'individus qui avançaient, lentement et en traînant les pieds. À une table voisine, plusieurs hommes à la peau tannée, habillés comme s'ils étaient passés devant une friperie qui venait d'exploser, fixaient d'un regard vide Perry qui se tenait dans l'ouverture de la porte. Cette pièce constituait un contraste aussi violent qu'ironique avec l'après-midi ensoleillé du dehors.

« La porte, merde ! » hurla un gros type coiffé d'un bonnet de ski, assis sur un banc.

Perry eut un instant d'hésitation, n'étant pas certain que ce fût à lui que l'homme s'adressait.

« Les mouches, mec ! Tu fais rentrer les mouches ! »

L'homme avait parfaitement raison : à la grande joie de Perry, une nuée de mouches étaient en train d'entrer par la porte et voletaient autour de lui. Il obtempéra, mais prit soin de le faire très lentement.

Après s'être renseigné auprès des serveurs qui officiaient au buffet chauffant, Perry repéra le responsable des bénévoles, le père Michael, un jeune prêtre assez bel homme, qui portait une tunique à manches courtes et avait un porte-documents à la main. C'était lui qui avait développé le programme de livraison de repas pour en faire une véritable soupe populaire. Les autres prêtres de Saint-Jude avaient certes été quelques peu dubitatifs concernant l'enthousiasme du père Michael à vouloir aider les pauvres, mais tout cela avait fini par rapporter à la paroisse de conséquents dividendes ; tandis que la fréquentation des autres églises n'avait cessé de chuté ces dernières années, à Saint-Jude, l'affluence grimpait en flèche depuis que les sans-abri y arrivaient en masse entre le petit-déjeuner et le dîner.

« Excusez-moi, mon père. » Perry se fraya un chemin dans le réfectoire bondé et s'approcha du jeune prêtre. « Noah Overton m'a dit de m'adresser à vous. Je voudrais aider.

— Je suis désolé, dit le prêtre, nous n'engageons pas de nouveaux bénévoles le jeudi. Revenez lundi ou mercredi. »

Pour le père Michael, la discussion était manifestement close, mais Perry resta planté devant lui. « Je veux vraiment aider et je suis là aujourd'hui. »

Le prêtre remua la tête. « Malheureusement, je suis extrêmement occupé en ce moment – je suis littéralement à deux doigts de devenir fou. » Et, tandis que Perry résistait fortement à l'envie de lui suggérer de se faire exorciser, le père Michael ajouta : « Revenez plus tard », avant de disparaître par une porte sur laquelle était inscrit RÉSERVÉ AU PERSONNEL. Au-dessus de cette porte, une télévision était fixée au mur. Le son était coupé, mais Perry put voir un présentateur à l'air particulièrement grave, ainsi que les mots :

FLASH SPÉCIAL – CRISE AU MOYEN-ORIENT

Perry contint le torrent de panique qui venait de l'envahir et parcourut désespérément toute la salle du regard. Il aperçut un homme à la musculature hypertophiée et aux cheveux ras, qui était en train de laver le sol.

«Excusez-moi, lui dit Perry. Si vous avez quelque chose d'autre à faire dans le refuge, je peux m'occuper de ça.»

L'homme adressa à Perry un regard soupçonneux, puis continua son travail. Perry vit plusieurs mouches se poser sur une table voisine.

«Vous devez vraiment aimer aider les autres, dit Perry à l'homme.

— Quoi? répondit son interlocuteur.

— Vous êtes un bénévole, c'est ça?»

L'homme eut un rire ironique. «J'ai défoncé la gueule à un mec, répondit-il. Soit je plongeais pour coups et blessures, soit c'était les travaux d'intérêt général.

— Ah, dit Perry. Mais vous êtes quand même là pour aider, n'est-ce pas?»

L'homme scruta Perry du regard.

«Vous êtes pédé ou un truc genre pédé?

— Euh, non... bégaya Perry, qui sentait la sueur perler sur son front. Je voulais juste montrer que peu importait la raison de votre présence ici... vous faites quand même quelque chose de bien... en rendant ce sol si... propre et... si brillant... si lustré.»

L'homme brandit son balai à franges comme une massue. «Barre-toi», grogna-t-il. Perry fit un bond en arrière, effectua un grand arc de cercle pour contourner l'individu et se diriger vers l'entrée principale. Là, son regard tomba sur une vieille femme, toute voûtée et toute ridée, qui essayait de faire passer un caddie rempli de sacs par la porte en fer. Une des roues cassées s'était coincée sur le seuil. Perry se précipita pour l'aider. «Laissez-moi vous donner un coup de main», dit-il. Il attrapa le devant du chariot rouillé pour le tirer vers l'intérieur.

« Touchez pas à mon caddie, dit la vieille femme.

— Je vous aide juste à lui faire franchir la porte. »

Et Perry tira doucement le chariot.

« Noooooon ! » La vieille dame lui arracha de toutes ses forces le caddie des mains ; le chariot heurta le montant de la porte et se renversa, répandant une constellation de sacs plastique sur le sol du refuge pour sans-abri de la paroisse Saint-Jude.

***

Amanda se dirigeait vers les ascenseurs, la boîte contenant tous ses biens terrestres dans les bras et suivie de près par deux vigiles. Alors qu'elle passait devant une salle de projection, elle entendit des éclats de rire hystériques ; elle jeta un coup d'œil par la porte. Dennis, le réceptionniste et un assistant producteur se tortillaient convulsivement dans leurs fauteuils. Sur l'écran, Perry Bunt était en train de courir dans une pièce sombre, poursuivi par une vieille femme en furie. La vieille femme, étonnamment rapide pour son âge et sa taille, réussissait parfois à attraper Perry et se montrait assez adroite pour lui asséner une volée de coups de poing bien ajustés. Plusieurs sans-abri, hommes et femmes, avaient fait un cercle pour regarder cette course-poursuite et encourageaient la fringante senior.

« Qu'est-ce qui se passe ? demanda Amanda.

— Oh ! Amanda ! » Dennis reprit son souffle et essuya ses larmes de rire. « Les techniciens étaient en train de visionner les images présélectionnées de ce matin et ils sont tombés sur le Terricule qu'on a amené ici. Tu te souviens ? Celui qui a eu une émission pendant cinq minutes ? » Amanda fit un signe affirmatif, tout en regardant Perry glisser sur un plateau-repas et se vautrer sur le sol du refuge. Dennis ne put en dire davantage, en

proie à une crise de rire extatique ; puis il parvint à continuer :
« Il est vraiment à mourir de rire. Il pense qu'il peut empêcher
le finale en nous prouvant que les Terricules sont fondamentalement bons, mais... » Dennis contint une nouvelle crise de rire.
« Mais plus il essaie de le faire, plus il en prend plein la gueule ! »

Bien des mois plus tard, lorsque Amanda se remémora les
derniers jours de Channel Blue, elle se demanda souvent à
quel moment elle avait ressenti ce que l'on pourrait appeler
de l'amour envers Perry Bunt. C'est souvent cet instant qui lui
venait à l'esprit : la vision de Perry, dans son humiliante croi-
sade perdue, essayant tant bien que mal d'échapper à une vieille
dame folle. Pour elle, sur le coup, ça n'avait eu aucun sens ; plus
tard non plus, d'ailleurs, mais c'était bien ça. Elle n'était pas victime d'un cas de satanisme. Elle n'était pas en train de devenir
folle. Elle se faisait tout simplement du souci pour un Terricule
qui prenait tous les risques pour sauver sa planète. Et, comme
toute grande productrice de l'industrie du divertissement, elle
avait l'audace de penser que tout le monde ferait de même.

« Depuis combien de temps suivons-nous ce flux ? demanda-
t-elle à l'assistant producteur.

— Une demi-heure, répondit-il. Un technicien me l'a envoyé
il y a quelques minutes.

— Vous allez le diffuser ? »

Le producteur associé regarda ailleurs, visiblement mal à
l'aise.

« Je ne suis pas certain que M. Pythagore soit d'accord.

— Faites-le », dit Amanda.

L'assistant producteur se lissa nerveusement les cheveux.
« J'aimerais bien. Je trouve vraiment que c'est de la bonne came.
Simplement, vous et ce Terricule... vous êtes un peu cramée en
ce moment. »

Amanda regarda derrière elle les deux vigiles qui se tenaient à distance respectable dans le couloir. « Je suis toujours votre chef », dit-elle.

Le producteur remua la tête.

« Je suis désolé, Amanda. J'aimerais bien vous aider, mais je ne peux pas. »

***

Une fois que plusieurs bénévoles, le père Michael et deux autres prêtres eurent arraché Perry des mains de la vieille femme, c'est à Noah Overton qu'il échut de le conduire hors du bâtiment. Une fois franchie la porte du sous-sol, Perry s'arrêta pour inspecter le ciel et la sinistre allée. *Où sont passées les mouches ?* La panique lui tenaillait l'estomac. Où étaient donc ces foutues mouches ? Avait-on cessé de le regarder ?

« Je suis désolé, Per, dit Noah. Je sais que tu veux vraiment nous aider, mais tu déranges un peu tout le monde, ici. Tu ferais mieux de t'en aller. »

Perry essayait de contenir son trouble. S'il voulait montrer les bons côtés de la Terre, il avait besoin de l'aide de Noah. Oui, bon Dieu ! Son voisin de palier était quasiment l'incarnation même des causes perdues. Plus que jamais, il devait à tout prix avoir l'air parfaitement sain d'esprit et rationnel.

« Noah, tu dois m'écouter, dit-il. Si je ne parviens pas à prouver que les êtres humains sont bons, la Terre sera détruite. »

Les grands yeux marron de Noah furent empreints de tristesse.

« Ça me fait vraiment de la peine de te voir dans un état pareil.

— Si je te donne une boîte pleine de mouches, est-ce que tu peux l'emporter partout avec toi ? »

Noah fit non de la tête.

«Pourquoi est-ce que je ferais ça, Per?

— Tu sais pourquoi toutes ces mouches me suivent?» Perry prit une grande respiration. C'était maintenant ou jamais. Il devait tout lui dire. «Parce que ce sont des *caméras*.» Il fixa la moue dubitative de Noah, du regard le plus résolu dont il était capable. «Une race d'extraterrestres observe la Terre pour s'amuser, mais ils ont décidé de nous faire disparaître parce qu'ils en ont marre de nous regarder. Seulement, ils n'ont assisté qu'au pire du pire. Nous devons leur montrer de quoi nous sommes vraiment capables!»

Noah soupira. «Promets-moi que tu vas te faire aider.»

Perry vit enfin ce qu'il cherchait : une mouche bleue perchée sur le mur d'à côté. Il donna une gifle au mur et attrapa l'insecte.

«Tu vois? dit Perry, brandissant sa main sous les yeux de Noah. C'est une *caméra*!

— Non, Per, répondit Noah avec douceur. C'est une mouche. Une mouche complètement morte.»

Perry regarda la paume de sa main et y vit ce qui ressemblait à une tache peu ragoûtante, mélange d'ailes et de tripes de mouche.

«Regarde de plus près. Je te le jure devant Dieu, il y a une caméra, quelque part là-dedans.»

Noah tourna le dos à Perry. Il ne pouvait rien faire pour lui. «Salut, l'ami.» Après un dernier regard compatissant, il retourna dans le refuge, laissant Perry seul dehors, en train d'essuyer sa main sur son pantalon de survêtement, les yeux scrutant le ciel.

CANAL 17 : LE PROPHÈTE

P ERRY TRAVERSA LE PARKING DE L'ÉGLISE, LE REGARD toujours rivé au ciel à la recherche de mouches. Une bonne sœur qui passait par là lui jeta un coup d'œil à la dérobée, avant de filer sans demander son reste. Il se doutait parfaitement de quoi il avait l'air, en survêtement, couvert de bleus, l'air hagard et exténué après deux jours sans dormir. Mais peu lui importait, maintenant. Les stylos avec la fille nue sous sa burqa avaient été envoyés, la crise s'aggravait au Moyen-Orient et ce n'était qu'une question de jours avant que les manœuvres de Nick Pythagore ne réduisent la Terre à l'état de gravats.

Perry ne repéra aucune mouche, mais il n'avait d'autre choix que de présumer que, là-haut, on était toujours en train de le regarder. Il n'avait d'autre choix, parce que c'était là l'unique espoir de sauver la Terre. Et si on était toujours en train de regarder, il devait faire tout ce qui était en son pouvoir pour devenir quelqu'un que personne n'aurait envie de tuer. En d'autres termes, il devait faire le bien ; et tout de suite. Ça signifiait que, maintenant que le refuge pour sans-abri n'était plus une option, il fallait trouver, ailleurs, quelqu'un d'autre à aider.

Il parcourut du regard le parking à moitié vide. On entendait les oiseaux qui chantaient dans les arbres et de la salsa s'échappant de l'autoradio d'une voiture qui passait. Pas vraiment l'ambiance d'une zone de guerre. On avait pourtant certainement besoin de lui, quelque part.

Il entendit des cris et regarda d'où ils venaient. Un square plutôt délabré jouxtait le parking. À l'entrée de ce square, un petit groupe de sans-abri s'était installé sur les vieilles balançoires et les autres équipements d'une aire de jeux décrépite. Ils étaient occupés à manger de la nourriture en boîte, fournie par le refuge, et regardaient deux hommes en train d'en venir aux mains en hurlant au milieu des débris de bois. L'un d'eux avait dans sa main un petit gâteau, un cupcake, que l'autre s'échinait à vouloir attraper.

Perry courut sur l'asphalte, entra dans le square et se précipita à toute vitesse vers les deux antagonistes. Sans l'ombre d'une hésitation, il empoigna le sans-abri hirsute qui brandissait le cupcake. «Arrêtez!» hurla-t-il, en le lui arrachant de la main. Il le jeta aussi loin qu'il pouvait et le gâteau survola l'aire de jeux, telle une comète enrobée de sucre glace. «Le cupcake ne sera pour personne!»

Perry avait fait montre d'une telle détermination que les deux hommes abandonnèrent toute velléité d'agression et le regardèrent, totalement ahuris. Perry se sentit obligé d'expliquer son acte brutal de vandalisme pâtissier.

«Nous n'avons plus le temps de nous battre. Maintenant, il faut que nous soyons bons les uns envers les autres, ou bien ce sera la fin du monde.

— À cause des extraterrestres ? »

Perry se retourna vers celui des deux hommes qui essayait de prendre le cupcake à l'autre et s'aperçut, à sa grande stupéfaction, qu'il n'était autre que Ralph.

Depuis la dernière fois que Perry l'avait vu, il avait comme réamorcé un processus de détérioration et réintégré sa configuration de sans-abri crasseux et traînant la savate. Il semblait même être passé à une version encore plus déliquescente. Comme si, après avoir laissé Perry sur Ventura Boulevard, il avait passé les cinq heures suivantes à se rouler dans une décharge.

Perry avait pris la décision de ne plus perdre de temps à parler d'extraterrestres à des gens qui le considéreraient comme fou mais, étant donné que Ralph avait soulevé la question, il ne put qu'opiner. Les yeux du sans-abri s'ouvrirent tout grands. On aurait dit que les deux pièces d'un puzzle venaient de s'assembler à l'intérieur de son cerveau détraqué.

« C'est pas une émission, marmonna-t-il.

— Non, répondit Perry.

— C'est ça que tu essayais de me dire. Hein, mon pote ? Les extraterrestres font s'écraser nos avions parce que nous ne sommes pas gentils les uns avec les autres !

— En gros, c'est ça, oui. »

Les autres sans-abri regardaient Perry et Ralph avec une relative perplexité. Mais, pour le second, ce fut comme une étincelle ; il se retourna vers l'homme hirsute contre lequel il venait de se battre pour le cupcake et s'avança vers lui, les bras grands ouverts. Il ressemblait aux monstres des vieux films quand on les voit s'approcher de leur future victime.

Perry fit la grimace. Mais, à sa grande surprise, Ralph serra l'homme hirsute dans ses bras. « Je t'aime », lui dit-il. Après ce qui parut durer plusieurs minutes à Perry et certainement plusieurs heures à l'homme hirsute, Ralph relâcha son étreinte et s'adressa au reste du groupe en désignant solennellement Perry : « Écoutez cet homme ! Il sait ce qui se passe ! ». Les sans-abri tournèrent leur regard vers Perry, qui essayait de comprendre ce qui arrivait. « Dis-leur, mon pote, l'encouragea Ralph. Explique-leur comment nous allons tous mourir et que ce n'est pas une émission. Comment les extraterrestres vont détruire la Terre. »

Manifestement l'hétéroclite assemblée attendait que Perry prenne la parole. Or, Perry n'avait jamais tellement aimé parler en public ; c'était une des raisons pour lesquelles il était devenu écrivain. Il est beaucoup plus facile de laisser croire qu'on a de l'esprit quand on a passé plusieurs heures à tout écrire à l'avance. Du temps où il était un auteur à succès, on trouvait que la maladresse qu'il manifestait lors de certaines réunions avait son charme ; on tenait ses silences gênés avant de prendre la parole pour une excentricité attachante qui ne faisait que confirmer son statut d'homme cultivé. Mais, après sa chute, on se mit à considérer ces mêmes qualités comme un handicap sévère et la preuve que l'échec de sa carrière de scénariste n'était en rien dû au hasard.

« Eh bien, dit Perry après un long silence. C'est vrai.

— Ralph vous l'avait dit ! beugla Ralph à la cantonade, avant de braquer ses yeux bleus sur Perry, avec une telle intensité que ce dernier en fut très mal à l'aise.

— Aidez-vous les uns les autres, dit Perry. Essayez simplement… d'être honnêtes et… généreux.

— Le cupcake ne sera pour personne ! hurla Ralph, en pleine extase.

— Le cupcake ne sera pour personne ! » répéta l'un des sans-abri, comme pour voir ce que ça faisait de prononcer cette phrase.

Les autres sans-abri continuaient à fixer toute leur attention sur Perry, leur perplexité cédant maintenant le pas à un véritable intérêt.

« Il est peut-être déjà trop tard, dit Perry, s'habituant à son rôle d'orateur, mais il faut espérer que non. Nous devons avoir l'espoir que les extraterrestres continuent à nous observer et que tout ce que nous allons dire ou faire les décidera à ne pas détruire la Terre. »

Pendant qu'il parlait, il s'aperçut que d'autres sans-abri étaient en train d'arriver du refuge, attirés par le bruit.

« Dis-nous-en plus, mon pote, lui demanda une femme toute ridée. Qu'est-ce que tu sais à propos des extraterrestres ?

— Ouais, dit un homme qui n'avait plus de dents. Ils ont ces grosses têtes blanches dégueulasses ?

— Non », répondit Perry.

Et il se mit à raconter au groupe qui ne cessait de s'agrandir ce qu'il avait découvert au sujet des hommes de Galaxy Entertainment et de leurs projets pour la Terre. Pendant son discours, le clocher sonna la messe de 19 heures, mais personne ne fit le moindre pas en direction de l'église.

Quand Perry eut achevé le récit de son aventure dans le refuge, le nombre de ses auditeurs avait triplé. Hommes et femmes tendaient le cou, faisant tout leur possible pour l'écouter, en criant de temps en temps : « Plus fort ! » à Perry, ou « Ta gueule ! », ou encore « Silence ! » à quelqu'un d'autre. Ralph s'occupait de ceux qui étaient à l'extérieur du groupe, poussant les uns plus près de Perry, répondant aux questions des autres. Perry aperçut alors le père Michael, qui se tenait derrière la foule, les bras croisés.

Au moment où Perry fit une pause dans son discours, le prêtre mit ses mains en porte-voix et cria : « Il n'est pas trop tard pour assister à la messe ! Si vous êtes intéressés, vous pouvez tous nous rejoindre dans le sanctuaire principal !

— Non merci, répondit un des sans-abri. On écoute Monpote.»

Imperturbable, le père Michael hurla à nouveau : «Venez, s'il vous plaît, prier avec moi, pour la paix ! Ce soir, le Moyen-Orient a besoin de nos prières !

— On n'en veut plus, de ces histoires de Dieu ! cria à son tour Ralph. Des extraterrestres sont en train d'essayer de détruire la planète. On doit rester là et s'entraider les uns les autres.»

Le père Michael sourit, conservant tout son calme. «Je suis ravi de voir que vous voulez vous aider les uns les autres, dit-il. Mais les extraterrestres n'existent pas. Il n'y a que Dieu. Votre ami Monpote que voici...» – le père Michael pointa Perry du doigt – «ne parle pas au nom de Dieu.»

Un chœur de cris hostiles jaillit de la foule. Perry, mortifié, se mit à agiter les bras et à appeler au calme. Le père Michael fit quelques pas en direction de Perry, tout en le fusillant du regard.

«À quoi jouez-vous ? lui demanda-t-il, avec un calme déconcertant.

— À quoi je joue ?

— Vous êtes en train de pervertir ces âmes égarées, répondit le prêtre, tout en continuant à s'avancer vers Perry. Si vous voulez véritablement les aider à faire le bien, encouragez-les à venir à l'église.»

Enhardi par le soutien de la foule, Perry tint bon. «Ça ne suffit plus, d'aller s'asseoir à l'église. Ils nous ont déjà regardés nous asseoir à l'église.»

Le père Michael haussa les sourcils. «Je suppose que, par "ils", vous voulez parler des... extraterrestres ?»

Perry opina. «Que des gens s'imaginent pouvoir aller à l'église et être absous de tout ce qu'ils ont fait de mal ne leur fait maintenant ni chaud ni froid. Pendant un moment, ils ont trouvé ça à mourir de rire, mais aujourd'hui, c'est une des raisons qui, à leurs yeux, justifient notre destruction.»

Tout en parlant, Perry s'aperçut que le père Michael était en train de renoncer calmement à toute possibilité d'avoir une conversation d'ordre rationnel. «Je vois», dit le prêtre, et, se tournant à nouveau vers la foule qui s'amassait, il déclara avec toute l'autorité de sa voix de baryton : «Sachez que, dès que vous commencerez à vous lasser de ces bêtises sur les extraterrestres, l'église vous sera grande ouverte !

— C'est pas plus des bêtises qu'une vierge qui accouche !» braila l'homme édenté.

Plusieurs voix s'élevèrent alors : «Ou que les morts qui ressuscitent !», «Ou que Dieu qui se transforme en buisson pour dire des trucs !», «Ou qu'un serpent qui parle !»

La foule continua à interpeller le père Michael, jusqu'à ce que celui-ci regagne son église, son visage affichant une vertueuse indignation. Puis tout le monde se tourna à nouveau vers Perry pour lui demander de raconter encore une fois les différentes péripéties de son histoire, lui poser des questions ou lui donner des conseils. Perry avait épuisé toute son adrénaline. Au moment où le soleil se couchait à l'horizon, lorsque les néons tout autour du square commencèrent à s'allumer en clignotant, il se sentit submergé par la fatigue. Il s'assit, mais eut du mal à garder les yeux ouverts. Et, au bout de la quatrième ou cinquième fois où il dut énumérer les catastrophes qui allaient présider à la fin du monde, il s'étala sur le gazon et sombra dans un sommeil profond et sans rêves.

***

Perry fut réveillé par le bruit des cloches. Il ouvrit les yeux et son regard tomba sur l'inscription «HAUT». Il lui fallut quelques instants pour comprendre qu'il était allongé sous un carton de réfrigérateur qu'on avait posé au-dessus de lui en guise de tente.

«Il est réveillé!» cria une voix familière. Perry leva la tête de l'anorak roulé en boule qui lui tenait lieu d'oreiller et vit Ralph, qui le regardait, flanqué de deux sans-abri que Perry se rappelait vaguement avoir rencontrés la veille au soir. Il s'étira, sous sa couverture constituée de plusieurs manteaux crasseux. Il était courbaturé, il avait mal partout. «On a à manger pour toi, mon pote», dit Ralph en lui tendant un plateau de petit-déjeuner qui venait directement du refuge. Perry frotta ses yeux chassieux avec une de ses manches bleues sales et rampa hors de son carton. Une fois à l'air libre baigné de lumière matinale, il fut aussitôt assailli par Ralph et d'autres hommes, qui sentaient plutôt fort. Ils s'emparèrent de lui et le juchèrent sur les épaules de Ralph.

«Je veux descendre! hurla Perry.

— Non, mon pote, répondit Ralph. Tout le monde veut te voir.»

Perry regarda autour de lui, à la fois complètement désorienté et aveuglé par le soleil. Une fois ses yeux accoutumés à la lumière, il vit que le square avait été envahi par plusieurs centaines de personnes, agglutinées les unes contre les autres, qui étaient toutes en train de le dévisager. Pas que des sans-abri, d'ailleurs. Il y avait des messieurs portant la cravate, des dames fort bien habillées, des écoliers avec leur cartable ainsi que des hommes et des femmes vêtus de survêtements bleus. Beaucoup d'entre eux brandissaient des pancartes faites à la va-vite où il était écrit : «MONPOTE, ON T'AIME», «SAUVE-NOUS» ou «LE CUPCAKE NE SERA POUR PERSONNE».

En apercevant Perry, la foule entière poussa un immense cri de joie.

«Qu'est-ce qui se passe? demanda Perry à Ralph, une fois que celui-ci l'eut reposé à terre.

— Ils sont tous au courant pour les extraterrestres et ce qu'ils préparent. Ils veulent que tu leur expliques ce qu'ils doivent faire pour sauver la planète.

— Parle-nous, Monpote! hurla quelqu'un dans la foule.

— Le cupcake ne sera pour personne!» cria quelqu'un d'autre.

Et tout le monde s'empressa de reprendre ce slogan et de le répéter encore et encore.

Perry leur fit signe de se taire. Le silence tomba aussi soudainement que si l'on avait appuyé sur un bouton pour couper le volume. Il regarda un moment leurs visages souriants et pleins d'espoir, puis se racla la gorge. «Soyez bons les uns envers les autres, dit-il. C'est tout. Arrêtez de ne penser qu'à vous, rien qu'une journée. Allez aider quelqu'un.»

La foule acquiesça comme un seul homme, puis explosa en un tonnerre d'applaudissements enthousiastes.

«Encore! hurla-t-on. Parle-nous, Monpote! Raconte-nous les extraterrestres!

— J'ai dit tout ce que j'avais à dire! hurla Perry. Allez faire le bien! C'est tout!»

La foule l'acclama et mais ne bougea pas d'un millimètre.

«Nous aimons le Monpote!» hurla un Latino complètement exalté. Et la phrase fut aussitôt reprise par la foule entière. «Nous aimons le Monpote! Le Monpote est amour!

— Allez-vous-en! cria Perry, comme s'il était en train de haranguer une meute de chiens errants. Allez! Ouste!»

Ralph posa une de ses grosses mains sur l'épaule de Perry. «Il faut que tu leur parles encore un peu des extraterrestres, lui conseilla-t-il. Raconte-leur peut-être une autre histoire sur Elvis. Dis-leur par exemple que vous avez fait un bœuf sur la Lune, tous les deux.»

Perry fit non de la tête. «Ce qu'il faut, c'est que les gens partent d'ici et aillent faire le bien, pas qu'ils m'écoutent parler.»

Ralph eut l'air complètement désarçonné. «Mais tu es la seule personne à pouvoir nous sauver. Tu es le seul et unique Monpote!

— Je ne m'appelle même pas Monpote! hurla Perry. C'est...»

À ce moment-là, Perry aperçut deux officiers du LAPD qui se frayaient un chemin à travers la foule, dans sa direction. L'un d'eux lui fit signe :

«Pardon, monsieur, mais cette réunion est considérée comme un rassemblement non autorisé et constitue, par conséquent, un trouble à l'ordre public. N'ayant pas déposé de dossier pour obtenir les autorisations adéquates, vous devez immédiatement vous disperser.

— C'est ce que j'essaye de faire, répondit Perry. Regardez.» Il se tourna vers la foule. «Allez, partez, hurla-t-il. Nous n'avons pas le droit d'être là! Vous devez quitter ce square!

— Non! répliqua son auditoire. Jamais de la vie! Pas sans toi!

— T'inquiète pas, Monpote, dit Ralph, en jetant un regard haineux aux policiers. On ne t'abandonnera jamais.

— Mais je *veux* que vous m'abandonniez! cria Perry. Je suis sérieux! Partez d'ici!

— Il nous met à l'épreuve ! hurla Ralph à la foule. Il met à l'épreuve notre foi en lui ! Allons-nous laisser tomber Monpote ?

— NON ! » mugit la foule.

Les deux policiers discutèrent entre eux de la situation. Perry aperçut alors, sur le parking, le père Michael et d'autres membres du clergé de Saint-Jude en train d'observer attentivement tout ce qui se passait. À côté d'eux, il y avait quelques bénévoles du refuge, dont Noah. Il était difficile d'entrevoir ce qu'exprimaient leurs visages, sauf celui du voisin de palier de Perry, qui remuait la tête avec tristesse.

« Désolé, monsieur, dit l'un des policiers à Perry. Nous avons présentement besoin que vous nous accompagniez. Aucune poursuite ne sera engagée contre vous mais il faut que la foule se disperse.

— D'accord », dit Perry.

Il se mit en route pour suivre les officiers, mais Ralph bondit en avant et lui saisit le bras, qu'il serra comme un étau.

« On ne vous laissera pas l'arrêter !

— Ils ne vont pas m'arrêter, Ralph », lui répondit Perry.

Mais ses paroles furent noyées dans le rugissement furieux que poussa la foule, soudain menaçante. Des boîtes de conserve, des cailloux et des bouteilles se mirent à pleuvoir sur les deux policiers, qui se retrouvèrent bousculés et tiraillés comme des marionnettes avant de s'extirper de la foule et de s'échapper du square.

Ralph avait un sourire proprement extatique. « Ils ont compris !

— Mais vous êtes fous ? » hurla Perry.

Ralph baissa la tête comme un enfant que l'on vient de gronder. « Tu as l'air fâché, mon pote. J'ai fait quelque chose qui t'a énervé ? »

205

Perry réprima une forte envie d'étrangler le gros sans-abri. « Tu n'as rien écouté de ce que j'ai dit, ou quoi ? Nous devons être bons les uns envers les autres !

— Oui, dit Ralph. Et nous t'avons sauvé. On a donc fait le bien, non ?

— Écoute-moi bien, dit Perry. Là, maintenant, je vais quitter ce square. N'essaie pas de m'en empêcher. »

Les sourcils de Ralph s'abaissèrent de consternation. « Pourquoi tu veux nous quitter ? On te croit. On t'aime.

— C'est très gentil de votre part, Ralph, mais si les extraterrestres nous voient nous disputer sur la manière dont nous devons faire le bien, ça ne va pas nous aider à sauver la Terre. »

Perry contourna Ralph et commença à se frayer un chemin à travers la foule en direction du trottoir. C'étaient des centaines de visages incrédules qui le regardaient s'en aller.

« Arrêtez-le, rugit Ralph. Il va se rendre pour nous sauver ! »

La foule se referma sur Perry comme un poing qui se serre.

« Ce n'est pas vrai, expliqua Perry à ses ravisseurs, aussi calmement que possible. Il ne va rien m'arriver. Je vais simplement me promener. Je dois aller aux toilettes.

— Ne croyez rien de ce qu'il dit, cria Ralph. Il ferait n'importe quoi pour nous aider ! »

Malgré les protestations de Perry, ses disciples le repoussèrent en direction de Ralph, pendant que plusieurs cars de police se garaient à l'entrée du square. Des policiers antiémeute casqués, avec gilets pare-balles et boucliers, prirent position tout autour de la foule. Voyant cela, Perry se mit à supplier qu'on le libère mais, malheureusement, les disciples qui l'encerclaient étaient ceux qui avaient réussi à être les plus proches de lui durant les douze heures qu'il avait passées au square et étaient donc ses plus fidèles adeptes. Leur amour pour sa personne et le combat qu'il menait pour sauver la Terre des extraterrestres était si grand et si pur qu'ils n'envisageaient même pas l'idée de le laisser partir.

Les policiers lancèrent des grenades lacrymogènes sur la foule puis envahirent le square, en brandissant leurs matraques comme des fouets servant à faire fuir le gibier hors des buissons.

***

Perry était assis dans une cellule. Il avait un œil au beurre noir et la lèvre tuméfiée. Il s'était foulé le bras et, tous les quarts d'heure, il devait aller vomir – un effet secondaire des gaz lacrymogènes. Ses compagnons de cellule, plusieurs hommes particulièrement costauds, le regardaient avec un mélange de mépris et de dérision. Chaque fois qu'il s'en allait vomir dans la cuvette sans lunette qui se trouvait dans un coin de la cellule, il les voyait secouer la tête de dégoût.

Même si la police n'avait, à l'origine, aucune intention de le poursuivre pour quelque délit que ce fût, le caractère brutal de l'affrontement qui avait eu lieu et la quantité d'agents blessés exigeaient des sanctions contre la partie responsable. Perry était inculpé de trouble à l'ordre public et d'incitation à l'émeute ; on lui avait par ailleurs expliqué que, du fait d'un grand nombre d'arrestations en cours, il ne comparaîtrait pas avant plusieurs heures. Il avait eu droit à un seul coup de téléphone, qu'il avait passé à Noah, en lui laissant un message si décousu qu'il achèverait de persuader ce dernier qu'il était devenu complètement fou. Et, à dire vrai, c'était bel et bien le cas. Oui, il avait momentanément perdu la raison en espérant pouvoir empêcher l'inévitable. Et il avait échoué. Au moment de son arrestation, il avait entendu deux policiers parler de la guerre qui se faisait de plus en plus menaçante au Moyen-Orient.

La guerre. Perry n'en croyait pas ses oreilles. Il fallait le reconnaître : Nick Pythagore et tous ses collègues savaient comment parvenir à leurs fins.

Perry entendit un léger bourdonnement et se leva. Il inspecta rapidement la cellule. «Quelqu'un aurait-il vu une mouche?» demanda-t-il à ses codétenus. Ils le regardèrent tous de travers. Perry soupira et se rassit. *Peu importe*, se dit-il. *Tout est fini.* Même si les extraterrestres étaient encore en train de le regarder, toutes ses tentatives pour prouver que les Terriens valaient la peine d'être sauvés s'étaient soldées par une catastrophe absolue. Galaxy Entertainment avait même dorénavant encore plus de raisons d'en finir avec la planète. Ces réflexions déprimantes furent interrompues par une nouvelle nausée. Il tituba vers la cuvette.

«Arrête ça, espèce de taré!» grogna un chauve en débardeur tandis que Perry découvrait, à l'intérieur de lui-même, de nouvelles zones inconnues de son estomac qui avaient besoin d'êtres vidées.

«Je peux pas, s'étrangla Perry. C'est les lacrymos.

— Arrête de dégueuler, dit le chauve, ou j't'enfonce mon poing dans la gorge.»

Perry essuya le coin de sa bouche avec une de ses manches bleues en loques. «Je ne suis pas expert en la matière, mais si vous tenez véritablement à m'empêcher de vomir, je ne pense pas qu'enfoncer votre poing dans ma gorge soit la solution.»

À la vitesse d'un puma, le chauve se mit debout et attrapa Perry par les cheveux. «T'es en train de te foutre de ma gueule? dit-il. Tu veux que je te tue?

— Honnêtement, répondit Perry, je m'en fiche. »

L'homme attrapa Perry par le fond de son pantalon, en vue de le précipiter la tête la première contre le mur en ciment, mais à ce moment-là, un gardien apparut de l'autre côté des barreaux.

« Lâche-le », dit-il. Bien à contrecœur, le chauve laissa tomber Perry sur le sol. Le gardien ouvrit la porte de la cellule.

« Bunt !

— Oui ? répondit Perry.

— Il y a votre oncle qui est là. »

Perry cligna des yeux. Il n'avait qu'un seul oncle, octogénaire et atteint de sénilité, qui vivait dans une maison de retraite du Midwest et dont il n'avait pas entendu parler depuis des années.

« Il veut vous voir. On y va. »

Le gardien emmena Perry dans ce qui ressemblait à une salle d'interrogatoire, dont tout un mur était occupé par un grand miroir. « Attendez ici », dit-il, avant de sortir. Au bout d'un moment, un homme d'âge mûr assez distingué, arborant une moustache grise parfaitement taillée, fit son entrée. Il portait un costume très cher ainsi qu'une paire de lunettes de marque. Il avait l'air passablement agacé. « Perry, Perry, Perry, dit-il. Dans quoi t'es-tu fourré ? Dieu merci, tes parents n'en savent rien. »

Perry était pratiquement sûr de n'avoir jamais rencontré cet homme.

« As-tu une idée des ficelles que j'ai dû tirer pour te sortir de là ? » ajouta l'homme. Perry le regardait bouche bée. Il ne pouvait rien faire d'autre.

« Bon, allez ! Ne reste pas là, planté comme un nain de jardin qui attend une fiente de pigeon. Allons-y. »

L'homme ouvrit la poche de poitrine de son costume et Perry vit, à sa grande stupéfaction, trois mouches s'y engouffrer.

L'homme referma la poche d'une petite tape, puis tendit son bras gauche et tira la manchette de sa chemise. Il avait une mouche bleue tatouée sur le poignet. «Je suis un producteur, chuchota-t-il. Allons-y.»

Perry suivit l'homme hors de la salle d'interrogatoire, ils marchèrent le long d'un couloir jusqu'à un ascenseur. À l'intérieur de la cabine, sous le bouton qui conduisait à l'étage le plus bas, celui du parking, se trouvait un trou pour une clé. L'homme y pressa son poignet gauche, les portes se fermèrent et l'ascenseur se mit à descendre brutalement, vrombissant à mesure qu'il prenait de la vitesse. Perry sentit tout son estomac dégringoler d'un coup. L'homme le fixait, totalement impassible, tandis que Perry avait l'impression que l'on était en train de lui tirer les épaules en direction des oreilles – la dernière fois qu'il était allé aussi vite, c'était pour rejoindre les passagers d'un vol voué à la destruction. Sa nervosité ne s'était par conséquent nullement dissipée lorsque les portes de l'ascenseur s'ouvrirent pour révéler un long corridor aux murs verts ; on entendait dans le lointain une version instrumentale de *Petit Ours Brun*.

«Par ici», dit l'homme avec autorité, ayant abandonné toute prétention à faire semblant de connaître Perry. Il ouvrit une des nombreuses portes qui se trouvaient le long du corridor et invita Perry à la franchir. Perry pénétra dans ce qui avait l'air d'être un vaste dressing-room.

Au fond de la pièce, Amanda Mundo se tenait devant un miroir en pied, vêtue d'une robe de soirée blanche sans manches qui épousait chaque courbe de son corps. Elle attacha le fermoir d'une boucle en diamant à l'une de ses oreilles et aperçut Perry.

«Venez, lui dit-elle. Ce soir, nous sommes de sortie.»

CANAL 18 : LA STAR

POUR LA PREMIÈRE FOIS DE SA VIE, VOILÀ QUE PERRY BUNT était l'auteur d'une série à succès. Et, qui plus est, il en était la star.

En vérité, ça n'avait pas été simple pour Amanda de mettre le programme à l'antenne à l'insu de Nick Pythagore. Mais, une fois qu'elle y était parvenue, les audiences avaient aussitôt grimpé en flèche. À en croire l'Audimat, détaillé milliseconde par milliseconde, l'indice d'écoute dont bénéficiait Perry avait bondi à la vitesse de l'éclair auprès de tous types d'audience. Au moment où il s'était fait expulser du refuge pour sans-abri, quasiment toutes les caméras-satellites de l'Amérique du Nord étaient braquées sur sa détresse. Et, lorsqu'il était devenu le prophète du square de Saint-Jude, Channel Blue avait obtenu ses meilleures audiences depuis dix ans. Les téléspectateurs de toute la galaxie ne se lassaient pas de ce type qui n'arrêtait pas de se faire tabasser en essayant de sauver la Terre.

L'intuition d'Amanda s'était révélée juste : dans le jargon de sa profession, Perry Bunt était un PF à potentiel de sympathie, un Produit de Fornication pour Tous. En bref, Perry était un PFT.

« Par conséquent, la prod n'a pas eu le choix, lui expliqua Amanda. Ils ont été obligés de tout retarder. » Elle se mit du mascara sur les cils. « Je dois bien reconnaître que j'adore m'habiller comme une Terricule. »

Perry se tenait toujours sur le pas de la porte, totalement fasciné, n'osant pas faire un geste, de crainte que cela ne le réveille et mette fin à son rêve.

« Tout retarder ? répéta-t-il, hébété.

— Le finale. » Amanda ouvrit un tube de rouge à lèvres pourpre avec un bruit sec. « Ils le reportent. »

Perry n'en croyait pas ses oreilles.

« Vraiment ?

— Oui ! Quand Nick l'a appris, il est entré dans une colère noire. Les gens oublient toujours qu'il n'a que 9 ans. Il n'a pas arrêté de taper des poings et de m'accuser de lui avoir savonné la planche, mais je lui expliqué, en toute honnêteté, que tout venait de vous. »

Amanda adressa un bref regard à Perry et le gratifia d'un sourire à demi-maquillé qui ne fit qu'aggraver son état d'hébétude. Elle était tellement belle qu'il en avait mal aux dents.

« Vous avez réussi, monsieur Bunt. Vous avez sauvé la Terre. »

Ces quelques mots flottèrent jusqu'aux oreilles de Perry, mais sans y pénétrer immédiatement ; ils tournoyèrent, tournoyèrent encore, comme la bille d'une roulette, avant d'atteindre leur but. Alors il se mit à sauter en l'air, à pousser des cris de joie et, sans réfléchir, il bondit en avant, prit Amanda dans ses bras et l'embrassa à pleine bouche.

Amanda se libéra de son étreinte et le regarda, stupéfaite.

«Vous avez recommencé.

— Oui», répondit Perry. Il fit quelques pas en arrière et essuya maladroitement sa bouche avec une de ses manches bleues bien crasseuse, sur laquelle il laissa une trace de rouge à lèvres pourpre. «Désolé. Je crois que je me suis un peu emballé.»

Perry entendit un raclement de gorge; il se retourna et vit l'homme d'âge mur qui l'avait sorti de prison. Dans son excitation, il avait complètement oublié sa présence. L'individu avait retiré sa veste, sa cravate et ses lunettes; il paraissait maintenant beaucoup moins distingué. Avec son bronzage marqué et son air serein, il ressemblait à quelqu'un qui avait passé toute sa vie sur le pont d'un yacht, à siroter des bloody mary.

«C'est génial», dit-il. Il sourit jusqu'aux oreilles, laissant apparaître une dentition quasi phosphorescente, d'une couleur qu'on ne trouve pas dans la nature, puis décolla sa moustache grise. «Sincèrement, l'émission est vraiment géniale. Mais elle a beau être vraiment géniale, je crains que ce ne soit pas l'émission elle-même qui ait captivé l'imagination de notre public.

— Je vous présente Marty Firth», dit Amanda. Sans la moindre gêne, elle lissa sa robe, ramassa son tube de rouge et se tourna à nouveau vers le miroir. «C'est le producteur délégué délégué délégué de Channel Blue.

— J'anime également un show sur la chaîne», ajouta l'autre, le regard brillant. Perry comprit que Marty parlait très volontiers de lui-même. «*La Terre nous fait vraiment marrer avec Marty et Vermy*. Ça a été le tremplin de nombreuses carrières, sur la chaîne et dans toute la galaxie.»

Amanda referma son tube de rouge à lèvres. «Quand votre émission s'est mise à décoller, c'est à Marty que Galaxy a confié le projet.»

Marty Finch prit la main droite de Perry dans les siennes et se mit à la secouer comme si, en y allant suffisamment fort, il pourrait lui extorquer le secret de l'univers. « *Totalement* enchanté de vous rencontrer, dit-il. *J'adore* tout ce que vous avez fait. *Vraiment, j'adore* ça. Amanda pourra vous faire la liste de toutes les stars de Channel Blue que j'ai découvertes. C'est moi qui ai produit Steve Santiago, Pol Pot, Charles Manson ; mais vous êtes sans aucun doute la star la plus prometteuse avec laquelle j'aie jamais travaillé. »

Perry ne savait trop quoi penser de l'idée de faire partie d'un tel club, mais la puissance du charme agressif de Marty Finch et de son sourire aveuglant était telle qu'il était difficile de ne pas avoir l'air reconnaissant.

« Je vous remercie, dit-il.

— Ah, mais non ! C'est *moi* qui vous remercie, s'écria Marty. J'ai 120 ans, mon corps ne contient plus un seul de ses organes d'origine, à l'exception de mes yeux, et mes yeux n'ont jamais vu quelque chose comme vous. *Merci !* Merci de sauver notre chaîne. Toutes ces merveilleuses heures de programmes que nous avons produites avec cette petite planète... »

Marty remua la tête tandis que ses uniques organes originels s'embuaient.

« Je vais être honnête avec vous, monsieur Bunt. Ça fait un paquet d'années que je suis dans le métier et j'ai travaillé sur beaucoup de mondes différents. Mais jamais je n'ai trouvé ailleurs une aussi pure combinaison de comédie et de drame que ce que l'on a réussi à distiller à partir de cette petite pépite bleue et de vous autres, les Terricules, êtres si merveilleusement dingues. » Marty avait les yeux dans le vide, l'air émerveillé, en pleine béatitude. Puis son sourire s'évanouit d'un coup, comme si un nuage orageux passait soudain devant le soleil. «Mais malgré tout ça, ils voulaient *nous supprimer*. Avant que vous ne vous mettiez à vous agiter comme un fou et à dépenser tout votre argent, nous étions *FOUTUS*. Enfin, quoi, vous avez vu? Ils ont quand même envoyé leurs foutus stylos!»

Tout à son excitation, Perry avait oublié que le grand finale était déjà lancé. «C'est vrai, dit-il. La guerre est déclarée au Moyen-Orient!»

Marty eut un petit rire et agita la main.

«Relax, dit-il. Il y a une heure, un mystérieux virus a désactivé les systèmes de lancement de missiles iraniens et israéliens. Aucun des deux camps n'est au courant que le virus a également frappé l'autre, alors chacun a réclamé d'urgence des pourparlers de paix.

— C'était tellement prévisible, dit Amanda à son miroir, un tube de mascara à la main. Il n'y a que leur propre faiblesse pour les empêcher de s'entretuer. C'est même un miracle que, depuis toutes ces années, ces dingues ne l'aient toujours pas fait.»

Perry lui lança un regard réprobateur. «Encore une fois, vous faites comme si je n'étais pas là.

— Je suis désolée, répondit Amanda. Mais convenez tout de même que la pire chose que l'on puisse faire à un Terricule, c'est de lui donner du pouvoir.

— C'est vrai, approuva Marty, philosophe, mais ce sont évidemment cette brutalité et cet égoïsme si rafraîchissants qui ont, à l'origine, attiré tant de téléspectateurs sur Channel Blue. Ils ont simplement un peu trop abusé de ces bonnes choses jusqu'à ce que cet homme...» – son bras jaillit et agrippa fermement l'épaule de Perry –, «jusqu'à ce que cette *légende* change totalement la donne. Nos enquêtes montrent que vous plaisez à tous types d'audience. Je n'ai jamais rien vu de tel depuis Jeffrey Dahmer. Que puis-je faire pour vous, monsieur Bunt ? Vous voulez quelque chose à manger, peut-être ? Ou bien quelque chose à boire ? »

Perry refusa, un petit peu gêné. « Je ne me sens toujours pas très bien... à cause des gaz lacrymogènes.

— Bien sûr, bien sûr, dit Marty, en contenant un petit rire. Quelle performance, d'ailleurs ! Tout simplement magnifique. La manière dont vous suppliiez la police de laisser partir vos disciples cradingues pendant qu'on vous frappait et qu'on vous emmenait ! Impayable !

— Ce n'était pas une performance, répondit Perry sans réussir à effacer toute trace d'irritation dans sa voix. J'essayais d'empêcher qu'il y ait des blessés. » Le côté obscur de son succès sur Channel Blue, passé, jusqu'à maintenant, au second plan suite au report de la fin du monde, était en train de remonter à la surface de sa conscience. *Quel genre de créatures sont donc ces Édenites ?* s'interrogea-t-il. *Quel genre de monstre peut trouver « divertissant » de regarder des gens se faire du mal ?*

« Ça s'est bien terminé, non ? dit Marty, les yeux brillants d'hilarité. Ils sont combien à avoir fini à l'hôpital ? »

Perry demeura impavide. « Je suis heureux que tout aille bien pour vous et votre chaîne ; maintenant, j'aimerais rentrer chez moi. » Jamais Perry n'aurait imaginé éprouver cela un jour, mais au bout de deux jours sans pratiquement dormir ni manger, son petit appartement sordide et son clic-clac tout défoncé lui paraissaient être ce qui s'approchait le plus du paradis.

« Mais bien sûr », répondit Marty, sans toutefois manifester le moins du monde la volonté de s'écarter de la porte. Perry remarqua alors qu'une sorte de ver blanc était en train de sortir d'une des oreilles du producteur. Ce qui rendait ce phénomène encore plus inhabituel, c'était que ce ver avait deux yeux qui s'ouvrirent d'un coup et le fixèrent avec intensité.

«Euh... Vous avez un... euh... un ver dans l'oreille.

— Oh! C'est juste mon parasite», répondit Marty comme si de rien n'était. Il s'adressa à la créature : «Vermy, tu es sorti dire bonjour?»

Perry, bouche bée, regarda à la fois Marty et le ver. «Vous avez un parasite?

— *Tout le monde* a des parasites, répondit le producteur. Même les parasites ont des parasites. Mais celui-ci est spécial : c'est un *Vermis solium*. Je l'ai acheté, il y a soixante ans, sur une planète du secteur de Sirius.»

N'en croyant toujours pas ses yeux, Perry regarda Marty tendre la main vers son oreille et caresser affectueusement le sommet de la tête de son ver.

«Mais pourquoi?

— Pourquoi quoi?

— Pourquoi acheter un parasite?

— Les parasites ont cet incroyable talent de refaçonner les autres formes de vie de manière qu'elles répondent à leurs besoins. Le *Vermis solium* est avide de voyages, de nourriture grasse et d'émotions, et il modifie son hôte pour obtenir ces choses. C'est exactement ce que Vermy a fait avec moi.»

Et, comme s'il avait répondu à un signal, Vermy disparut à l'intérieur de l'oreille de Marty.

Écœuré, Perry se tourna vers Amanda. «Vous avez un truc comme ça à l'intérieur de vous?»

Elle fit non de la tête, comme si c'était le plus normal du monde.

Marty Finch éclata de rire. « Nous n'avons pas tous le privilège d'avoir bénéficié d'un programme génétique de qualité supérieure, comme celui de Mme Mundo. Mes parents n'avaient pas beaucoup d'argent et ont dû faire des économies au moment de ma conception, surtout en ce qui concerne les attributs les plus onéreux, comme l'ambition ou la ténacité. J'étais par conséquent un jeune garçon imprévisible et apathique. Vermy a changé tout ça. Quelques jours après son insertion, il s'est mis à transformer mon cerveau de façon que je lui obtienne tout ce qu'il voulait. Depuis qu'il est à bord, j'ai produit des prograplanètes dans toute la galaxie, j'ai gagné seize Orbys pour l'ensemble de mon œuvre et je suis devenu riche et célèbre. Je suis maintenant ce que l'on pourrait appeler l'hôte parfait. » Il eut un petit rire et regarda Perry, l'œil brillant. « Vous savez, si vous aviez les moyens de vous en payer un, un parasite cérébral serait peut-être la meilleure chose qui puisse vous arriver.

— Non, merci, répondit Perry, incapable de dissimuler son dégoût. J'aimerais y aller, maintenant. »

Il s'apprêta à franchir la porte mais Marty lui bloquait toujours la route. Le producteur et Amanda échangèrent un bref regard.

« Le fait est que c'est impossible, lui dit Marty.

— Qu'est-ce que vous voulez dire ? »

Perry chercha le regard d'Amanda, mais elle s'était retournée vers le miroir pour se mettre un peu de blush.

« Vous êtes maintenant la star de votre émission, dit Marty. *Bunt à la rescousse.* »

Perry fit la grimace.

« *Bunt à la rescousse* ?

— En dix-neuvième position de son créneau horaire chez les mâles de 27 ans. Ils adorent ça, vous cartonnez.

— C'est totalement nul, comme titre.»

Marty haussa les épaules. «C'est compliqué, les titres, vous savez. Nous n'avions pas beaucoup de temps. C'est que vous ne nous aviez pas prévenus, monsieur le sauveur de planètes complètement fou.» Il tapota malicieusement le menton de Perry.

Ce dernier s'essuya instinctivement le visage avec sa manche.

«Eh ben, appelez ça comme vous voulez. Mais là, tout de suite, j'ai besoin de prendre une douche, de manger un morceau et d'aller me coucher.

— En ce qui concerne la nourriture et l'hygiène, on peut arranger ça, mon petit héros tout sale. En fait, continua Marty, en tapotant à nouveau la tête de Perry, je dois dire qu'une bonne coupe de cheveux est même indispensable. Sans vouloir vous vexer, il n'y a rien de moins séduisant qu'un homme presque chauve avec des cheveux longs. En tout cas, il faudra attendre un peu avant d'allez dormir. Voyez-vous...» – Marty tendit ses mains en avant, paumes vers le haut – «tout le monde veut en voir plus. Vous voir plus. Voir encore plus de vos héroïques exploits auto-sacrificiels. Vous êtes dans l'œil du public, maintenant; vous ne pouvez pas disparaître comme ça. Vous êtes trop célèbre.»

Toutes les fois où il avait rêvé d'être célèbre – et ça faisait beaucoup plus de fois qu'il ne voulait bien l'admettre –, Perry n'avait jamais fantasmé la fin de sa renommée. Il ne s'était en outre jamais imaginé que ses fans vivraient à plusieurs années-lumière de distance et voudraient assister à la destruction de la Terre.

«Mais maintenant le spectacle est terminé, dit-il, j'arrête.

— Encore une fois, c'est impossible.

— Et comment est-ce que vous allez m'en empêcher? En essayant de me tuer, encore une fois? C'est le genre de truc qui plairait à vos téléspectateurs?

— Non, répondit Marty. En tout cas, pas dans l'immédiat. Ce qu'ils veulent, c'est vous regarder faire ce que vous faites. Ce que vous faites avec tant de talent.» Marty fit gigoter ses doigts pour faire «courir» sa main dans le vide. «Vous savez : courir partout pour essayer de sauver votre planète.

— Mais il n'y a plus aucune raison de la sauver. Vous venez de me dire qu'il n'y aurait plus de grand finale.»

Marty, qui n'avait plus jamais eu l'occasion de se sentir embarrassé depuis qu'il avait fait l'acquisition de son parasite cérébral, soixante ans plus tôt, s'efforça d'avoir vraiment l'air gêné. Il ouvrit grands les yeux, passa sa langue sur ses lèvres et fit une grimace : «Pour le moment.»

Amanda referma son poudrier d'un coup sec et le jeta sur la table. «Tout n'est que retardé, monsieur Bunt, dit-elle. Nous devons prouver que nous pouvons maintenir l'émission au sommet. De leur côté, ils se réservent encore toutes les possibilités – ils peuvent relancer leur finale à n'importe quel moment. Actuellement, *Bunt à la rescousse* est la seule chose qui les en empêche. Si on arrête l'émission ou si les audiences s'effondrent, ce sera retour à la case départ.»

Perry sentit son estomac vriller. Il s'écroula sur une chaise et se frotta le visage. Il n'arrivait pas à y croire. Il regarda Amanda.

«Vous seriez donc prêts à tuer toute une planète et toutes les formes de vie qui s'y trouvent si… je ne joue pas pour vous?

— Ça ne relève pas de nous», lui répondit Marty. Il pointa ses deux mains vers le ciel. «C'est le public qui commande.

— Mais votre public est *complètement fou*! cria Perry, lui-même surpris de sa propre véhémence. On a pourri gâté des psychopathes sadiques avec ce qui n'est rien de plus que le spectacle des souffrances et de la mort de personnes innocentes.» Marty et Amanda regardaient Perry, l'air totalement indifférents. «Mais, nom de Dieu, nous sommes des êtres humains, comme vous. Nous sommes *vivants*!»

Marty lança un regard à Amanda.

«C'est là qu'il veut en venir? Parce que, si c'est le cas, je te préviens tout de suite : je vais avoir du mal à garder mon sérieux.

— En venir où? interrogea Perry.

— Au "caractère sacré de la vie".»

À peine eut-il prononcé ces paroles que Marty explosa d'un rire paroxystique.

Perry fusilla le producteur du regard. «Quel est le problème?»

Marty s'efforça de reprendre son souffle, en essuyant ses larmes. «Savez-vous combien il y a de planètes dans cette galaxie, et combien d'êtres vivants il y a sur toutes ces planètes? Personne n'a été capable d'en dresser le nombre jusqu'à présent, et je parle juste de *cette* galaxie : soit un point microscopique de l'univers connu! L'univers *grouille* de vie. Allons, je vous en prie! La vie est à peu près aussi rare que l'hydrogène.»

Perry campa sur ses positions. «Ça ne justifie en rien ce que vous nous faites.»

Marty lui adressa un charmant sourire puis se tourna vers Amanda. «Il est toujours comme ça? Et dire que je pensais que Cheney était un cas difficile.»

Amanda haussa les épaules. «Je pense qu'il est encore un peu sous le choc. Tu connais les Terricules. Il leur faut toujours un peu plus de temps que l'on voudrait.

— Encore une fois, je *suis là*!» dit Perry.

Amanda se tourna vers lui et sourit. C'était un sourire témoignant d'une patience à toute épreuve, semblable à celui que Perry avait vu sur le visage de ses professeurs durant toute sa scolarité ; mais le fait qu'il vienne d'Amanda fit accélérer les battements de son cœur. Et, une nouvelle fois, voilà que toute la colère qui bouillonnait dans son estomac s'évanouit. *Et merde*, pensa-t-il. *Pourquoi faut-il que ce soit elle ?* Un scénariste plus âgé lui avait une fois conseillé de ne jamais tomber amoureux de quelqu'un qui travaille dans le divertissement, conseil qu'il était parvenu à suivre, principalement par défaut. Que ferait ce scénariste face au présent dilemme ?

« Monsieur Bunt, vous avez atteint votre but, dit Amanda. Vous avez sauvé la Terre.

— Même si, pour nos téléspectateurs, vous croyez toujours que c'est la fin du monde, expliqua Marty, sautant sur l'occasion. Et si ça n'avait tenu qu'à moi, ces téléspectateurs auraient raison : on ne vous aurait pas exfiltré du plateau.

— Vous m'auriez laissé en prison ? »

Le producteur gloussa. « Oh ! Vous ne seriez pas *resté* là-bas, dit-il. On avait plein de scénarios différents pour obtenir votre libération. Dans mon préféré, il y avait deux flics corrompus, une échelle vers le toit et un saut de quatre étages sur la plate-forme d'un camion qui transportait des matelas. Ça aurait été *spectaculaire*. » Marty parut s'égarer un instant dans une joyeuse rêverie, avant de continuer. « Mais notre chère Amanda ici présente m'a convaincu qu'une petite pause entre deux épisodes vous ferait du bien. »

Amanda fit la moue. « Il avait abandonné, dit-elle. Il n'allait plus nous être d'aucune utilité.

— Hé ! Mais nous sommes bien là, non ? dit Marty. Je veux simplement que Perry sache à quel point il est important qu'il conserve cette attitude aussi désespérée que naïve qui a fait de lui une star. »

Il tendit son bras et se mit à masser une des épaules de Perry. Perry repoussa sa main. « Je ne suis pas votre marionnette, dit-il.

— Absolument pas, répondit très courtoisement Marty. Si c'était le cas, je n'aurais même pas besoin d'avoir cette conversation avec vous. Je vous collerais simplement ma main au cul et roulez jeunesse... Euh, où en étais-je... » Il se frotta les mains. « Ah oui ! L'importance que vous ne sachiez rien. Ce que notre public aime par-dessus tout, c'est l'authenticité. Il veut du *vrai* drame, de la *vraie* comédie, de *vraies* sensations. Ça ne ressemble en rien à ce que vous appelez "divertissement" ici-bas. Le public édenite n'est pas comme les enfants ; il n'aime pas quand on fait semblant. Si quelqu'un meurt à l'écran, il doit vraiment mourir ; si quelqu'un sauve une planète, il doit vraiment sauver une planète. Ce sont des gens très évolués : ils savent faire la différence. Bref, si qui que ce soit, là-haut, devine que nous travaillons avec vous en coulisse, il zappera vers un combat de robots sur Alpha du Centaure en moins de temps qu'il n'en faut pour dire "effondrement des audiences", et alors... » – Marty fit, de façon toute théâtrale, le geste de se trancher la gorge avec le doigt – « nous sommes *tous* morts. Pas au sens littéral, évidemment. Vous et la Terre, vous allez mourir ; Amanda et moi devrons trouver un nouvel emploi. Et Channel Blue n'existera plus qu'à travers des rediffusions. » Les larmes lui vinrent à nouveau aux yeux et il continua : « Quelque chose que, d'ici une vingtaine d'années, les gens regarderont vaguement du coin de l'œil, tard le soir, en se disant : "Wouaou ! C'était vraiment une super chaîne, je me demande pourquoi ils l'ont arrêtée." » Il scruta intensément Perry. « Vous voulez véritablement être la réponse à cette question ?

— J'en ai rien à foutre, de votre chaîne, répondit Perry.

— Et de vos sept milliards de confrères qui en composent la distribution ? demanda Marty. Ne sont-ils pas dignes que vous leur consacriez un peu de temps ? » Il haussa les épaules, tendit les mains vers le ciel. « Moi, je n'en sais rien. C'est à vous de me le dire. »

Perry lança un regard furieux à Marty. Il crut voir l'extrémité d'un parasite blanc sortir de l'oreille du producteur. Il hocha la tête et soupira :

« Que dois-je faire ? »

CANAL 19 : LES SAUVEURS
DE LA PLANÈTE

EUX HEURES PLUS TARD, PERRY REPRENAIT À contrecœur le rôle star de sa série à succès : *Bunt à la rescousse*. Pour l'épisode en cours, il devait enfiler un costume Armani, à l'arrière d'une interminable limousine qui roulait à tombeau ouvert dans Beverly Hills. Étant donné son expérience assez limitée en matière de vêtements chics, cela lui prit un temps infini, ce qui, sans aucun doute, ne manqua pas de susciter les rires de nombreux téléspectateurs à travers toute la galaxie – surtout lorsqu'il se pencha seulement vêtu d'un slip et d'une chemise déboutonnée pour ramasser un bouton de manchette tombé par terre, que la limousine freina brutalement, et qu'il s'étala de tout son long. Il resta étendu un moment à se demander ce qu'il y avait de réellement drôle à contempler sa raie des fesses qui dépassait de son caleçon.

Comme le disait Marty Finch : si quelqu'un doit se vautrer à l'écran, il doit vraiment se vautrer.

Perry était en route pour un gala de charité dans la propriété de Del Waddle, l'homme le plus riche d'Hollywood et la dixième plus grosse fortune du monde. Même au temps glorieux où il était encore un auteur à succès, Perry n'avait jamais rencontré ce monsieur. La seule fois où cela avait failli lui arriver, c'était quand un de ses scénarios – un polar intitulé *Tweet mortel*, sur un homme qui pouvait échanger des e-mails avec les morts – avait été à deux doigts d'être produit par les studios Waddlevision. Mais le projet avait été enterré lorsque – à en croire l'agent de Perry – Del Waddle avait mis son veto sur la star de films d'action choisie pour le rôle principal, affirmant que, malgré tous les exploits qu'il avait pu accomplir à l'écran, la star en question n'était, dans la vraie vie, qu'«une grosse tapette». À part ça, concernant cet éminent milliardaire, Perry n'en savait guère plus que la plupart des gens : grâce à un sens des affaires hors du commun combiné à un sixième sens pour deviner ce que les gens fantasmaient de voir porter à l'écran, grand ou petit, le jeune nabab, après avoir hérité de son père quelques stations de radio, avait bâti un conglomérat si puissant qu'il ne pouvait exister qu'à une époque où le terme «monopole» rappelait essentiellement un jeu de société. Pour évoquer des entités aussi gigantesques, on parlait désormais d'«intégration verticale»; et Waddlevision en était l'absolu des absolus.

Waddlevision pouvait choisir un simple conte pour enfants, en faire un film, le distribuer, s'occuper de sa promotion, le décliner sous la forme d'une attraction pour parc à thème, d'une série télé, d'une comédie musicale pour Broadway puis, pour finir, d'un film inspiré du *musical* de Broadway, dont la bande originale était un album uniquement constitué de tubes. Le tout accompagné d'articles dithyrambiques sur ce «parfait divitissement familial» dans les journaux, les magazines et les sites Web appartenant également à... Waddlevision.

Mais Waddlevision n'avait été qu'un début. Del avait mis à profit son contrôle quasi absolu sur les médias pour avoir la mainmise sur pratiquement tous les secteurs du marché américain. Il possédait des compagnies aériennes, des usines de textile en Bolivie, des sociétés de courtage en armement ainsi que plusieurs écoles maternelles. Son patrimoine s'élevait en conséquence à plus de quarante milliards de dollars, ce qui était supérieur au PNB de la plupart des pays de la Terre. Mais, malgré ses belles maisons, son escadrille de jets privés, son yacht de la taille d'un paquebot doté de son propre terrain de basket, Del s'efforçait de se présenter dans les médias comme «un type normal qui avait eu du bol, et c'est tout». Il avait épousé sa fiancée du lycée, versait des millions à des œuvres et organisait régulièrement des dîners de charité dans ses différentes demeures. Les journaux (et pas seulement ceux qu'il possédait) regorgeaient d'articles évoquant sa philanthropie.

Ce soir, Perry se rendait à un dîner à 10 000 dollars le couvert en l'honneur d'une des causes préférées de Del : la Fondation des P'tits Verts, une organisation destinée à enseigner aux enfants les dangers du réchauffement climatique. Perry devait profiter de cette cérémonie pour approcher le milliardaire afin qu'il l'aide à sauver la Terre. Ce faisant, il s'apprêtait à offrir à l'illustre magnat des médias le public le plus nombreux de toute son existence.

Une heure plus tôt, pendant que Perry se rasait dans une salle de bains attenante au dressing-room souterrain, Marty Finch lui avait expliqué que les Édenites étaient fascinés par les Terricules fortunés. Ils ne se lassaient pas de voir des hommes perdre leur vie à amasser des sommes d'argent tellement énormes qu'elles étaient impossibles à dépenser, et ce au détriment d'autres plaisirs et de leurs relations avec leurs congénères Terricules, tout cela pour finir par mourir et que cet argent ne signifie plus rien pour eux. Marty expliqua à Perry qu'il avait bien l'intention de mettre à profit cette fascination des Édenites pour les richesses inutiles afin de faire grimper les audiences de *Bunt à la rescousse*.

« Vous savez bien que, pour la plupart des Terricules, la seule chose qui compte, c'est l'argent, lui avait expliqué Marty. Et, après le fiasco de Saint-Jude, vous comprenez que demander aux masses de devenir meilleures ne sert à rien si vous n'avez pas une organisation digne de ce nom derrière vous. »

Perry fronça les sourcils. « Mais il distribue déjà son argent. On va me prendre pour un fou, c'est tout. Pourquoi est-ce qu'il en donnerait davantage uniquement parce qu'un dingue débarque dans un de ses galas et lui demande de le faire ?

— Souvenez-vous : vous êtes en mission, lui répondit Marty. Vous n'avez pas le choix. Vous devrez faire tout ce qui sera nécessaire. » Et, comme Perry le regardait d'un air ahuri, Marty insista, avec un geste de la main. « Vous êtes la star. Vous saurez quoi faire. »

Perry fit non de la tête. « Je les connais, les gens riches. Ils préfèrent surtout se cramponner à leur argent. C'est comme ça qu'ils restent riches. »

Marty arbora son sourire un peu tordu, accompagné d'un clignement d'œil que Perry détestait déjà. « Personne n'a jamais prétendu que sauver la Terre était une chose facile. » Puis il s'excusa : il devait aller consulter d'autres producteurs pour « préparer les plans ». Perry profita de l'occasion pour se glisser à nouveau dans le dressing-room d'Amanda. Il devait absolument faire part de ses doutes à quelqu'un. «Le prochain épisode», comme l'avait intitulé Marty, lui semblait aussi peu productif que Sisyphe portant son rocher. Si la survie de la Terre ne reposait que sur ce que pourrait bien faire Perry pour obtenir la rédemption de ses occupants aux yeux des téléspectateurs, il y avait certainement d'autres moyens, plus efficaces, d'y parvenir.

Amanda était en train d'essayer de fermer un collier de perles autour de son cou; il lui proposa son aide, qu'elle accepta volontiers. Elle était un peu moins enthousiaste que tout à l'heure à l'idée d'être habillée comme une Terricule. «Je ne comprends pas comment on peut faire une chose pareille. Quelle perte de temps!» Une fois le collier attaché, elle se retourna et regarda Perry. «Alors. Qu'en pensez-vous?»

Perry était tombé amoureux d'Amanda alors qu'elle ne portait que son blazer bleu Galaxy Entertainment et n'était pas maquillée. Et là, maintenant, en la voyant dans sa robe de soirée, irradiant cette même beauté spontanée mais à une échelle nettement supérieure, il se dit qu'il allait s'évanouir, car tout son sang était en train d'affluer dans des parties de son corps où il ne devait normalement pas aller, et surtout pas en pareille quantité. «Pas mal», réussit-il à dire, et il était sur le point d'évoquer ses doutes concernant la prochaine mission lorsque Marty fit son entrée.

«Votre limousine est prête, dit-il gaiement. Allez, la superstar! Allons sauver la planète.»

***

Perry avait enfin attaché son deuxième bouton de manchette lorsque la limousine, qui paraissait aussi longue qu'un pâté de maisons, tourna dans une rue où s'alignait une succession de magnifiques demeures, avant de s'arrêter devant un imposant portail en fer forgé. Il entendit le chauffeur, tout là-bas, parler dans un Interphone. Quelques instants plus tard, le vaste portail s'ouvrit sans un bruit et la limousine reprit sa route.

Perry fouilla dans la poche intérieure de sa veste et en retira un carton d'invitation gravé sur un épais bristol couleur crème dont l'impression avait probablement coûté plus cher que ce que Perry dépensait en un an pour s'habiller. Lorsque Marty lui avait remis le carton, Perry s'était demandé comment les téléspectateurs pourraient croire qu'un pauvre professeur en écriture de scénarios avait les moyens de s'offrir un dîner à 10 000 dollars alors qu'il venait tout juste de dilapider tout son argent.

« Vous aviez un compte épargne au syndicat des scénaristes, lui avait répondu Marty. Ça vient de là. »

Lorsque Perry s'était mis à protester, Marty lui avait joyeusement rappelé qu'en ce qui concernait le personnage principal de *Bunt à la rescousse* les fonds de retraite étaient désormais, au mieux, un vœu pieux.

La limousine continua à avancer au milieu d'arbres et de prés luxuriants sans le moindre bâtiment à l'horizon. Et, au moment précis où Perry eut la certitude qu'ils s'étaient perdus dans un parc naturel en plein milieu de Beverly Hills, apparut soudain une grande maison de maître, blanche avec des colonnes ioniques, couronnée d'étincelants panneaux solaires. La limousine se fit une place parmi un troupeau d'autres limousines qui s'alignaient comme des bâtons de réglisse bien luisants devant l'entrée de la demeure. Perry se dit que c'était vraiment une bonne idée que les participants à cette fête soient là pour financer une fondation destinée à informer les enfants sur le réchauffement climatique, car, en ce qui les concernait, ils n'avaient pas l'air particulièrement bien renseignés.

Le chauffeur ouvrit la porte à Perry, qui sortit précautionneusement de la voiture, s'attendant plus ou moins à ce que le costume qu'il avait enfilé tant bien que mal tombe en loques une fois qu'il serait confronté à la gravité. Mais, miraculeusement, il demeura intact. S'efforçant d'afficher l'air de celui qui est familier de ce genre d'adresses pour *happy few*, Perry fit un signe de tête à son chauffeur et descendit de la limousine.

La voix d'Amanda résonna dans son oreille : « Rentrez votre chemise dans votre pantalon. » Il l'aperçut alors en train de discuter avec un groupe d'autres personnes belles et riches, près de l'entrée de la maison. Bizarrement, elle paraissait tout à fait dans son élément au milieu de cet environnement luxueux. Il la regarda se détourner du groupe et ouvrir son sac à main Louis Vuitton, libérant ainsi un petit essaim de mouches dans les airs. « Ne me regardez pas, dit-elle dans son oreille. Souvenez-vous : jusqu'à ce que nous soyons de retour en bas, vous ne me connaissez pas. » Amanda et Marty lui avaient répété ça tellement de fois que Perry en aurait hurlé : Amanda est votre régisseur de terrain, mais vous ne connaissez pas Amanda. Elle est là pour vous guider tout au long de l'épisode, mais elle ne peut vous aider d'aucune autre manière.

Perry rentra sa chemise, tout en se dirigeant vers la porte d'entrée. « Même si je ne vous connaissais pas, je vous regarderais, murmura-t-il doucement.

— Et ne me parlez pas, dit la voix dans son oreille. Que vont penser les téléspectateurs ?

— Que je me parle à moi-même », répliqua Perry.

De l'autre côté de l'allée, Amanda lui jeta un regard noir. Il lui répondit par un sourire; elle lui tourna le dos.

«Arrêtez vos bêtises et entrez», dit-elle. Perry montra son carton d'invitation à une femme munie d'un porte-documents qui se tenait devant l'entrée, et franchit deux énormes portes en bronze représentant plusieurs épisodes de l'Ancien Testament. Perry s'aperçut qu'il s'agissait d'une reproduction des célèbres «Portes du paradis», du baptistère de Florence, et se demanda comment faisait Del Waddle lorsqu'il se disputait avec sa femme – impossible de claquer la porte comme ça, il fallait toute une machinerie.

Perry traversa une entrée pavée de marbre, aux dimensions à couper le souffle; à côté, les grottes de Carlsbad faisaient penser à un simple petit studio. Puis il se fraya un chemin à travers toute une fourmilière de serveurs en costume blanc qui se précipitaient dans tous les sens en portant des plateaux en argent. Il finit par arriver devant une autre double porte, qui s'ouvrait sur une pelouse si belle et d'un vert si plantureux dans la lumière de fin d'après-midi que Perry eut envie de se jeter dessus et de la baiser, tout simplement. Un panneau dessiné avec goût l'informa que les pelouses de la propriété Waddle étaient «arrosées avec de l'eau recyclée». Tout autour de cette verte étendue se trouvaient plusieurs groupes de convives aussi beaux qu'impeccablement habillés.

Perry passa en revue les visages parfaitement bronzés et liftés des sauveurs de la Terre. Tout autour de lui, il ne vit que des stars de cinéma, des dirigeants de studios et la crème des réalisateurs. Il se dit que, si jamais une bombe explosait ici, les Américains n'auraient d'autre choix que de se remettre à la lecture. En revanche, aucun auteur. Même les scénaristes les plus prisés n'étaient pas suffisamment prisés pour un événement pareil. Dans un cadre aussi joyeux et sans souci, personne ne voulait se voir rappeler qu'ils dépendaient tous de l'imagination d'un rat d'ordinateur.

Entre les convives en pleine discussion, des enfants de toutes les ethnies gambadaient en riant, vêtus du costume officiel des P'tits Verts : casquette verte, tour de cou vert, tee-shirt sur lequel était écrit SAUVONS LA PLANÈTE. À l'extrémité de cette pelouse parfaite, un groupe de jeunes hommes graves et pâles jouait de la musique acoustique sur une scène. Perry reconnut un très célèbre groupe de rock qui venait de sortir son sixième album disque de platine. Il ne se donna même pas la peine de deviner combien cela coûtait de les faire venir à une fête, d'autant plus pour jouer en sourdine.

Il prit une coupe de champagne scintillante sur un plateau qui passait et se mit à la siroter. L'élixir vaporeux lui chatouilla malicieusement l'arrière de la langue et le rendit instantanément heureux. Il réalisa qu'il n'avait certainement jamais goûté de vrai champagne auparavant. Tandis que les accords planants d'un nouveau tube mondial émanaient du groupe et que la lumière de la Californie du Sud prenait une teinte de plus en plus dorée, il contempla la clairière qui s'irisait devant lui, les fontaines qui bouillonnaient, et tous ces gens charmants et incroyablement attirants dont il n'aurait jeté aucun – femme ou homme – hors de son lit, surtout après sa deuxième gorgée de champagne.

C'est à ce moment-là qu'il se rendit compte qu'il était dans la merde. Mais vraiment dans la merde.

Qui, au sein de cette magnifique réserve de riches, croirait que la Terre était réellement et urgemment en danger ?

Perry sortit d'un coup de sa rêverie lorsqu'un grand serveur chauve lui arracha sa flûte de champagne de la main, le regarda d'un air renfrogné et s'en alla. Il allait protester, lorsque la voix d'Amanda bourdonna dans son oreille. « C'est moi qui lui ai dit de faire ça. » Perry se retourna et la vit au loin qui se dirigeait vers la scène, en lui tournant le dos. « Je lui ai dit que vous étiez un alcoolique en pleine désintoxication. » Perry commença à ouvrir la bouche. « Encore une fois, ça n'est pas la peine de répondre. Vous êtes prêt à tout et vous êtes ici pour accomplir une mission, ne l'oubliez pas. Le groupe juste à votre droite. Ce sera votre homme. »

Perry se tourna vers des personnes en pleine conversation qui se tenaient près de lui et, au milieu d'hommes vêtus de costumes hors de prix et de femmes en robe haute couture, il vit Del Waddle. À la différence de tous ses invités, Del portait un jean, ce qui était un symbole absolu de pouvoir dans un rassemblement de ce genre, ainsi qu'une casquette de base-ball d'une des équipes qu'il sponsorisait et un tee-shirt SAUVEZ LA PLANÈTE. Il avait une barbe de trois jours savamment travaillée et tenait dans ses bras une très jolie petite fille qui portait la casquette et le tour de cou des P'tits Verts. Perry s'arma de courage et se dirigea vers le groupe.

« Faites gaffe, monsieur ! »

Perry regarda à ses pieds et s'aperçut qu'il avait failli marcher sur un des P'tits Verts, en train de jouer sur le gazon avec un ballon représentant un globe terrestre.

« Désolé, dit Perry.

— Allez vous faire foutre », dit le petit garçon.

Et Perry s'aperçut que celui qui le regardait, sous la visière de sa casquette verte, n'était autre que Nick Pythagore.

CANAL 20 : LE PHILANTHROPE

D ANS LA SALLE DE RÉGIE DES LOCAUX DE GALAXY Entertainment sur Ventura Boulevard, c'était la panique la plus totale. Tous les yeux du réalisateur Nakeeth roulaient frénétiquement d'un de ses trente-six moniteurs à l'autre ; sur la plupart, on pouvait assister à la confrontation Nick Pythagore - Perry Bunt. Il se mit à hurler sur l'assistant réalisateur et exsuda plusieurs litres d'un liquide vert foncé sur le tableau de commande. L'assistant réalisateur hurla à son tour sur les techniciens qui se mirent ensuite à hurler les uns sur les autres.

Au milieu de tout ce chaos, seul îlot de calme au cœur de la tempête, le producteur délégué délégué délégué Marty Finch était tranquillement assis, occupé à engloutir, à grand bruit, un morceau de quiche au fromage de chèvre, dont il se délectait – et Vermy avec lui – au-delà de toute mesure. *C'est ça, la télévision en direct*, médita-t-il. Et c'était dans ce genre de moments qu'il se sentait pleinement utile.

« Personne ne savait que le gamin s'était échappé ? hurla le réalisateur de sa voix gutturale, en fixant Marty avec une dizaine d'yeux. Comment ça se fait qu'on ne l'ait pas repéré avant ? On n'a jamais que cinq cents caméras braquées sur ce tas de merde ! »

Marty haussa les épaules. Dans la boîte, tout le monde savait que Nick avait été viré, qu'on lui avait effacé son tatouage bleu et qu'il avait fait le mur. Mais ce genre de choses arrivait tout le temps ; on n'interrompait pas une émission parce qu'un ex-cadre de 9 ans était dans la nature en train de fomenter sa petite vendetta.

« Ne vous inquiétez pas, dit Marty. Il aura disparu après la coupure pub. Amanda, tu peux me le virer ? »

Dans la propriété de Beverly Hills, Amanda était déjà en train de se diriger prestement vers Perry et Nick. Elle hocha discrètement la tête. « C'est bien, ma fille », dit Marty et, avec délice, il se consacra à nouveau à l'absorption de sa quiche.

Le dernier épisode de *Bunt à la rescousse* s'était déroulé à la perfection jusqu'à ce que, quelques instants plus tôt, un des scanners de la production détecte, sur le plateau, une « anomalie de casting ». Au bout de quelques secondes, l'anomalie avait été identifiée comme étant un EEM : un Ex-Employé Mécontent.

C'était étonnant mais assez fréquent : certains EEM « viraient indigènes » et, souvent, divulguaient aux Terricules des informations qui obligeaient la production à annuler ou à reprogrammer certaines de ses émissions. Il arrivait parfois même que leur amertume les pousse à établir le contact avec Leslie Satan et à rejoindre le Mouvement ; ils se mettaient alors à tout faire pour détruire les programmes qu'ils avaient eux-mêmes tant chéris par le passé. Nick Pythagore était devenu l'un d'entre eux.

La chute de Nick avait été particulièrement précipitée, même en vertu des critères propres à l'industrie des divertissements intergalactiques. Avant que les caméras-satellites ne braquent leur objectif sur Perry Bunt dans le refuge pour sans-abri de Saint-Jude, Nick était l'enfant prodige qui devait guider la Terre vers sa destruction et ferait exploser les audiences. Mais, lorsqu'il avait appris que son grand finale allait être une nouvelle fois reporté, le petit Nick avait pété les plombs. Si la jeunesse a indubitablement ses avantages, le self-control n'en fait pas partie. Il avait piqué une énorme colère sur le bureau de Marty Finch, ne donnant à celui-ci d'autre choix que de le licencier et de le renvoyer sur la Lune, sous bonne escorte. Mais Nick avait échappé aux agents de sécurité, s'était débarrassé de tous ses dispositifs de traçage et avait mis à profit sa connaissance de Channel Blue pour ne pas être repéré.

Maintenant qu'il s'était introduit dans la fête et qu'il se trouvait face à un Perry on ne peut plus surpris, l'ex-producteur savait qu'il ne lui restait plus beaucoup de temps pour faire ce qu'il était venu faire, mais il haïssait tellement Perry qu'il ne put s'empêcher de se livrer à une petite attaque en règle. « Espèce d'abruti de con de Terricule ! Tu n'as aucune idée de ce dans quoi tu t'es embarqué ! Aucune ! »

Perry regardait le petit garçon, ne sachant pas trop comment réagir. Ça faisait partie du programme ?

« Ça ne fait pas partie de l'émission », dit Amanda dans son oreille. Perry la vit qui avançait rapidement vers lui, dans le dos de Nick, celui-ci ne pouvant donc évidemment pas la voir. « Il n'est pas censé être là. Contournez-le et dirigez-vous vers Del. »

Perry essaya de faire ce qu'on lui disait, mais Nick lui bloqua le passage.

«Ta petite copine n'est pas honnête envers toi, dit-il. On t'écrasera sitôt qu'on en aura envie, parce c'est nous qui t'avons créé.»

Perry fronça le nez, sans trop comprendre. «Quoi?»

Nick soupira, totalement excédé. «Vous, les auteurs, vous êtes tellement cons. Je vais tout t'expliquer. Toi et toute cette planète, vous n'êtes rien que...»

La main gauche d'Amanda s'abattit sur son épaule. «Nicholas, tu es vraiment un vilain petit garçon. Tu sais bien qu'il est temps d'aller faire dodo.» Elle commença à l'entraîner loin de Perry, mais Nick plongea à terre, échappant ainsi à son emprise et se mit à courir en direction de la maison. Amanda le suivit aussi vite qu'elle le pût. Perry la regarda s'en aller, ne sachant toujours pas quoi faire.

«Allez voir Del», dit la voix d'Amanda dans son oreille.

Perry resta où il était, et regarda Nick et Amanda disparaître au milieu de tous ces invités bien habillés. De quoi Nick avait-il tenté de l'avertir? Qu'est-ce qu'il avait dit? Qu'Amanda lui mentait, que «c'étaient eux qui l'avaient fait»? Qu'est-ce que ça voulait dire? Une nouvelle fois, ce fut comme si Amanda lisait dans ses pensées. «Il est encore furieux parce que nous avons ruiné ses projets pour son finale. Maintenant, il essaie de saboter l'émission. Il faut l'en empêcher. Allez voir Del, tout de suite.»

Perry prit une grande inspiration, se retourna et se dirigea vers le petit cercle de convives qui entourait Del Waddle. Il aperçut un espace libre entre le milliardaire habillé très décontracté et un barbu en smoking; il s'empressa de s'y engouffrer.

«C'est vraiment n'importe quoi, était en train de dire le barbu. Enfin, quoi, on dirait qu'il pense vraiment que les extraterrestres vont détruire la Terre.» Perry se figea. Nom d'un chien, qu'est-ce que ça voulait dire ? Savaient-ils déjà qui il était et pourquoi il était là ? Personne ne le regardait, mais peut-être que ça faisait partie de l'émission – pour voir comment il allait réagir.

« Comment appellent-ils ça, déjà ? demanda un homme plus âgé à l'air méchant.

— Le monpotisme, répondit le barbu. Apparemment, leur prophète serait un sans-abri nommé Monpote. Il a été arrêté par la police et on ne l'a pas revu depuis.»

L'homme plus âgé leva son verre de champagne. «À la santé du LAPD qui nous fabrique des prophètes à ne plus savoir qu'en faire.»

Tout le groupe se mit à rire, sauf Perry. Avec une grande prudence, il fit lentement un pas en arrière, lorsque la voix d'Amanda vibra dans son oreille : «Restez où vous êtes. Ils parlent juste de la nouvelle religion que vous avez déclenchée. C'est passé aux informations. Ils ne se doutent absolument pas que vous êtes Monpote.

— Je ne suis pas Monpote, murmura-t-il dans un souffle. Il n'y a pas de Monpote.

— Silence. Ils vous regardent.»

Effectivement, tous les invités avaient tourné les yeux dans sa direction. Perry sourit. «Monpote, hein ? dit-il d'un ton embarrassé. Elle est bonne, celle-là. Les gens sont vraiment dingues.»

Le petit groupe continua de le fixer, apparemment perplexe.

Del haussa les épaules. «Allons bon, si ça peut rendre les gens meilleurs, on s'en fiche bien de ce qui peut les motiver, n'est-ce pas ?

— Oh, Del, je vous en prie, dit une dame assez âgée avec plusieurs dizaines de bracelets qui scintillaient et s'entrechoquaient sur son avant-bras dès qu'elle parlait. Ils se laissent complètement abuser ! Nouvel exemple d'une religion qui rend les gens complètement idiots.

— C'est l'opium du peuple, gloussa le barbu.

— Je dirais plutôt le sirop contre la toux du peuple », dit la vieille femme, et tout le monde s'esclaffa, y compris Perry, qui rit probablement un peu trop fort tant il s'efforçait de faire partie de la bande.

Del tourna son regard vers Perry et lui tendit la main.

« Del Waddle. Je ne crois pas que nous nous soyons déjà rencontrés.

— Non, en effet, répondit Perry en lui serrant la main. Perry Bunt.

— Bienvenue, Perry, dit Del. »

Perry sourit nerveusement, son esprit faisant défiler les différentes approches qui lui permettraient de devenir « l'invité extravagant » de la fête. « C'est votre ouverture », dit Amanda dans son oreille. S'il s'était agi d'une oreillette ou de n'importe quoi de matériel, Perry l'aurait arraché et jeté par terre. Malheureusement, c'était une pilule qu'on lui avait fait avaler dans le dressing-room et il était maintenant coincé avec la voix d'Amanda dans son oreille.

« Merci de soutenir les P'tits Verts. » Del désigna la petite fille qu'il tenait dans ses bras. « Voici ma fille, Zéfirre. » Il avait prononcé « Zéphyr », mais Perry en savait assez sur Hollywood, pour deviner que l'orthographe devait être des plus « originales ».

« Bonjour, Zéfirre, dit-il. Monsieur Waddle...

— Del. Je vous en prie.

— Del. Je voulais savoir si je pouvais vous parler un petit instant.

— Mais bien sûr.

— En privé.

— J'en serais vraiment enchanté, répondit Del, tout en délaissant Perry du regard pour quelqu'un de plus important (c'est-à-dire n'importe qui de présent à cette fête). Mais j'ai vraiment beaucoup d'invités à saluer. Plus tard, peut-être.

— Je pense que ça pourrait vous intéresser, dit Perry. Il s'agit de sauver la Terre.»

Les autres convives se regardèrent les uns les autres : Perry venait de présenter officiellement ses lettres de créance d'invité extravagant. Del semblait toutefois plus flegmatique que jamais. Il déposa sa fille sur le gazon. Elle courut rejoindre d'autres enfants partis à la poursuite d'un comédien costumé en méchante cheminée à moustache. La cheminée en question, le Capitaine Carbone, constituait un des dispositifs pédagogiques essentiels du programme des P'tits Verts.

Del regarda tous ces enfants hilares s'éloigner en trottinant. «Eh bien, j'imagine qu'il me faut maintenant entendre la suite.»

Perry prit sa respiration. «Je vais vous paraître fou, mais tout est parfaitement vrai.» Il s'efforça de trouver les mots justes. «La Terre va être détruite, c'est une affaire de jours, sauf si nous devenons meilleurs, sauf si nous nous aidons les uns les autres plus que nous ne nous sommes jamais aidés les uns les autres auparavant.»

Plusieurs invités levèrent les yeux au ciel.

«Allô, la sécurité», dit à voix basse la dame aux bracelets. Mais Del ne cilla pas.

«Ça m'intéresse, dit-il, avec affabilité.

— Envisagez-vous la possibilité de donner plus d'argent à des œuvres de charité?» demanda Perry.

Del lui répondit par un rire gras.

« Eh bien, Perry, savez-vous combien d'argent va rapporter cette soirée ? Trois millions de dollars. Ça va tenir les P'tits Verts à l'abri du besoin pour les années à venir.

— Je veux dire : *vraiment* plus d'argent, dit Perry. Vous avez quarante milliards de dollars. Je sais que vous donnez beaucoup aux œuvres, selon les critères en vigueur, mais allez... Trois millions ? Trente millions ? Ça n'est rien pour vous. Vous avez plusieurs maisons, plusieurs avions, plusieurs bateaux, et tout ça ne vous servira à rien si c'est la fin du monde. »

Les invités présents lui décochaient maintenant tous très ouvertement des regards noirs. Le barbu s'interposa entre Del et Perry, abaissant sa grosse tête face à la sienne. « De quel droit vous permettez-vous d'être aussi impoli envers notre hôte ! » fulmina-t-il, avec une merveilleuse haleine au fromage de chèvre.

« Tout va bien, tout va bien, dit Del en l'écartant de Perry. Peut-être que Perry a raison. Peut-être que je ne donne pas assez. Nous devrions tous donner davantage, pas vrai ? » Tous acquiescèrent d'un air évasif. « Je vais y réfléchir sérieusement, Perry. Je vous remercie. » Il administra une tape dans le dos à Perry et s'en alla. Mais la main de Perry jaillit et agrippa le bras du milliardaire. Del se retourna brusquement, totalement stupéfait : depuis le jour où il avait acheté sa première chaîne de télé, personne ne l'avait touché de la sorte.

Mais le plus surpris de tous, ce fut Perry. Jamais il ne s'était montré aussi agressif, même avec son étudiant le plus odieux, et encore moins avec le dixième homme le plus riche du monde. « Il faut le faire tout de suite », dit Perry. Il sortit son invitation de sa poche. « Regardez. J'ai dépensé 10 000 dollars pour votre gala de charité aujourd'hui. Ça représente 35 % de mes revenus annuels. Seriez-vous d'accord pour donner tout de suite 35 % de vos revenus ?» Pour la première fois depuis leur rencontre, Del paraissait sans voix. Il remua la tête un instant, avant d'éclater de rire.

«Vous savez quoi ? dit-il. Allons-y !

— Maintenant ? demanda Perry.

— Maintenant. Suivez-moi. »

Del se dirigea vers sa maison. Le barbu posa une main sur Perry mais Del la retira en disant : « Tout va bien, tout va bien. »

Perry suivit Del sur la pelouse à travers une nuée de visages souriants qui se retournaient vers le milliardaire comme des fleurs en quête du soleil. Del ouvrit une petite porte de sa grande demeure et fit signe à Perry d'entrer.

Perry pénétra dans une immense pièce qui défiait toute catégorisation. On se serait cru tout à la fois dans un bureau, un salon, une salle de jeu avec billard, écran télé géant, flippers et kitchenette – en d'autres termes, c'était une pièce qui appartenait à quelqu'un qui avait beaucoup trop d'argent. Tandis que Del fermait la porte derrière eux, Perry contempla un des murs, couvert de vieilles affiches de films et remarqua qu'il y avait celle de son préféré : *Casablanca*. Il se retourna vers Del et lui dit : «Belle aff... »; c'est tout ce qu'il eut le temps de formuler avant qu'un pied ne vienne heurter son estomac. Il lutta pour reprendre son souffle et s'écroula sur le sol.

Del envoya valser ses sandales et retira sa chemise, dévoilant un torse glabre et parfaitement musclé, résultat du travail à plein temps de toute une équipe de diététiciens, nutritionnistes, entraîneurs privés, professeurs d'arts martiaux et techniciens spécialistes de l'épilation laser. Il croisa le regard ébahi de Perry et lui dit, toujours en souriant : « Prépare-toi à mourir, salope. »

CANAL 21 : UN ÉPISODE TRÈS SPÉCIAL

P ERRY ÉTAIT SOMME TOUTE ASSEZ NAÏF EN MATIÈRE DE multimilliardaires. Quand Del Waddle avait eu l'air de souscrire à ses arguments l'invitant à donner tout cet argent pour sauver le monde, Perry s'était, non sans une certaine vanité, imaginé que cet homme riche avait bel et bien été convaincu. Amanda n'était pas aussi naïve. Plusieurs années de travail à Channel Blue lui avaient donné tout le loisir d'étudier en parfaite objectivité le comportement des Terricules ; aussi avait-elle immédiatement su que Del mentait, et le fait qu'il emmène Perry dans sa maison ne manqua pas de l'inquiéter. Elle remarqua également que la protection rapprochée de Del Waddle – une dizaine de colosses, des anciens des Forces spéciales engoncés pour l'occasion dans des smokings – s'était aussitôt mise à suivre le milliardaire.

Elle cessa de poursuivre Nick Pythagore et retourna vers Perry, qu'elle vit, à une centaine de mètres devant elle, traverser la grande pelouse en compagnie de Del. « N'entrez pas dans la maison, dit-elle. Restez dehors avec les invités.» Lorsqu'elle vit que Perry continuait à marcher, elle mit ça sur le compte de son habituelle obstination. «Arrêtez-vous!» lui ordonna-t-elle, d'un ton suffisamment pressant pour que l'homme qui se tenait près d'elle, devant le buffet, repose aussitôt un deuxième morceau de *red velvet cake* qu'il venait de glisser sur son assiette. Quand Perry et Del eurent disparu à l'intérieur de la maison, elle se dirigea à toute vitesse vers l'entrée. «Marty, qu'est-ce qui se passe? J'ai perdu le contact.»

Marty était assis dans la salle de régie en train de verser un peu de sucre dans un *vanilla latte*. Vermy pendait à son oreille, attiré par le parfum de vapeur sucrée qui, à bien des égards, lui rappelait celle de son hôte humain. «Ne t'inquiète pas, dit-il. Je t'ai retirée de sa tête.»

Amanda se figea sur place.

«Quoi?

— Ouais. On voulait à tout prix qu'il aille dans la maison.»

Amanda sortit en vitesse une paire de lunettes de soleil. Sur le verre droit, elle pouvait voir les séquences filmées à l'intérieur de la maison : Del en train de frapper Perry à l'estomac. Sur le verre gauche : Marty en train de remuer son café, en compagnie de Vermy.

«Ça n'était pas dans le script, dit Amanda. Nous n'avions pas prévu de violence.»

Marty sourit. «Ne respecte pas tant les règles. C'est ce que veulent voir nos téléspectateurs.» Amanda eut un pressentiment et manipula son verre droit de manière à faire défiler à toute vitesse l'ensemble des informations dont on disposait sur Del Waddle. Il y avait tellement de chaînes qui diffusaient tellement d'images, et ce, tous les jours de l'année, qu'aucun

producteur ne pouvait être au courant des différents développe-
ments de toutes les émissions ; c'est pourquoi Channel Blue avait
une immense base de données concernant chaque Terricule.
Marty avait laissé croire à Amanda qu'il s'agissait des débuts
de Del Waddle sur Channel Blue mais elle comprit rapidement
que c'était loin d'être le cas. En étudiant les archives, elle se
rendit compte qu'il avait déjà participé à plusieurs émissions et
ce qu'elle vit lui fit accélérer sa marche vers la maison.

Marty la regardait sur un de ses moniteurs. « Calme-toi,
Amanda. Jette un coup d'œil aux audiences. On vient de
dépasser *La Nébuleuse des salopes.*» Mais Amanda continua
d'avancer. « Tu m'entends ? Nous sommes actuellement le quin-
zième programme de toute la galaxie.

— Tu l'as piégé », murmura Amanda, en se frayant un chemin
à travers la foule des nantis qui regardaient cette femme séduisante qui portait des lunettes de soleil et parlait toute seule.

Elle vit dans son verre gauche Marty et Vermy hausser les
épaules.

« Nous savions très bien que ça pourrait être explosif. Je ne
vais pas te mentir.

— C'est déjà fait, lui répondit-elle. Il risque de mourir, là-bas.
Alors, que deviendrait l'émission ?

— Mais n'importe quoi peut arriver. Ça se passe comme ça
chez Blue. De toute façon, tout ça a été entériné.»

Cela fit aussitôt s'immobiliser Amanda. « Depuis quand ? »

Marty lécha sa touillette à café.

«*Bunt à la rescousse* sera une mini-série, pas un feuilleton.

— Tu n'as aucun droit de prendre ce genre de décision.

— Je suis payé pour prendre ce genre de décision ; tu es
actuellement la seule productrice de la galaxie à penser que
cette émission va durer.»

Amanda demeura immobile; elle fulminait. Des convives passèrent à côté d'elle en riant.

Marty adopta un ton plus conciliant. « Je suis désolé. Je voulais te le dire, mais je n'avais pas de temps à perdre avec des histoires de différends artistiques. »

Amanda se remit à marcher en direction de la maison. Elle retira ses lunettes de soleil, les jeta sur la pelouse et les écrasa avec un de ses talons hauts. Elle enleva une de ses boucles d'oreilles et s'apprêta à lui faire subir le même destin.

« Ne fais pas ça, Manda! » brailla le bijou dans sa main. Jamais elle n'avait entendu Marty aussi paniqué, et elle s'arrêta à quelques centimètres de la porte par laquelle Del avait fait entrer Perry. « Je suis sérieux. Tu es une chouette fille avec beaucoup de potentiel. Si tu entres là-dedans maintenant, ce sera *terminé*. Je ne parle pas seulement de l'émission, de Channel Blue et de la Terre, je parle de ta carrière. Ne fais pas ça, ma poule. Ne fous pas tout en l'air comme ça. »

***

Depuis qu'il était devenu la star de Channel Blue, Perry avait été plusieurs fois roué de coups; seulement, les violentes raclées infligées par les petites frappes, par ses codétenus ou par les représentants du LAPD avaient été du travail d'amateur, comparées à ce qu'il était en train de subir dans le salon de Del. Il tentait désespérément d'échapper aux coups que le milliardaire faisait pleuvoir sur lui mais son assaillant le traquait sans merci, lui coupant la route avant qu'il n'ait pu accéder à la porte ou le frappant dans le dos lorsqu'il rampait sous une table. Partout où il se tournait, il recevait un torrent de coups de poing et de coups de pied. « Amanda ! se mit-il à hurler. Amanda, j'ai besoin d'aide ! »

Cela amusa Del.

« Qui que soit cette Amanda, elle ne peut pas t'aider, Perry, dit-il, lui décochant un nouveau crochet du droit qui l'envoya sur un purificateur d'eau. Ni elle, ni personne d'autre. »

Del s'était toujours fait un point d'honneur d'exceller dans tout ce qu'il entreprenait. Dès qu'il avait gagné son premier milliard, il s'était consacré, avec une rigueur de moine, à étudier l'art de botter le cul des gens. Il était parti en Thaïlande vivre dans une hutte en plein milieu de la jungle pour s'entraîner auprès de maîtres en muay-thaï. Il avait passé ensuite plusieurs mois au Brésil à dormir à même le sol de l'unique pièce d'un bungalow en béton, en compagnie d'une dizaine de types basanés, pour apprendre la discipline du ju-jitsu qui avait inspiré l'*Ultimate Fighting*. Il s'entraînait régulièrement avec les plus grands combattants du monde, leur payant le voyage et des milliers de dollars l'heure pour se faire taper dessus – pas trop fort, signalons-le tout de même. L'instant magnifique qu'il était en train de vivre était l'aboutissement de toutes ces heures d'entraînement ; dans l'esprit de Del, une telle violence n'était pas seulement totalement justifiée, mais c'était surtout la seule réponse possible à l'insulte que lui avait adressée Perry.

Entre une série de coups de pied et de coups de poing, Del se livrait à un monologue continu, par lequel il expliquait à Perry, au cas où il aurait encore eu quelques doutes, pourquoi il méritait ce traitement. « Tu viens chez moi et tu remets ma générosité en question ? Devant mes invités ? Devant *ma fille* ? Et tu *me prends par le bras* ? »

Perry essaya de dire : «Je suis désolé», mais ces trois petits mots étaient un peu trop longs à prononcer entre deux volées de coups.

«Je suis actuellement en train de te montrer ce que signifie avoir quarante milliards de dollars, poursuivit Del. Tu saisis ce que ça veut dire?» Encore sous le choc des derniers coups qu'il venait de prendre, Perry mit un moment à comprendre que son persécuteur attendait une réponse. Del lui décocha à la mâchoire un coup rapide dont la douleur irradia jusqu'au bout de ses orteils. «Je te pose la question : Est-ce que tu sais ce que ça veut dire?» Perry fit non de la tête. «Ça veut dire que, tout à l'heure, lorsqu'on te retrouvera mort dans une voiture au fond d'un ravin sur Mulholland Drive, personne ne posera de questions.»

Perry gémit et se prit la mâchoire. Ça faisait vraiment partie de l'émission? Ils n'avaient quand même pas pu prévoir une chose pareille? Ils auraient tout arrangé pour arriver à ça? Il était quand même la star de l'émission où il fallait sauver la Terre! Cela dit, d'un autre côté, ils savaient tout, non? Et Nick Pythagore n'avait-il pas essayé de l'avertir de quelque chose de ce genre? Qu'est-ce qu'il lui avait dit, déjà? Mais le cerveau embrouillé de Perry était incapable de se concentrer. «Amanda!» hurla-t-il.

La porte s'ouvrit et Perry la regarda, plein d'espoir. Mais le colosse en smoking qui fit son apparition sur le seuil ne paraissait pas spécialement disposé à interrompre les festivités en cours. Il resta, impassible, devant la porte jusqu'à ce que Del, qui reprenait son souffle après quelques coups supplémentaires, daignât tourner les yeux vers lui. «Alors?»

L'homme examina une feuille de papier qui, dans son énorme main, avait la taille d'un bristol. «Célibataire, dit-il. Pas de connexion avec des gens importants. Il travaille à mi-temps comme professeur au Community College d'Encino. Sinon, c'est un scénariste au chômage. »

Del se tourna vers Perry, le sourire aux lèvres. « Encore mieux. Te tuer me rapportera peut-être même une médaille. » Il serra le poing et s'avança vers Perry, qui recula en titubant avant de s'échouer contre un mur, se protégeant le visage avec les bras, geste dont il reconnaissait la parfaite inutilité. Il ferma les yeux, attendant que les coups tombent. Voilà ! Typique ! Sa première émission, et déjà le moment du *very special episode*[1].

Mais les coups ne vinrent pas.

Ou bien... le coup avait été si fatal que Perry ne l'avait pas senti et était déjà mort. Il ouvrit les yeux et regarda par-dessous son bras levé. Del était debout devant lui, mais son visage était maintenant figé en une grimace atroce. Debout derrière le milliardaire – et paraissant étrangement calme – se tenait Amanda Mundo. Elle était en train de lui bloquer le bras tout en lui plantant un de ses talons hauts au creux des reins. Del hurla de douleur avant de s'écrouler sur le sol.

Le colosse en smoking mettait maintenant son bras gros comme un tronc d'arbre autour du cou d'Amanda ; on aurait dit un géant en train de jouer à la poupée. Mais Amanda avait toujours l'air aussi calme. À une vitesse inouïe, elle lança son poing droit en arrière et l'abattit en plein sur la pomme d'Adam du géant. L'homme suffoqua, gargouilla, avant de lui saisir le cou. Elle se libéra de son étreinte, plia le bras et se jeta sur lui dans un mouvement extrêmement précis qui ne lui demanda

---

1. *Very special episode* (épisode très spécial) : dans le jargon de la télévision américaine, épisode d'une sitcom qui traite d'un sujet de société sérieux sur un ton inhabituellement grave. (*N.d.T.*)

251

apparemment pas le moindre effort, puis elle lui enfonça son épaule dans le plexus. Il s'affaissa sur les genoux et s'étala sur le sol, en gémissant.

Perry était toujours assis contre le mur. «Rappelez-moi de ne pas vous énerver», lui dit-il en baissant lentement les bras. Amanda vit son visage et soupira. Elle sortit un mouchoir de la veste de smoking de l'homme de main qui continuait à se tordre de douleur sur le sol, avant de l'enjamber pour s'approcher de Perry. Penchée sur lui, elle tamponna son visage ensanglanté et lui murmura dans l'oreille : «Faites ce que je vous dis.»

Contrairement à Marty, Amanda estimait que garder Perry en vie n'était pas contradictoire avec le fait de garder *Bunt à la rescousse* à l'antenne. Elle avait un plan qui permettrait de sauvegarder les deux. Elle essuya le nez de Perry et lui dit, de sa voix normale : «Je vous ai reconnu à la fête. Vous êtes Monpote, non ?»

Perry la regarda, complètement ahuri. Malheureusement pour Amanda et son plan, elle avait chuchoté dans l'oreille à laquelle, quelques instants plus tôt, Del Waddle avait porté un coup proprement assourdissant. La seule chose que Perry entendait depuis par cet orifice était un fort sifflement.

«Quoi ? demanda-t-il. Mais de quoi vous parlez ?

— J'ai su que je devais vous sauver, poursuivit Amanda, faisant de son mieux pour faire comprendre à Perry de quoi il s'agissait par son seul regard. J'étais au square. J'ai entendu votre sermon.»

Perry eut le sentiment que sa tête allait exploser. «S'il vous plaît, Amanda, auriez-vous l'obligeance de me dire ce qui se passe ?»

Amanda lui donna un coup rapide et léger sur le menton. «Comment connaissez-vous mon nom ? Nous ne nous sommes jamais rencontrés. Vous êtes Monpote et je suis une de vos disciples.»

Perry se frotta le menton; les larmes étaient en train de lui monter aux yeux. «Voilà! C'est ça qui est prévu, maintenant? Vous aussi, vous allez me tabasser? Vous ne produisez plus l'émission? Pour l'amour de Dieu, je vous en supplie, dites-moi ce qui se passe!» Il se mit à geindre. C'était pathétique.

Amanda poussa un soupir. «Je faisais semblant d'être votre disciple», lui dit-elle, renonçant à son stratagème.

Perry en fut aussi soulagé que déconcerté.

«Mais pourquoi?

— Pour que les téléspectateurs ignorent qui je suis.»

Perry acquiesça; ça y est, il avait compris.

«Ils continuent à regarder?

— Je l'espère. Mais maintenant, grâce à vous, ils savent que je suis une productrice.

— Et c'est grave?

— Eh bien, ce n'est pas l'idéal. Ça va ressembler à un coup monté. Et notre public n'aime pas les coups montés.»

Amanda se passa la main sur les cheveux, étudiant les différentes possibilités qui se présentaient à eux. Sur le sol, Del Waddle continuait à geindre de douleur.

«Alors, si l'émission est toujours d'actualité, dit Perry, j'aimerais bien que vous m'appreniez à me battre.»

Amanda fit distraitement non de la tête.

«Non. Votre incapacité à vous défendre contribue pour beaucoup à votre charme.

— Où avez-vous appris à vous battre comme ça?

— La violence n'existe pas chez nous, ce qui nous donne l'avantage dans n'importe quel type de combat physique contre les Terricules. Nous pouvons contrôler nos émotions de façon à appliquer le bon geste technique au bon moment. C'est de la physique pure et simple.» Le nez de Perry s'était remis à saigner. Amanda lui tendit le mouchoir du garde du corps. «Comment vous sentez-vous, monsieur Bunt?

— Je me sentais beaucoup mieux il y a cinq minutes. Pourquoi avez-vous mis autant de temps?»

Amanda aida Perry à se relever.

«J'avais une décision très difficile à prendre. Vous savez tous les paramètres que nous devons prendre en compte...

— Rien à foutre de vos paramètres! Il allait me tuer, bordel de bordel!

— Certainement, oui. Mais, en pénétrant ici, j'ai enfreint toutes les règles du Code des producteurs. Il se peut que nous n'ayons plus d'émission.

— J'en ai rien à branler!» Perry fit des doigts d'honneur au plafond avec ses deux mains. «Allez vous faire foutre, tarés d'enculés d'aliens!» Il adressa la même bénédiction à Amanda. «Et vous aussi, d'ailleurs.» Il fit un pas vers elle et manqua tomber.

Amanda l'immobilisa contre le mur. «Je ne pensais pas que Del voulait vous tuer.»

Perry la regarda, l'air dubitatif. «Vous ne pensiez pas... dit-il. L'autre avorton de Nick Pythagore a voulu m'avertir, mais vous ne pensiez pas. Quel genre de productrice êtes-vous?»

Un bref éclair d'agacement parcourut le visage d'Amanda. Elle prit une bouteille d'eau sur une table à proximité, la déboucha et la tendit à Perry.

«Nick ne savait rien de tout ça.

— Ah ouais? Eh bien, il m'a aussi dit que vous n'étiez pas complètement honnête avec moi et, au vu de ces dernières minutes, je suis enclin à le croire.

— Buvez», lui dit Amanda. Une fois que Perry eut porté la bouteille d'eau à ses lèvres tuméfiées, elle poursuivit : «Peut-être aurez-vous du mal à le comprendre, mais il y a des forces qui travaillent contre nous, des forces prêtes à n'importe quoi pour nous empêcher de produire des émissions. Nick s'est allié à un producteur renégat du nom de Leslie Satan. Satan dirige un groupe, appelé le Mouvement, et dont le but est de déstabiliser toutes les émissions à travers la galaxie.»

Perry ne put se retenir de rire, même si cela lui faisait très mal à quatre endroits différents. «Le Mouvement? Il y a des gens qui se sont appelés le Mouvement? Le Mouvement de Satan? C'est bien ce que vous êtes en train de me dire? Laissez-moi deviner : il est exalté et brutal?»

Amanda leva les yeux au ciel. «Le concept de Satan n'existe pas chez nous comme sur votre Terre. Ni celui de mouvement, d'ailleurs.»

Perry lui adressa un regard d'une intense colère. «J'ai failli mourir, là, tout de suite, et, au lieu de m'expliquer ce que c'est que ce bordel, vous me débitez un charabia à propos de Satan, de mouvements et de...» Les lèvres de Perry cessèrent soudain de bouger lorsque Amanda s'avança et y colla fermement les siennes. Étant donné sa maigre expérience dans ce domaine – elle se limitait à deux tentatives avant celle-ci –, ce fut bien plus maladroit qu'elle ne le voulait et, l'espace d'un instant, elle se retrouva en train de téter une narine sanglante avant d'établir le contact labial adéquat.

Amanda aurait préféré ne pas avoir à embrasser Perry mais elle sentait bien qu'elle n'avait pas le choix. Elle savait que Marty Finch avait raison : à la seconde où elle était entrée dans le salon de Del, elle avait introduit dans *Bunt à la rescousse* un nouvel élément majeur qui risquait purement et simplement de détruire le programme. Certes, il arrivait régulièrement que les producteurs de Channel Blue manipulent les Terricules, mais les téléspectateurs ne voulaient pas le savoir. Comme les carnivores horrifiés par le spectre des abattoirs, ils voulaient être maintenus dans l'illusion que leurs divertissements étaient purs et immaculés, sans véritables conséquences ni calculs.

Amanda savait parfaitement qu'une fois qu'elle viendrait au secours de Perry, Marty interromprait aussitôt le programme, pour diffuser une poursuite en voitures, une compétition de lancer de nain, ou une autre ressource de base de la chaîne. Elle savait également que Perry lui poserait un tas de questions auxquelles elle ne pourrait pas répondre correctement. Son seul espoir était de provoquer un tel électrochoc que Marty et les téléspectateurs de la chaîne aient plus envie de regarder et Perry moins envie de parler. D'où le baiser.

C'était toujours aussi désagréable que dans ses souvenirs : cette bizarre sensation d'une bouche contre une bouche, cet inévitable échange de salive, ce problème de souffle, cette soupe primordiale de langues qui dardaient comme des créatures aquatiques unicellulaires s'entrechoquant dans les ténèbres. Elle remarqua néanmoins que c'était tout à fait différent d'être celle qui embrasse et non l'embrassée. C'était tout aussi grotesque, assurément, voire davantage, mais également plus obscène et – elle ne trouvait pas d'autres mots pour décrire la chose – plus *fascinant*.

Lorsqu'elle s'écarta de lui, Perry était totalement ébahi, sa colère s'était envolée comme si Amanda l'avait aspirée.

« C'est notre troisième baiser, dit-il.

— Et alors ? »

Perry sourit, mais comme cela faisait mal à ses lèvres fendues, il arrêta.

« C'est une règle terricule. On n'embrasse pas quelqu'un trois fois à moins d'éprouver de vrais sentiments pour lui. Le troisième baiser signifie qu'on veut aller plus loin.

— Ah ! les coutumes terricules ! répondit Amanda. J'aime aussi votre manière de vous serrer la main pour vous montrer que vous n'avez pas d'épée. Ou d'appeler le treizième étage le quatorzième étage. Et de dire "à vos souhaits" parce qu'un mauvais esprit aurait pu s'introduire dans votre tête lorsque vous éternuez.

— Vous êtes en train de nous faire passer pour plus fous que nous sommes.

— C'est totalement impossible. »

On entendit le grésillement de plusieurs talkies-walkies dans le vestibule qui menait à la pièce où ils se trouvaient. Amanda écarta les rideaux d'une baie vitrée, s'empara d'un repose-pied et brisa l'immense fenêtre dans une explosion d'éclats de verre. Elle enjamba tranquillement les débris acérés pour sauter dans la cour et se retourna vers Perry.

« On y va ? » demanda-t-elle.

Perry, que son corps faisait souffrir à chacun de ses mouvements, la suivit dans la nuit.

Alors que la plupart des invités étaient réunis à l'autre extrémité de l'immense pelouse, un groupe de P'tits Verts regarda avec curiosité Perry et Amanda sortir par la fenêtre brisée. On pouvait entendre les accords d'un tube international un peu grave par-dessus le tintement des verres et les bavardages de la fête.

« Vous pouvez courir ? » demanda Amanda à Perry. Il hocha la tête, à contrecœur. La vérité est qu'il ne savait pas vraiment ce qui arriverait lorsqu'il se mettrait à accélérer, si son corps resterait en un seul morceau ou bien tomberait en pièces. « Je pense que le mur le plus proche est dans cette direction », dit Amanda en désignant une longue haie de chênes et de pins près de l'allée privée qui serpentait.

« Pourquoi pas une voiture ? » demanda Perry en se dirigeant inconsciemment vers la route.

« Del a toute une petite armée ; ils surveillent les limousines. Notre meilleure chance est d'atteindre la rue. »

Ils entendirent le chuintement des talkies-walkies résonner derrière eux, dans la maison.

« Maintenant », dit Amanda. Elle envoya valser ses chaussures à talon et piqua un sprint en direction des arbres. Perry fit de son mieux pour la suivre, grimaçant et serrant un de ses bras bien amoché contre son corps tandis qu'il courait.

Une fois qu'ils eurent atteint les arbres, Perry s'arrêta en titubant, se pencha en avant, les mains sur les genoux, pour reprendre son souffle. « Putain, je me sens vraiment pas bien. » Ses yeux s'accoutumèrent à l'obscurité. Toujours sur le qui-vive, pieds nus sur les aiguilles de pin, sa peau scintillant à la lueur de la lune, Amanda ressemblait à une nymphe des bois sortie de la mythologie ; il ne lui manquait qu'une guirlande dans les cheveux et quelques féeriques compagnons. Elle observait un essaim d'hommes de main en smoking réunis devant la fenêtre brisée, en train de désigner la forêt tout en parlant dans leurs talkies-walkies.

« Il faut y aller », dit-elle, en tirant Perry par le bras. Il se remit debout, la mort dans l'âme, et suivit en courant Amanda qui bondissait comme une gazelle entre les arbres. En ce qui le concernait, il avait plutôt l'impression d'être un vieux tank rouillé en train d'aplanir un chemin dans les broussailles. Ils coururent à nouveau sur une cinquantaine de mètres avant qu'elle ne s'arrête soudain et tende l'oreille. « Qu'est-ce que c'est ? »

Perry s'immobilisa et entendit au loin des aboiements furieux.

« Des chiens, dit-il. Vous croyez ça ? On est en plein cliché. Del Waddle a des stormtroopers *et* des chiens de garde. »

Ça ne fit pas rire du tout Amanda. Perry la vit même arborer une expression qu'il n'avait jamais vue auparavant sur son visage. Elle tranchait tellement avec son assurance habituelle qu'il lui fallut un moment pour comprendre de quoi il s'agissait. C'était de la peur. Une peur pure et absolue.

« Des chiens, dit-elle d'une voix sourde et lointaine. Je ne savais pas qu'il avait des chiens.

— Et alors, quel est le problème ? Filez-leur une raclée de kung-fu extraterrestre et ils retourneront en couinant à la niche. »

Amanda frissonna de tout son corps.

« J'ignore tout des chiens. Nous n'avons pas les gènes pour ça.

— Les gènes ?

— Vous, vous avez des animaux domestiques, ça fait partie de votre sur-identification avec les animaux. Pas nous. Ça fait des centaines d'années que nous n'avons plus d'animaux. Ils représentent une considérable perte de temps et d'argent... » Les aboiements féroces se firent plus forts. Amanda avala sa salive. « Si j'avais su qu'il y aurait des chiens, j'aurais opté pour les limousines.

— Je croyais que vous aviez dit qu'on n'y arriverait pas.

— Bien sûr que si, on y serait arrivés. J'ai simplement pensé qu'une scène de poursuite serait plus intéressante que de monter dans une voiture pour s'échapper.» Perry la regarda en clignant des yeux, abasourdi. «Nous devons faire des choses qui poussent les gens à nous *regarder*! Tout ce bla-bla-bla...» – Amanda balaya tout cela de la main – «n'intéresse *personne*.»

— Eh bien, répondit Perry, se faire tailler en pièces par des chiens de garde pourrait changer ça.»

Même à la lueur de la lune, il put voir pâlir Amanda. Ils entendaient maintenant distinctement le halètement des molosses carnivores qui couraient dans leur direction à travers les taillis.

CANAL 22 : DE QUOI LA TERRE EST-ELLE LE NOM

AMANDA TREMBLAIT DE TOUT SON CORPS, ET ÇA SE VOYAIT. Elle se cramponna à Perry et il se dit que, malgré tout ce que la situation avait de désespéré, il pourrait bien finir par y prendre goût. « Que peut-on faire ? » demanda-t-elle, d'une voix haut perchée, quasi méconnaissable.

Perry n'en avait pas la moindre idée mais, pour la première fois depuis qu'il avait mis les pieds dans la salle de régie de Galaxy Entertainment, il n'avait plus peur. Peut-être était-ce la terreur d'Amanda qui lui faisait éprouver la sensation inverse. Peut-être que le fait d'avoir survécu à toute une série de traumatismes crâniens ces deux derniers jours l'avait totalement abêti. Toujours est-il qu'il se trouvait d'un calme inhabituel tandis que l'on entendait approcher les chiens de Del Waddle.

« On ne pourra pas les semer, dit-il. Il faut trouver un arbre dans lequel grimper. »

Ils regardèrent autour d'eux, mais aucun arbre n'avait de branches suffisamment basses. Perry pouvait maintenant distinguer parmi les troncs plusieurs silhouettes sombres en train de s'approcher. « Des bergers allemands », dit-il. Il avait fait des recherches sur les chiens d'attaque lorsqu'on l'avait engagé pour réécrire une série B intitulée *Un tueur qui a du chien* : l'histoire d'un chanteur de hip-hop qui se servait d'une meute de chiens pour se venger d'une bande de trafiquants de drogue.

« Qu'est-ce qu'on peut faire ? » répétait Amanda, hystérique, en tirant sur sa veste.

Quatre énormes bergers allemands jaillirent dans la clairière, dans un concert de grognements féroces, prêts à leur bondir dessus, leurs crocs acérés luisant sous les rayons de la lune. Amanda se mit à gémir.

« Mettez-vous derrière moi », lui dit Perry.

Elle alla vite se blottir contre son dos. Il se planta solidement sur ses deux pieds et leva la main droite, la paume grande ouverte. « *Sitz !* », ordonna-t-il, dans un allemand guttural. « *Bleib !* » Les chiens s'immobilisèrent sur place, comme si quelqu'un les retenait avec une laisse invisible. Après un bref moment d'interrogation, ils s'assirent. Ils regardèrent Perry en haletant, puis baissèrent la tête.

Derrière lui, Amanda se redressa. « Qu'est-ce qui s'est passé ? »

Perry baissa lentement la main. « Parfois, on les entraîne en leur parlant allemand. Je leur ai dit de s'asseoir et de rester immobiles. »

Amanda défroissa sa robe de la main. « Eh bien, dit-elle d'un ton soudain parfaitement pragmatique, il faudrait y aller, maintenant. »

Perry n'en était pas certain, mais il se dit qu'Amanda Mundo n'avait certainement jamais été aussi près d'être dans l'embarras. « Après vous », dit-il. Ils reprirent leur course à travers les bois, laissant derrière eux les chiens absolument immobiles.

Quelques minutes plus tard, ils atteignaient la grille en fer forgé qui entourait la propriété de Del Waddle. Perry avait oublié combien elle était haute, avec des fers de lance tranchants en fonte à son sommet. Même en parfaite santé, il aurait eu du mal à l'escalader. Et dans son état actuel, avec son torse qui n'était plus qu'une énorme contusion et son bras qui pendouillait à son épaule comme un spaghetti trop cuit, faire de l'escalade était totalement impossible.

Il s'apprêtait à expliquer tout ça à Amanda lorsqu'il la vit sauter à mi-hauteur de la grille, grimper en ondulant sans le moindre effort jusqu'au sommet puis, en un *flip flap* parfaitement minuté, sauter par-dessus les fers de lance, et atterrir comme une fleur de l'autre côté. Pour reprendre la formule si horripilante des commentateurs sportifs, c'était un sans-faute.

« Je ne peux pas escalader ça », dit Perry. De l'autre côté de la grille, Amanda lui jeta un œil réprobateur. « Je suis dans un trop sale état. »

Elle regarda le long de la grille, dans les deux directions. « Il doit y avoir un autre moyen de passer », dit-elle avant de se mettre à longer à toute vitesse la clôture, en se dirigeant vers la grande porte par laquelle ils étaient entrés en voiture. Perry essayait tant bien que mal de suivre son rythme.

Ils avaient à peine parcouru dix mètres lorsqu'il entendit comme un bruit de tondeuse à gazon. « Les voilà », chuchota-t-il à Amanda. Ils repartirent en sens inverse, se frayant désespérément un chemin à travers les broussailles. Jusqu'à ce que, au moment où Perry contournait un arbre qui se dressait contre la grille, il se retrouve nez à nez avec le canon d'un pistolet.

Del Waddle était là, tremblant comme quelqu'un de vraiment mal en point. Il pressa très fort le canon de son gros pistolet contre le front de Perry, qui hurla : « Fuyez, Amanda ! » Avant qu'Amanda ait pu réagir, Del pointa son arme sur elle à travers deux barreaux d'acier. Elle s'immobilisa.

« Ne bouge pas, espèce de sorcière... ou de je ne sais pas quoi ! » aboya le milliardaire.

Deux agents de sécurité arrivèrent à bord d'un véhicule tout-terrain. Dans le clair de lune, Perry distingua sur la portière un autocollant : CE VÉHICULE FONCTIONNE À 100 % À L'ÉNERGIE SOLAIRE. Un des agents de sécurité braqua une lampe torche sur le visage de Perry. En plissant les yeux, il distingua à peine Del Waddle en train d'armer le pistolet qui visait Amanda. « Eh bien, Perry, on dirait que tu vas avoir de la compagnie pour ton accident sur Mulholland », dit Del. Puis il appuya sur la gâchette. Le coup partit, avec une forte détonation, et Perry poussa un cri perçant. Il se précipita sur Del mais, soudainement, il n'y avait plus personne sur qui se précipiter – Del venait de s'effondrer au sol. « Il est touché ! » s'écria un des gardes du corps.

Perry tourna son regard vers Amanda, qui était debout de l'autre côté de la grille, totalement imperturbable. « Ça va ? » lui demanda-t-il. Elle hocha la tête.

Les deux agents de sécurité se précipitèrent sur Del, qui gémissait, allongé contre un arbre. Perry grimpa dans le 4 × 4 à énergie solaire qui l'attendait tranquillement, et le fit démarrer en tirant sur une des poignées.

En quelques instants, il s'était frayé un chemin vers la route. Il vira sur la chaussée et se retrouva peu après devant la porte d'entrée, qui s'ouvrit automatiquement. Il accéléra pour la franchir. Amanda l'attendait de l'autre côté, l'air de rien, comme elle aurait attendu le bus. Elle monta derrière lui et ils démarrèrent.

Dans l'obscurité, les demeures de Beverly Hills défilaient à toute vitesse autour d'eux alors qu'ils gagnaient les lumières de Sunset Boulevard.

« Qu'est-ce qui s'est passé ? hurla Perry. Il vous a tiré dessus.

— La balle a dû ricocher sur mon bouclier.

— Votre bouclier ?

— Oui. Avant de partir en mission sur Terre, j'ai produit une petite planète près de Rigel. L'atmosphère y était particulièrement pauvre ; il y avait constamment des pluies de météorites. Tous ceux qui travaillaient là-bas avaient une puce-bouclier implantée dans le cou. »

Perry fit la grimace.

« Je ne comprends pas.

— Un bouclier est un champ de force destiné à repousser tout objet qui vous arrive dessus à une vitesse supérieure à cent kilomètres/heure. » Amanda lui avait dit tout ça comme si ça l'agaçait un peu de devoir expliquer ce genre de choses. « J'aurais dû me faire retirer la puce en arrivant ici, mais j'ai toujours oublié. Tournez à gauche sur Sunset.

— On va où ?

— On retourne à la chaîne. »

Perry leva le pied de l'accélérateur.

« Est-ce vraiment une bonne idée, vu qu'ils viennent tout juste d'essayer de me tuer ?

— Nous devons savoir si l'émission existe toujours. Et sachez que, s'ils veulent vous tuer, ils peuvent le faire à tout moment. »

C'était loin d'être réconfortant pour Perry ; il tourna néanmoins à gauche sur Sunset Boulevard et passa en vitesse devant les néons brillants du Strip. Plusieurs piétons interrompirent leur marche pour regarder ce drôle de véhicule conduit par un homme ensanglanté portant un costume hors de prix.

Perry prit Coldwater Canyon au-dessus de Hollywood Hills et ils s'arrêtèrent à une station-service sur Ventura Boulevard, en face de Galaxy Entertainment. Le bâtiment en béton semblait plus sombre et menaçant que jamais. Amanda descendit du 4 × 4. «Je vais essayer de me renseigner, dit-elle. Enfermez-vous dans les toilettes et n'ouvrez pas la porte jusqu'à ce que je vous le demande.»

Perry cligna des yeux. «Je croyais que vous aviez dit qu'ils pouvaient me tuer n'importe quand.

— Oui, mais pourquoi leur faciliter la tâche?»

Perry sourit, un peu tristement. «Bonne chance.»

Amanda hocha la tête et s'apprêta à traverser la rue. Elle se retourna pour lui dire : «Profitez-en pour vous nettoyer la figure», puis, pieds nus, elle franchit le boulevard, en dehors des clous, sa robe blanche si gracieuse scintillant à la lumière des phares des voitures qui klaxonnaient, sans interrompre sa course sûre et décidée.

Perry la contempla ainsi jusqu'à ce qu'elle fût arrivée saine et sauve de l'autre côté, puis il se dirigea vers les toilettes. Celles des hommes étaient fermées; il s'apprêtait à aller demander les clés à la réception, lorsque la porte s'ouvrit. Apparut ce qui ressemblait à un sans-abri nain, coiffé d'un borsalino noir, qui s'arrêta pour lui tenir la porte.

«Merci, dit Perry.

— Je vous en prie, dit le nain. J'espère bien que vous allez crever ici.»

Perry se figea instantanément. Le nain le fixa des yeux, de sous la visière de son chapeau. C'était Nick Pythagore.

«Alors, vous avez enfin pigé?» demanda-il. Perry regardait le petit producteur, bouche bée. «Putain, vous, les PF, vous êtes

vraiment trop cons ! Il faut que je te fasse un dessin ou quoi ? »
Nick soupira ; il semblait excédé. « OK. Alors, écoute-moi bien,
crétin d'auteur : c'est nous qui t'avons créé. Ta chère planète,
que tu aimes tant, pour la protection de laquelle tu es prêt à
mourir, n'est rien d'autre qu'un parc d'attractions de merde. Et
tous ceux qui s'y trouvent ne sont que des... »

Soudain, un hélicoptère bourdonna au-dessus de leurs têtes,
étouffant les paroles de Nick.

« Vous dites ? demanda Perry.

— Vous tous, hurla Nick, vous n'êtes littéralement qu'une
bande de... »

Le bourdonnement se fit de plus en plus fort. Le vent que
faisait le rotor principal de l'engin précipita Nick sur Perry ; le
petit garçon dut s'agripper à l'une de ses poches pour garder
l'équilibre. Perry regarda en l'air. L'hélicoptère semblait n'être
qu'à quelques mètres au-dessus d'eux – il avait l'impression que
ses tympans allaient exploser. Lorsqu'il regarda à nouveau en
bas, Nick avait disparu. Il se retourna d'un coup, mais aucune
trace de lui. L'hélicoptère reprit de l'altitude et s'en alla.

Il resta là un moment, en proie à la terreur, puis s'enferma
dans les toilettes. Il alluma la lumière et hurla de frayeur : un
homme au visage défiguré et sanglant lui faisait face et le regardait dans les yeux. Il lui fallut un moment pour se rendre compte
que ce n'était autre que son reflet dans le miroir. Pas étonnant
qu'Amanda lui ait demandé de se laver. Il ouvrit au maximum
le robinet d'eau chaude tout rouillé et attendit que l'eau soit à la
bonne température pour s'asperger doucement la figure.

Il était en train de se sécher les mains avec une serviette en
papier, lorsqu'il entendit une voiture se garer de l'autre côté de
la porte.

«Ouvrez!»

C'était la voix d'Amanda. Perry jeta la serviette et sortit des toilettes.

Amanda était assise au volant d'un van Galaxy Entertainment. «Montez», dit-elle.

Perry ne put s'empêcher de trouver qu'elle avait des manières étrangement rudes.

«Vous avez découvert quelque chose? demanda-t-il.

— Rien du tout, répondit-elle, visiblement très contrariée. Ils ne m'ont même pas laissée pénétrer dans le hall. Je savais où étaient les clés du garage des vans, alors j'ai pris celui-ci.

— Où va-t-on?

— Je ne sais pas, monsieur Bunt. Que voulez-vous faire?

— Rentrer chez moi et dormir.»

Amanda haussa les épaules. «Alors, montez.»

Perry s'installa sur le siège du passager. En bouclant sa ceinture, il s'aperçut qu'Amanda était toujours pieds nus.

«J'ai encore eu une visite de Nick Pythagore», dit-il.

Amanda ne parut nullement surprise. «Ah oui?

— Il m'a dit que la Terre n'était qu'un grand parc d'attractions.»

Amanda remua la tête. «Il a perdu la boule. C'est le lot de beaucoup de jeunes producteurs. Ils n'ont aucune expérience de l'échec, alors, la première fois que ça leur arrive, ils entrent dans un processus d'autodestruction.

— Ensuite, il s'est passé quelque chose de bizarre.»

Amanda lui jeta un rapide coup d'œil.

«Vous attendez vraiment que je vous demande ce dont il s'agissait?

— Il a disparu.

— Qu'est-ce que vous voulez dire?

— Il a disparu. Un hélicoptère est arrivé, il s'est agrippé à moi, puis il a disparu. »

Amanda haussa à nouveau les épaules.

« Mouais... Peut-être que vous devriez tout simplement arrêter de lui parler.

— Je n'ai pas vraiment eu l'occasion de lui parler...

— *On s'en fiche* », répondit Amanda.

Elle fit démarrer le van et quitta la station-service à pleins gaz, en tournant directement à droite sur Ventura Boulevard.

Ils roulèrent en silence un petit moment. *C'est quoi, son problème, nom d'un chien ?* s'interrogea Perry ; mais il se contenta de lui demander : « Vous allez faire quoi, maintenant ? »

Amanda garda les yeux fixés sur la route. « Je ne sais pas, monsieur Bunt. Il semblerait que je n'aie plus de travail. Je vais sans doute en chercher un nouveau, pendant que vous vous referez une beauté en dormant.

— J'ai fait quelque chose qui vous a mise en colère ?

— Vous dites que vous voulez sauver le monde, puis vous changez d'avis et vous voulez simplement aller dormir.

— Ça fait trois jours que je n'ai pas eu une nuit de sommeil digne de ce nom !

— Ooh ! Petit bébé a besoin de faire un gros dodo, dit Amanda d'une voix chantante et assez perturbante. Eh bien, il faut croire que je me suis trompée. Vous n'avez pas ce qu'il faut pour sauver la Terre. Vous ne l'avez sans doute jamais eu, d'ailleurs. »

Perry devint écarlate. « Mais c'est quoi, votre foutu problème ? hurla-t-il. Pourquoi est-ce que vous me parlez comme ça ? »

Pas de réponse. Perry contempla les traits du visage d'Amanda, froids comme jamais, alors qu'elle conduisait le van sous un pont routier. Elle se gara au bord du trottoir, immobilisa la voiture et coupa le moteur. Il regarda autour de lui. Il reconnut l'endroit. C'était là où Amanda avait garé sa Ford Festiva avant de lui révéler les agissements de Channel Blue.

«Vous voyez des mouches?» lui demanda-t-elle. Ils examinèrent l'intérieur du van. Il fit non de la tête. Amanda procéda à une nouvelle inspection, puis le regarda droit dans les yeux avant de lui faire un énorme sourire. «On a réussi.»

Perry se demanda si la productrice extraterrestre n'était pas devenue complètement folle. «Pardon?» fit-il prudemment.

«Nous sommes toujours à l'antenne!» s'écria-t-elle. Perry continuait à la fixer du regard. Amanda ramena ses cheveux derrière les oreilles et se mit à parler à toute vitesse: «Je ne pouvais pas vous le dire parce qu'ils sont toujours en train de nous regarder. C'est plus énorme que jamais. Les trois derniers épisodes *Bunt à la rescousse* sont arrivés en tête, et haut la main!» Elle eut un petit rire bête et lui prit les mains.

Perry ne savait pas trop quoi penser mais sa joie à elle était suffisamment contagieuse. Il se surprit à lui sourire en retour.

«Vraiment?

— Oui. Lorsque je suis arrivée là-bas, ils m'ont pratiquement remis une médaille! Ils ont tous reconnu qu'ils s'étaient complètement trompés sur vous et sur l'émission.» Elle prit une respiration toute théâtrale. «Marty Finch est venu me voir et il a reconnu – *les yeux dans les yeux* – que de vouloir vous tuer pour obtenir une meilleure audience avait été la plus grosse erreur de toute sa carrière!

— C'est tout à son honneur, répondit Perry, pas plus impressionné que ça.

— Les téléspectateurs vous adorent. Et ils m'adorent, moi. Et ils adorent, adorent, *adorent* quand je suis méchante avec vous. C'est pour ça que je me comportais ainsi. Ils adorent cette tension inassouvie entre nous. Oh, monsieur Bunt! C'est vraiment incroyable. C'est un carton!» Amanda se jeta dans les bras de Perry et l'embrassa sur les lèvres comme s'il s'agissait de la chose la plus naturelle au monde. Ce fut d'ailleurs le cas – l'espace d'un instant – jusqu'à ce qu'elle s'écarte de lui. «Nous ne pouvons plus faire ça, dit-elle. Nous avons besoin de cette tension inassouvie.

— Tout à fait», répondit Perry, déçu.

Ils restèrent un moment à fixer le pare-brise puis, comme les deux dernières voitures d'un derby de démolition, ils entrèrent en collision avant de faire la culbute entre les sièges, sur le plancher métallique du van. Chacun se mit à caresser fiévreusement le corps de l'autre, comme si leur peau nue était censée contenir le secret de la vie éternelle.

S'il y avait une chose que Perry détestait écrire, c'était bien les scènes de sexe. Comme les poursuites en voiture, les scènes de sexe étaient obligatoires dans tout bon blockbuster hollywoodien. Le public s'attendait à ce qu'au bout d'un moment le héros et l'héroïne, nus mais pas trop, frottent l'un contre l'autre leurs corps parfaitement assortis et épilés. Ce qui suscitait chez lui ce questionnement : à l'heure où une pornographie illimitée et pour tous les goûts était à portée de clic, comment rendre intéressant un coït entre deux stars de cinéma? Réponse : c'était impossible. Tout le monde savait très bien ce qui allait arriver. La seule chose à faire, c'était de se débrouiller pour que ce soit très rapide, ce qui n'avait pas posé trop de difficultés à Perry, en théorie comme en pratique. Dans un de ses scripts, il avait écrit :

CHAMBRE – INTÉRIEUR NUIT
Jack et Veronica font l'amour avec passion.

Et voilà ! Aux stars de choisir ce qu'elles voudraient montrer ou non. Au réalisateur de trouver comment rendre intéressante leur imitation si peu originale du péché originel.

Dans la vraie vie de Perry, les scènes de sexe n'étaient *jamais* obligatoires. C'était même plutôt l'inverse : elles étaient facultatives au point d'être inexistantes. Alors, il n'y avait pas de raison pour que les baisers fiévreux et le pelotage au milieu des tenues de soirée jetées à même le plancher du van du câblo-opérateur fassent exception. Oui, il n'arrivait pas à croire que ce qui lui arrivait était bel et bien en train de lui arriver, mais pas question de se permettre d'en douter. Tout cela était en somme bien trop proche de ses fantasmes pour le rassurer.

Amanda interrompit un long baiser, mais ses mains restèrent à l'intérieur de son pantalon.

« Nous ne devons absolument pas faire ça, dit-elle, le souffle brûlant.

— Absolument pas », répondit Perry qui frissonnait de plaisir.

Chacun se remit à dévorer le corps de l'autre. En quelques instants, Amanda se retrouva nue, allongée sur le plancher du van, ses jambes enserrant Perry, dont le pantalon était descendu aux chevilles.

Perry et Amanda firent l'amour avec passion.

« *Et surtout* pas ça, gémit-elle.

— Oh, non, jamais, grogna-t-il.

— Parce que *personne* ne fait ça, cria-t-elle.

— Personne, s'époumona-t-il.

— Personne ! Non !

— Non ! Non ! hurla Perry, alors qu'ils roulaient fébrilement l'un sur l'autre. Non ! Non ! Noooooon ! »

Et avec ce dernier «non», Perry Bunt offrit le plus grand «oui» possible dans tout l'univers : il envoya son ADN dans la galaxie cellulaire portant le nom d'Amanda Mundo, à la découverte de nouvelles vies, au milieu de l'inconnu.

Quelques instants plus tard, ils étaient assis sur le plancher du van, haletants, nus et collants, les yeux dans le vague. Les fenêtres du véhicule étaient tout embuées et l'air était plus nauséabond qu'un jour d'été à Jersey City. Mais Perry et Amanda n'en avaient cure, perdus qu'ils étaient dans leur torpeur post-orgasmique.

En ce qui le concernait, Perry était surtout soulagé. À chaque seconde de ce coït frénétique, il avait consacré toute son énergie à ne penser qu'à une seule et unique chose : Je t'en supplie, ne reprends pas tes esprits. Se retrouver avec une personne si belle, à laquelle il rêvait depuis si longtemps, lui paraissait proprement impossible ; il avait eu, chaque instant, la certitude qu'elle allait se rendre compte de ce qu'elle était en train de faire et qu'elle le repousserait. Mais, miraculeusement, il n'en avait rien été.

Et maintenant ? pensa Perry. Il avait sauvé la Terre, était devenu célèbre et s'était livré à une séance d'amour torride avec la plus belle femme de l'univers. Il n'avait jamais été aussi heureux de toute sa vie. Néanmoins, il ne pouvait s'empêcher de penser : *Il y a forcément une embrouille quelque part.* Il n'arrivait jamais rien d'aussi bien aux personnages de ses scénarios. Et, si jamais c'était le cas, il s'ensuivait immédiatement un renversement de situation brutal. Mais là, pas de retournement de situation – c'était simplement lui qui était complètement retourné. Il était juste assis tout nu dans un van garé sous un pont routier de Ventura Boulevard.

Puis il brisa le silence. « Alors, pensez-vous que la fornication puisse faire un come-back ? » Amanda rit. « Allez ! C'est quand même mieux que les pilules, hein ?

— C'est différent, c'est sûr. » Elle contempla son propre corps moite comme si c'était celui de quelqu'un d'autre. « J'ai l'impression d'avoir traversé un marécage sur un vélo rouillé. »

Perry prit l'air fâché.

« Je dois avouer que c'était loin de figurer sur la liste des choses que j'espérais entendre.

— Je suis désolée, monsieur Bunt, mais vous devez comprendre : il s'agit de la chose la plus déraisonnable que j'aie jamais faite – et que je ferai – de toute ma vie.

— Et encore une fois, pas loin d'être la plus agréable.

— C'est primitif ! C'est totalement primitif ! Elle agita la tête. Nous étions véritablement comme deux animaux.

— Vous enrichissez la liste. »

Perry avait maintenant l'occasion de considérer le corps d'Amanda autrement que comme de la chair en fusion. Contrairement à 90 % de l'humanité et à 100 % de ceux qui fréquentent les plages nudistes, Amanda était encore plus belle sans ses vêtements qu'avec. Les yeux de Perry s'attardèrent sur son extraordinaire poitrine, alliance parfaite de rondeur et de fermeté naturelles, défi à la gravité qui aurait poussé n'importe quel chirurgien esthétique de Beverly Hills qui se respecte à se trancher la gorge avec son propre scalpel. Et ses fesses ! Lorsqu'elle se retourna pour ramasser ses affaires, ce fut comme s'il se retrouvait soudain face à un globe céleste, extraordinaire sphère fendue dont la rotondité était une ode à la vie. Puis il considéra (très brièvement) son corps à lui qui, au bout de plusieurs années passées assis devant un ordinateur, s'était épaissi à la taille et étiolé partout ailleurs. Et puis, il faut le dire, existait-il dans la nature quelque chose de plus risible qu'un pénis ? Dans sa physionomie actuelle, quasiment glabre – suite à l'aimable contribution des robots de décontamination de la Lune –, le sien semblait encore plus ridicule que d'habitude, une sorte d'étrange ver de terre, avec un petit surplus de peau. Ou à un tout petit shar-pei sans visage, mais dénué de l'adorable aspect de mignon chien-chien. Toujours est-il qu'il n'était pas bien joli. Gêné, il attrapa son slip, le déposa sur son entrejambe et regarda à nouveau la silhouette régulière et parfaite d'Amanda. Tout cela était sans doute en partie dû à de l'ingénierie.

Elle se retourna et fit remonter sa culotte le long de ses interminables jambes ; c'est alors qu'il remarqua quelque chose d'autre. Cinq centimètres au-dessous de son nombril, il y avait une petite échancrure, comme un deuxième nombril, sauf qu'il s'agissait d'une perforation quasiment parfaite.

« C'est une cicatrice ? » demanda-t-il, regrettant aussitôt d'avoir posé une question aussi personnelle. Mais cela ne sembla aucunement déranger Amanda.

« Non, c'est le bout de ma dérivation.

— Votre quoi ? »

Amanda fit un clin d'œil. « C'est pour éliminer. »

Perry eut envie de vomir, mais essaya de continuer à manifester de l'intérêt. « Je suis désolé. Vous avez subi une opération ? »

Elle éclata de rire.

« Nous avons tous subi une opération. Tout le monde en a une.

— Tout sort par là ?

— C'est beaucoup plus propre et beaucoup plus efficace que ce que vous avez. Qui plus est, nous ne sommes pas obligés de nous accroupir au-dessus de nos propres excréments, comme de répugnants animaux. »

Perry regarda Amanda réenfiler sa robe par la tête.

« Votre peuple est vraiment trop bizarre.

— Que voulez-vous dire ?

— Vous avez tellement peur d'être des animaux que vous avez oublié ce que c'est qu'être humain. »

Amanda lissa sa robe, jeta un coup d'œil à son reflet dans le rétroviseur. « Si être humain signifie se faire dessus chaque fois que l'on va aux toilettes, alors je suppose que vous avez raison. Rhabillez-vous, je dois vous ramener. »

Perry déplia le slip qu'il tenait devant son entrejambe et l'enfila.

« J'ai peur de poser la question, dit-il, mais c'est quoi, le prochain épisode ?

— Je n'en sais rien. Ils sont encore en train d'écrire le scénario.

— Génial. Je vais probablement devoir demander à Mike Tyson de sauver le monde. »

Amanda rit et se glissa sur le siège du conducteur. « J'en doute, dit-elle. Vous êtes maintenant extrêmement précieux pour la chaîne. Ils ne vont pas refaire la bêtise de mettre votre vie en danger. »

Perry se leva et, s'accroupissant pour ne pas se cogner au toit du van, alla récupérer son pantalon roulé en boule. « Vos téléspectateurs ne vont pas trouver ça étrange de voir le van sortir de sous l'autoroute une demi-heure après y être entré ? » Il ramassa son pantalon ; quelque chose tomba de l'une de ses poches avec un tintement aigu et métallique.

« Ils feront un peu de montage en régie, répondit Amanda. Il y a toujours un délai à cause du temps de transmission. Personne ne verra la différence. »

Perry vit une petite plaque d'or gravée qui brillait sur le plancher du van. Il se rappela qu'à la station-service Nick Pythagore s'était agrippé à ses poches au moment où l'hélicoptère descendait. Il ramassa la plaque et lut.

532ᵉ CÉRÉMONIE DES ORBYS
MEILLEURE VIOLENCE ABSURDE
NICK PYTHAGORE
PRODUCTEUR DÉLÉGUÉ À LA TÊTE
DE LA PRODUCTION DÉLÉGUÉE
HABITAT TERRESTRE POUR ATTRACTIONS ET LOISIRS

Il relut une seconde fois la dernière ligne avant que cela ne le frappe. « La Terre », se murmura-t-il à lui-même.

Le charabia délirant de Nick Pythagore prenait soudain tout son sens.

Ils nous ont créés.

CANAL 23 : CONTINUITÉ BRISÉE

P ERRY REGARDAIT, BOUCHE BÉE, LA PETITE PLAQUE DANS sa main, incapable de faire le moindre geste.

« Allez, c'est parti », ordonna Amanda du siège avant. Elle mit le contact et le van démarra.

Toujours complètement hébété, Perry s'installa tant bien que mal sur le siège passager. Elle lui adressa un bref regard. « Vous avez oublié de mettre votre pantalon », dit-elle.

Il la regarda fixement.

« Quand est-ce que vous comptiez me le dire ?

— Je viens tout juste de le remarquer.

— Je ne parle pas de mon pantalon. Je parle de la Terre. Quand est-ce que vous alliez me dire la vérité ? »

Il jeta la plaque sur le tableau de bord, pile devant elle.

Amanda coupa le moteur.

« Vous aviez l'intention de me le dire un jour ? » demanda Perry.

Amanda regardait le pare-brise. « Je n'en sais rien. Probablement pas. J'y ai songé, parfois. Vraiment. Mais vous étiez déjà tellement tourneboulé que j'ai pensé que c'était mieux si vous ne saviez pas tout.

— Dites-moi, maintenant.

— Ça ne sert à rien, dit-elle en plissant le front. Ça ne va rien changer et ça ne va pas vous plaire.

— Je m'en fous! aboya Perry, surpris de propre agressivité. Je veux que vous me racontiez tout, maintenant.» Il ramassa la plaque. «"Habitat terrestre pour attractions et loisirs." Ça fait combien de temps que vous êtes là?» Amanda regarda ailleurs. «Est-ce Galaxy Entertainment qui a créé la Terre?» Elle fit non de la tête. «Alors, qui est-ce?

— Je vous en prie, monsieur Bunt. Ne me forcez pas à faire ça.» Perry ouvrit la portière du van et posa le pied sur le trottoir. «Desmond Icarus E. Upsilon», lâcha-t-elle.

Perry rentra ses jambes dans la voiture et referma la portière. «Et qui c'est, ce foutu Desmond Icarus E. Upsilon?

— C'était un agent de voyage.»

Perry soupira. «Je ne suis pas plus avancé.

— Il dirigeait un voyage organisé dans la galaxie occidentale, et c'est là qu'il l'a découverte.

— Quoi donc?

— À votre avis? La Terre. À cette époque, il n'y avait quasiment rien, ici. Quelques animaux, quelques primitifs. Au début, ce sont les os de dinosaures et les ruines des anciennes civilisations qui ont fait venir les touristes – et les plages, bien sûr. Puis les reconstitueurs en ont entendu parler.

— Qui ça?

— Les reconstitueurs. Les mordus de la guerre de Sécession. La Terre leur a plu parce qu'elle avait des caractéristiques géographiques très proches de celles d'Éden à l'époque de la guerre de Sécession.

— Vous aussi, vous avez eu une guerre de Sécession ? »

Amanda remua la tête. « Non. Nous avons eu *la* guerre de Sécession. La vôtre n'a été qu'une reconstitution. »

Perry cligna des yeux. « Notre guerre de Sécession n'a jamais eu lieu ?

— Si, d'une certaine façon. Elle n'a pas arrêté d'avoir lieu. En fait, les reconstitutions sont devenues si élaborées que Upsilon a dû faire venir des milliers d'acteurs pour peupler ce monde, mais aussi des plantes et des animaux pour que ça ressemble encore plus à Éden. Il a également recréé d'autres époques du passé barbare d'Éden : Renaissance-Land en Europe, Pharaons-Park au Moyen-Orient, Samouraï City au Japon. Les touristes ont adoré. Tous ces parcs à thème ont connu un succès fou et n'ont cessé de s'agrandir. Bientôt, l'hémisphère Nord en a été rempli. Le reste a servi de réserves de chasse ou de stations balnéaires.

— Attendez une seconde ! C'était il y a combien de temps ? »

Amanda fronça les sourcils. « À l'époque de la guerre de Sécession. Vous savez quand c'était, non ? »

Perry se frotta le visage. « Ça n'a pas de sens. Et les milliers d'années précédentes ? Et l'*histoire* ? »

Amanda haussa les épaules. « Votre histoire, c'est notre histoire. Il y avait bien quelques tribus à l'âge de pierre éparpillées un peu partout quand les tout premiers vaisseaux ont atterri, mais rien de vraiment intéressant.

— Que leur est-il arrivé ?

— On leur a donné du travail dans les parcs à thème. Et croyez-moi, ils étaient vraiment heureux de quitter leur fange. »

Perry se tint la tête entre les mains pour l'empêcher d'exploser. « Donc, chaque Terrien est... *le descendant d'un employé de parc d'attractions* ?

— Ne vous emballez pas. Je vous ai dit que ça ne valait pas la peine de creuser.

— Racontez-moi la suite.»

Amanda soupira et se mit à tripoter une boucle de ses cheveux. «Galaxy Entertainment est arrivé et a commencé par diffuser les batailles de la guerre de Sécession; les audiences étaient bonnes. Suffisamment bonnes pour que Galaxy engage Desmond Icarus E. Upsilon en qualité de directeur de la programmation et transforme la planète en studio. Ils l'ont cernée de caméras, remplie de mouches et ont remorqué la Lune depuis la ceinture d'astéroïdes pour servir de réflecteur.

— Pardon?

— Ils avaient besoin de davantage de lumière pour les plans de nuit. C'étaient les débuts de Channel Blue. Mais ça ne ressemblait pas du tout à ce que c'est aujourd'hui. C'était une chaîne de reconstitutions historiques. Avec des audiences acceptables mais très limitées.» Amanda reprit sa respiration. Elle semblait prendre plaisir à son récit. «Tout a changé lorsque les acteurs se sont mis en grève. Ils étaient rémunérés comme des employés de parcs à thème et exigeaient que leur salaire soit revalorisé à l'échelle de celui d'acteurs de télévision. En plus, ils étaient obligés de tous habiter ici et vous êtes bien placé pour savoir ce que c'est. Pas vraiment l'idéal. Mais Upsilon et Galaxy Entertainment n'ont pas cédé – ils ne voulaient pas réduire leurs profits – et ils les ont remplacés par des PF.»

Perry regarda Amanda. «Vous allez m'expliquer ce que c'est, hein?

— Des Produits de Fornication. La programmation génétique existait depuis mille ans, mais il y a toujours eu des Édenites qui passaient entre les gouttes – pour ainsi dire. Alors Upsilon a rassemblé des PF de tous les coins de la galaxie, il les a expédiés ici et a reprogrammé leur mémoire afin qu'ils croient avoir vécu toute leur vie sur cette planète. Au début, ça a été une catastrophe : après tout, il ne s'agissait que de fous dangereux ou de sociopathes. Ils n'obéissaient pas aux instructions et ne suivaient pas le scénario. Les reconstitutions de la guerre de Sécession ont tourné au désastre – les PF refusaient de faire deux fois de suite la même chose. Les audiences se sont effondrées, les touristes ne sont plus venus et la Terre a commencé à perdre de l'argent. Upsilon s'est dit qu'il n'avait rien à perdre, alors il a renvoyé son équipe de réalisateurs et il a affranchi les PF de tout script pour voir ce qui arriverait.» Amanda avait les yeux qui brillaient. «Il s'avère que ça a été la plus grande décision jamais prise dans l'histoire de l'audiovisuel. La guerre de Sécession est devenue plus sanglante que nul n'aurait pu l'imaginer et les audiences ont crevé le plafond. Mais ce n'était qu'un début : la planète entière s'est retrouvée soudain envahie par une violence folle, par des assassinats et la fornication, *beaucoup, beaucoup* de fornication. Et des guerres ! La guerre austro-prussienne, la guerre franco-allemande de 1870, la guerre de Crimée, la guerre anglo-zouloue, la guerre franco-chinoise, la guerre russo-circassienne...

— J'ai compris, dit Perry. Beaucoup de guerres.

— Et ça, rien que pour *les trois premières saisons* !

— Donc, si je comprends bien, continua Perry qui faisait tout son possible pour conserver son calme, tout le monde, sur Terre...» Il reprit sa respiration et recommença. «Vous êtes en train de me dire que nous sommes tous des meurtriers et des aliénés ?

— Ne soyez pas bête, vous êtes tous des *descendants* de meurtriers et d'aliénés.

— Nous *tous*?»

Amanda acquiesça. «Qu'y a-t-il de si étrange? Vous lisez les journaux. Vous n'imaginez tout de même pas que des gens normaux se comportent comme vous le faites ici? Les guerres mondiales, les génocides, les massacres, les fusillades au hasard – plus de chaos et de violence, jour après jour, que bien plus que trois mille chaînes ne peuvent en diffuser.» Elle remua la tête d'effroi. «Votre histoire a suivi un cours totalement différent de la nôtre. Notre guerre de Sécession a été une leçon pour nous, le début d'une nouvelle ère au cours de laquelle nous avons appris à canaliser notre agressivité dans la recherche d'une civilisation équilibrée. Votre histoire...» Amanda regardait Ventura Boulevard, les yeux remplis de terreur. «C'est une histoire que nul n'aurait pu imaginer. Terrible et choquante, parfois belle, mais essentiellement tragique et *toujours* captivante.»

Perry regardait par la vitre, l'air hébété, le visage figé en une grimace : il était sous le choc. La tête lui tournait, son esprit s'efforçant de remettre de l'ordre dans ce tombereau d'informations plus que perturbantes. La Terre n'avait que 150 ans, et n'était qu'un parc d'attractions que l'on avait mis entre les mains de fous dangereux, parmi lesquels trente-deux étaient ses arrière-arrière-arrière grands-parents. *Non*, se dit-il, *ça ne peut pas être vrai*. Et pourtant, pourquoi inventerait-elle une chose pareille? À quoi cela lui servirait-il? Pourquoi lui mentir maintenant? C'est lui qui l'avait forcée à parler. À moins que... tout ait été arrangé. Que cela fasse encore partie de l'émission. Non. C'était impossible. Il connaissait maintenant suffisamment Channel Blue pour savoir que ça ne plairait pas. Certes, il avait été torturé et les téléspectateurs avaient aimé ça, mais ils aimaient la torture quand elle était loin, là où leurs mouches et leurs satellites pouvaient la voir. Pour la galaxie, ce n'étaient que des ondes vides.

Ils nous ont créés.

En fait, tout cela expliquait beaucoup de choses. Il comprenait maintenant comment Galaxy Entertainment avait pu prendre, de façon aussi cavalière, la décision de détruire la Terre. Après tout, ils considéraient qu'elle leur *appartenait*. Perry avait vu tellement de ses scénarios mutilés en vertu des idées fantasques des directeurs de studios qu'il savait qu'il n'y avait rien de vraiment joli au fait d'appartenir à quelqu'un. Ils étaient propriétaires de votre script et pouvaient lui faire tout ce qu'ils voulaient. Pourquoi serait-ce différent quand ils possèdent votre planète?

Tout ça expliquait également le mépris qu'Amanda et les autres producteurs avaient manifesté à l'égard des habitants de la Terre, les «Terricules». À leurs yeux, lui et ses congénères fous et meurtriers seraient toujours quelque chose de moins qu'humain. Et si la propre histoire torturée (et brève) de la Terre avait prouvé quelque chose, c'était bien que cette attitude supérieure n'était qu'une pente glissante vers les massacres de masse.

Et enfin, cela expliquait toutes les épreuves qu'il avait dû subir. L'estomac noué, Perry prit alors conscience que *Bunt à la rescousse* n'était, au mieux, qu'un nouvel exercice à la Sisyphe. Une émission, une émission à succès, qui ne ferait jamais rien d'autre que retarder l'inévitable. Tant que la Terre serait la propriété de Galaxy Entertainment, son destin serait suspendu à quelques points d'audience. Il est tout à fait possible de braquer un pistolet chargé sur la tempe de quelqu'un et de ne pas tirer; mais si on ne bouge pas, on finira forcément par le faire.

Amanda observa le visage de Perry, envahi par la colère. «Je sais que ce n'est pas facile à entendre...»

Perry éclata d'un rire sarcastique. «Oh! mais non. Tout va bien. Écoutez, si la planète doit appartenir à quelqu'un, autant qu'elle se trouve entre de bonnes mains. Ce n'est pas comme si une bande d'extraterrestres qui a déjà détruit des centaines d'autres planètes comme la nôtre nous menaçait d'annihilation.»

Amanda remua la tête. «Ça n'a rien à voir. Tout ceux qui, parmi nous, aiment la Terre savent parfaitement qu'une planète pareille, on n'en découvre qu'une seule par millénaire. Vous aurez beau installer des PF dans tous les mondes habitables de la galaxie, jamais vous ne reproduirez ce qui est arrivé ici. C'est de la magie, purement et simplement – c'est la seule façon de le décrire. On ne peut pas détruire tout ça pour des histoires de profit à court terme.

— Mais bien sûr. Pourquoi tout faire sauter avant que nous nous débrouillions pour le faire nous-mêmes, hein? Est-ce que ça ne ferait pas échouer tout le projet? Parce que nous allons le faire, hein. Vous le savez très bien?»

Amanda regarda Perry en plissant les yeux, essayant de percer son comportement.

«Vous êtes ironique.

— Sans blague?

— J'ai l'impression d'avoir plus foi en votre planète que vous.

— Ah! Vraiment? Ça, c'est gonflé. Franchement. C'est merveilleux.» La bouche de Perry se tordit en un rictus. «Vous me dites que nous sommes malades. Mais c'est vous qui l'êtes. Tout ça, ça vient de votre "civilisation équilibrée". On peut dire que c'est un bel équilibre. À vous les gènes parfaits, les milliers de chaînes de télé et les pilules orgasmiques. À nous la souffrance, les meurtres et la mort.

— Je ne peux pas vous raconter toute notre histoire, là, maintenant. Tout ce que vous devez savoir, c'est que ce sont des planètes comme la Terre qui nous permettent de survivre.

— Eh bien, vous ne devriez pas ! riposta Perry. Bon Dieu... vous ne comprenez pas ? C'est *vous*, les malades. »

Un voile d'inquiétude envahit le visage d'Amanda. « Monsieur Bunt, vous devez me croire quand je dis que, depuis que je suis enfant, j'ai toujours été la plus grande fan de la Terre et de ses habitants. Enfin, quoi, j'avais des posters d'elle plein mes murs. » Elle prit la main de Perry dans la sienne et lui sourit. « Comment expliquer autrement ce qui vient de nous arriver ici ? »

Perry contempla la femme qui était assise à côté de lui. Quelques instants plus tôt, il l'avait serrée dans ses bras avec le sentiment de la connaître. Maintenant, il savait qu'il ne la connaîtrait jamais. Il retira sa main. « C'est trop facile. Je croyais être amoureux de vous. Mais vous devez être complètement incapable de comprendre ça. Je suis sûr que l'"amour" fait partie de ces atroces caractéristiques animales qu'on a lâchées sur le sol du laboratoire. »

Les yeux d'Amanda se remplirent de larmes. « Non, ce n'est pas comme ça, dit-elle. Même si, là, tout de suite, je voudrais que ça le soit. »

Perry ouvrit la portière et sortit du van. Il posa les pieds sur le trottoir lézardé et se mit à marcher. Ses pas résonnaient sous le tunnel. C'était bon d'être à l'air libre. Voilà une sensation qu'il n'avait jamais ressentie à Los Angeles. Il entendit Amanda descendre à son tour du van, et le bruit de ses pas derrière lui, sur le trottoir. « Ne faites pas ça, cria-t-elle dans son dos. Monsieur Bunt, je suis dans votre camp. »

Perry continua à avancer.

« Perry ! »

Le choc qu'il éprouva en entendant son prénom sortir de ses lèvres le força à s'arrêter.

« S'ils vous voient sortir du tunnel, ils ne pourront pas monter la séquence. Si après un plan nous montrant tous les deux dans le van, on vous voit sortir seul, vous allez briser la continuité. »

Perry sourit avec regret. « Exactement. »

Amanda recula, comme si elle avait été poussée par le vent. Elle reprit son équilibre.

« Vous allez tuer l'émission ?

— Quel dommage ! répondit Perry. Votre carton d'audience... Vos débuts à l'antenne. »

Le visage blême d'Amanda rougit de chagrin et de colère.

« Ça n'a rien à voir.

— Je suis sûr que vous réussirez à trouver un autre singe à torturer.

— Vous êtes le seul à pouvoir empêcher le finale d'avoir lieu ! »

D'un coup de pied, Perry envoya un débris de trottoir valser dans le caniveau. « Si ce que vous m'avez dit est vrai, dit-il, il faut sortir le monde de sa misère ». Il reprit sa marche et, cette fois-ci, elle ne fit rien pour l'en empêcher.

CANAL 24 : LE HÉROS

PERRY MIT PLUS D'UNE HEURE À RENTRER CHEZ LUI À PIED. Sur le chemin, plusieurs automobilistes grossiers lui hurlèrent des insultes incompréhensibles. C'était un des dangers auxquels était exposé tout piéton à Los Angeles : il était tellement rare de voir des gens se déplacer à pied, surtout la nuit, qu'ils étaient instantanément raillés. Il est vrai qu'il était vêtu d'un costume Armani tout chiffonné et ensanglanté, ce qui ne contribuait pas vraiment à atténuer ce que son apparence pouvait avoir d'étrange.

Il arriva dans sa rue et remonta la pente raide qui menait de Ventura Boulevard aux Jardins de Wellington. Il s'arrêta à mi-chemin pour contempler, dans le ciel, le gigantesque réflecteur de lumière – qui brillait ce soir de tout son éclat – et les lumières des maisons de tous les fornicateurs qui scintillaient à l'infini, jusqu'à l'horizon. Tous ces gens s'apprêtaient à aller dormir avant d'entamer un nouveau jour consacré à divertir leurs suzerains extraterrestres ; tous ces gens étaient aussi pitoyables que des malades d'Alzheimer à un stade avancé, ignorant qui ils étaient vraiment ainsi que l'imminence de leur mort.

Ces enfoirés d'extraterrestres, pensa Perry. *Des tarés grotesques, effrayés par la merde et baisophobes.* Il éprouvait une certaine satisfaction à savoir qu'en partant comme il l'avait fait il avait provoqué un terrible problème de scénario pour les producteurs de Channel Blue. Amanda et lui roulaient sur Ventura Boulevard puis, l'instant d'après, Perry marchait seul sur le trottoir. Étant donné que le moment le plus décisif de *Bunt à la rescousse* s'était déroulé sous un pont routier, à l'intérieur d'un van sans mouches, les téléspectateurs ne comprendraient rien. Et, à la télévision, même la télévision du futur, incompréhension signifiait mort.

Perry retrouva son appartement à peu près dans l'état où il l'avait laissé. Apparemment, un rongeur, sans doute un écureuil, s'était glissé par la vitre brisée et avait grignoté le cheeseburger qu'il avait laissé sur la table. Mais c'était tout. Tout ce qu'il possédait, et qui ne valait rien, était là, intact. Il ramassa le fusil et ouvrit la chambre. Il y avait encore une cartouche à l'intérieur. Il se rappela son plan hasardeux pour sauver le monde – aller tirer sur un immeuble de bureaux –, ce qui le fit éclater de rire.

D'ailleurs, pourquoi se souciait-il du reste du monde ? Qu'est-ce que le monde représentait pour lui ? Il n'avait servi que de décor à son humiliation. Et pas uniquement son humiliation, mais celle de tous ceux qui l'entouraient. On l'avait complètement dupé. Les dés étaient pipés, et les habitants de la Terre ne faisaient que des doubles un. Une planète de crétins.

Il ouvrit un paquet de chips et aperçut quelques mouches. *C'est pas vrai*, se dit-il. Il alla chercher un autre pot vide dans la cuisine et se mit à méthodiquement les attraper. Sans surprise, leur thorax brillait d'un reflet bleu métallique. Ils n'avaient pas abandonné, bien sûr. Un tel succès pour une émission, ça n'arrivait que tous les 36 du mois ; ils feraient tout ce qu'ils pourraient pour maintenir *Bunt à la rescousse* à l'antenne, même si ça n'avait plus aucun sens.

Et puis merde ! pensa Perry. Ton public est là, à attendre. Donne-leur ce qu'ils veulent.

Perry brandit le pot à mouches devant son visage. Les mouches cessèrent aussitôt de s'agiter et se tournèrent de manière que leurs yeux à facettes fixent ceux de Perry. Il se racla la gorge et fit un grand sourire. « Salut à vous, maîtres extraterrestres, et bienvenue à nouveau dans *Bunt à la rescousse*, entonna-t-il avec la voix grave d'un présentateur de bande-annonce. Voilà ce que vous avez manqué pendant que Perry Bunt forniquait avec Amanda Mundo sous l'autoroute. Oui, vous avez bien entendu. Un vulgaire et simple crétin de Terricule qui baise sa productrice. Vous êtes désolés d'avoir raté ça, non ? J'en suis sûr. Parce que vous aimez ça, la fornication, hein ? Presque autant que vous aimez les meurtres. Tout simplement parce que votre pathétique civilisation stérile a éliminé tout ce qu'il peut y avoir de vaguement agréable au fait d'appartenir à l'espèce humaine. »

D'une pichenette, Perry sortit une cigarette de son paquet de Camel Lights, l'alluma sur un brûleur à gaz et inspira une longue bouffée. Bon sang, que ça faisait du bien ! Pourquoi avait-il arrêté de fumer ?

« Quoi qu'il en soit, Amanda et moi avons forniqué. Je vous l'ai déjà dit, non ? Et c'était merveilleux. Mais, après que nous avons merveilleusement forniqué, il est arrivé ce que, dans le jargon des scénaristes, nous appelons un "renversement majeur". J'ai en effet appris que toute cette planète n'était qu'un aquarium rempli de poissons rouges débiles à seule fin de vous divertir. Vous aurez peut-être du mal à le comprendre, étant donné que vous m'avez toujours considéré comme un sous-humain, mais cette nouvelle m'a éminemment perturbé. Et ce, pour de nombreuses raisons. L'une d'entre elles, et pas la moindre, étant que je pensais être amoureux d'une femme qui estime que cette expérience perverse est totalement justifiée. » Il tira une nouvelle fois sur sa cigarette. « Mais je m'égare. Où en étais-je ? Ah oui ! Nous avons donc forniqué, puis j'ai appris cette nouvelle éminemment perturbante, à la suite de quoi Amanda et moi sommes entrés en conflit – il n'y a pas eu d'actes de violence, donc je pense que ça ne vous aurait pas intéressés – et j'ai quitté l'émission. Absolument. Je ne vais plus venir à la rescousse de votre... » – Perry prit une bouffée sur sa cigarette, se rappelant les mots exacts – « Habitat terrestre pour attractions et loisirs. Alors, allez-y, faites tout sauter. D'ailleurs, si je pouvais, je le ferais pour vous, à la condition de pouvoir faire sauter chacun d'entre vous avec moi. » Perry se pencha sur le pot, la fumée de cigarette embuant le verre. Peut-être était-ce son imagination, mais il eut l'impression que les mouches eurent un léger mouvement de recul. « Parce que, s'il y avait un tant soit peu de justice dans cet univers, chacun d'entre vous devrait être promis à une mort atroce, douloureuse et interminable. Nick Pythagore, si tu regardes, merci pour la plaque, mais tu devrais t'amuser avec des jouets et pas des planètes. Et tu as beau avoir 9 ans, là, tout de suite, j'adorerais fracasser ton petit sourire suffisant. Quant à toi, Marty Finch, écrivaillon lèche-cul et sans talent, je me tuerai moi-même en direct si tu me laisses prendre tes Orbys et te les enfoncer un par un dans le cul. Le vrai parasite, c'est toi, et le machin blanc dans ton oreille devrait te laisser tomber. Elvis, espèce de gros porc monstrueux, je préférais quand tu étais mort. C'est pas toi qui m'annules, OK ? C'est moi qui t'annule ! Et, je n'ai jamais eu l'occasion de te le dire : je déteste ta musique. Tu ressembles à une grosse banane alcoolique qui a le hoquet. Quant à votre soi-disant "civilisation avancée"... »

Perry regarda les mouches.

Elles gisaient sur le dos, les pattes en l'air.

Il avait été officiellement déprogrammé.

Perry dévissa le couvercle et, avec une baguette chinoise, donna quelques petits coups aux mouches immobiles. Pas de doute : elles étaient mortes d'asphyxie. Il les jeta dans le broyeur à déchets et alla à la salle de bains, où il retira son costume sale et prit une douche, gémissant lorsque l'eau entra en contact avec son corps supplicié. Il s'essuya, enfila les premiers vêtements propres qui lui tombèrent sous la main, avala un autre paquet de chips et s'écroula dans son clic-clac.

Il fut réveillé le lendemain matin par la sonnerie du téléphone. Il lui fallut un moment avant de comprendre qu'il était chez lui. Sa première sensation fut une impression de soulagement. Celle-ci dura deux secondes avant qu'il ne se rappelle le destin qui attendait la Terre. Le téléphone continua à sonner. Perry poussa un grognement et enfonça la tête sous son oreiller jusqu'à ce que ça s'arrête. Incapable de se rendormir, il s'assit, lentement, ressentant chaque bleu de son corps. Le téléphone se remit à sonner. Exaspéré, il décrocha.

« Quoi ? demanda-t-il.

— Perry ! dit une voix de femme. Perry, est-ce que tu sais depuis combien de temps j'essaie de te mettre la main dessus ?

— Qui est-ce ? »

Il y eut un silence abasourdi à l'autre bout du fil, le silence de quelqu'un qui n'est pas du tout habitué à ce qu'on ne reconnaisse pas sa voix.

« C'est Dana. Dana Fulcher.

— Ah. »

Perry n'avait pas reconnu la voix de son agent pour la bonne et simple raison qu'elle ne l'appelait quasiment jamais en personne. Il avait fallu la fin du monde pour que son agent l'appelle deux fois en si peu de temps et ça n'échappa pas à Perry.

« Qu'est-ce que tu veux ?

— Où étais-tu passé ?

— J'étais occupé.

— On se demandait ce qui t'était arrivé. On s'est même dit que tu avais tout plaqué pour rejoindre Monpote. »

Perry fut persuadé d'avoir mal entendu.

« Qui ça ?

— Monpote. Le chef du nouveau culte que rejoignent tous les tarés. C'est partout sur Internet.

— Je ne me suis pas connecté ces derniers temps.

— Perry, dis-moi ce qui se passe. Tu as un nouvel agent ?

— Non.

— Alors pourquoi tu ne m'as pas rappelée ?

— Parce que j'ai pas eu le temps.

— J'ai une nouvelle offre pour ton synopsis.

— Mon synopsis ?

— *Dernier jour d'école.* »

Perry ne put s'empêcher de rire. Il n'arrivait pas à croire qu'il avait pu gagner sa vie en inventant des choses aussi bêtes. « Merci, mais ça ne m'intéresse pas. »

Ce fut un des rares moments de la vie de Dana Fulcher où celle-ci ne sut pas quoi répondre.

« Comment ça, ça ne t'intéresse pas ?

— Non. Tu avais raison. C'était une tentative désespérée. »

Perry pouvait presque entendre tourner les rouages du cerveau de son agent pendant que celle-ci essayait de comprendre des mots qu'elle n'avait jamais entendus de la bouche d'un auteur, avant d'y renoncer. « Très bien, j'ai une autre nouvelle à t'annoncer : *Tweet mortel* est de nouveau dans la course. »

Perry fronça les sourcils. « *Tweet mortel*, c'est mort. Del Waddle l'a tué.

— C'est Del Waddle qui est mort. Accident de voiture. On l'a retrouvé en bas de Mulholland Drive. »

L'esprit de Perry partit dans tous les sens. C'était la balle qui avait ricoché sur le champ de force d'Amanda qui avait dû le tuer. Et comme personne ne tenait vraiment à raconter que le milliardaire avait trouvé la mort en essayant d'éliminer deux de ses invités, on avait simulé un accident.

« Hmm, dit Perry.

— Une vraie tragédie, bien sûr. Mais chaque fin est un nouveau début, le cycle de la vie, tu vois, *hakuna matata et cetera…* » Dana se tut pour ménager un effet théâtral maximum. « J'ai décidé de relancer *Tweet.* » N'obtenant aucune réponse de Perry, elle continua, confiante : « Del était le seul obstacle ; tous les autres *adoraient* le projet. Je t'ai arrangé un rendez-vous avec le vice-président pour demain.

— T'embête pas », répondit Perry.

Dana s'esclaffa ; elle n'en croyait pas ses oreilles. « Perry, je me suis littéralement coupée en quatre pour t'obtenir ça. »

En temps normal, Perry aurait laissé passer le « littéralement ». Mais aujourd'hui, c'était différent.

« Absolument pas.

— Pardon ?

— Si tu t'étais littéralement coupée en quatre, tu serais actuellement en morceaux. »

Dana Fulcher fit claquer sa langue. « Perry, je sais très bien ce que "littéralement" veut dire.

— Non. Tu ne le sais littéralement pas. Mais je vais te donner un exemple. Je vais littéralement raccrocher. »

Il raccrocha et, d'un petit coup sec, arracha le fil du téléphone du mur. Cela lui fit un bien fou ; il ne comprenait pas pourquoi il ne l'avait pas fait plus tôt. Son téléphone portable se mit à sonner en vibrant sur le comptoir de la cuisine. Perry le ramassa, alla sur son balcon et le lança au loin, de toutes ses forces. Il crut l'entendre se briser en morceaux sur le toit de la maison d'en dessous, mais pas moyen d'en être certain.

Étant donné que sa cuisine était quasiment vide et qu'il était affamé, il prit sa Ford Festiva pour se rendre à son *diner* habituel où il se gava d'œufs au bacon, de pancakes et de café noir. Il y avait quelques dizaines d'autres descendants d'assassins et d'aliénés entassés dans les box et autour des tables. Dans un coin de la salle, sur un poste de télévision, son coupé, on pouvait voir le visage, sinistre, du présentateur du journal du soir. Lorsque le présentateur du soir est encore à l'antenne le matin, il est à peu près certain que c'est vraiment la merde. On pouvait d'ailleurs lire sur le bandeau qui défilait en bas de l'écran : RUPTURE DES NÉGOCIATIONS DE PAIX AU MOYEN-ORIENT. Perry sirota son café. Les producteurs de Channel Blue avaient fait disparaître le virus informatique, remettant en selle le conflit qu'on ne connaîtrait Dieu merci jamais sous le nom de « guerre du Stylo à strip-teaseuse ». Personne ne connaîtrait jamais ce nom-là parce que, bien sûr, il ne resterait pas un seul être vivant sur Terre pour en parler.

Comment pourrait-il passer les deux semaines qui lui restaient à vivre ? Perry réfléchit à la question. Toutes les possibilités aboutirent à la même réponse : avec Amanda. Malgré tout ce qui était arrivé, il n'arrivait pas à effacer de son esprit cet instant où il l'avait tenue dans ses bras sur le plancher du van de la société de câblo-opérateur. Il n'arrivait pas à oublier les larmes qu'elle avait versées lorsqu'il était parti. *Mon Dieu,* pensa-t-il, *je suis comme un juif qui serait tombé amoureux d'Eva Braun.* Ça aurait pu être pire. En effet, si le monde n'avait pas été voué à la destruction, ce souvenir l'aurait torturé pendant des années et des années.

Il faisait signe au serveur pour réclamer l'addition, lorsqu'une magnifique brune aux yeux bleus s'approcha de sa table. Elle était très élégamment vêtue mais avait les yeux tout gonflés, comme si elle venait de pleurer, ainsi qu'une marque rouge au coin de la mâchoire.

« Perry Bunt ? dit-elle.

— Oui.

— Bonjour, vous ne vous souvenez sûrement pas de moi. »

Perry la regarda avec attention. « Ça m'étonne, pourtant.

— Nous nous sommes rencontrés à l'avant-première d'un film que j'ai produit il y a deux ans. Je m'appelle Cheyenne Ross. » Elle lui tendit la main. Perry se leva et la serra. « Je voulais juste vous dire bonjour. Enfin… Je vous avais trouvé plutôt sympa et… » Elle sourit, gênée. « Wouaouh ! C'est un peu embarrassant. »

Perry n'avait aucun souvenir de cette femme. Il était un peu perdu et ne savait pas trop quoi dire. « Non, tout va bien », finit-il par répondre, ce qu'il trouva infiniment piteux.

Cheyenne le regarda droit dans les yeux ; ses lèvres charnues commencèrent à trembler. Ses yeux se remplirent de larmes qui coulèrent sur ses pommettes finement ciselées ; elle les essuya de la main. « Je suis vraiment désolée », dit-elle.

Perry était complètement paralysé. Comment était-il devenu le type qui fait pleurer les jolies femmes ? Il prit une serviette en papier sur la table et la lui tendit. « Ça va ? » lui demanda-t-il. Elle fit non de la tête.

« Je viens juste d'avoir une grosse dispute avec mon copain sur le parking, sanglota-t-elle. Il m'a frappée.

— Mon Dieu.

— Je ne sais pas où aller. Je suis arrivée ici et je vous ai vu. Je n'ose pas sortir. »

Elle se mit franchement à pleurer. Tous les clients du restaurant les regardaient.

Perry posa une main sur le dos de la jeune femme. « Je vous en prie, asseyez-vous. » Il l'installa dans son box. « Vous voulez que j'appelle la police ?

— Non, répondit Cheyenne en remuant la tête. Votre voiture est garée dans la rue ? »

Perry acquiesça.

« Vous voulez bien me ramener chez moi ?

— Bien sûr. »

Cheyenne lui adressa un sourire à couper le souffle et, de ses deux mains, attrapa celle de Perry. « Merci, merci, merci, dit-elle. Vous êtes mon héros. »

Le sourire de Perry s'évanouit en un éclair. Il retourna brusquement la main gauche de Cheyenne et releva la manche de sa veste. Elle avait une mouche bleue tatouée sur le poignet. Il lui lâcha la main. « Je vois. Vous êtes une productrice. »

Le coup classique, se dit Perry. Les cadres des entreprises de divertissement considéraient le processus créatif comme une simple machinerie – un ensemble d'éléments interchangeables qui, une fois correctement assemblés, généraient de l'argent. C'est pourquoi les responsables de Channel Blue s'étaient dit qu'ils n'avaient qu'à remplacer une jolie assistante de production par une autre, et alors *Bunt à la rescousse* pourrait reprendre là où on s'était interrompu.

Cheyenne regarda posément Perry ; ses larmes avaient disparu.

« Qu'est-ce qui m'a trahie ?

— J'étais complètement cueilli jusqu'à la phrase sur le héros. Ça, c'était vraiment nul. Ce n'est pas Amanda qui vous a dicté ça, quand même ?

— Amanda ne travaille plus sur l'émission. »

Perry fit de son mieux pour avoir l'air complètement indifférent. Cheyenne s'approcha de lui, ce qu'à son corps défendant il trouva plutôt émoustillant, et elle lui chuchota à l'oreille, dans un souffle chaud : « Allez, pourquoi ne pas jouer un peu le jeu ? »

Perry remua la tête. « Laissez tomber. »

Cheyenne sourit. « Vous ne pouvez pas nous reprocher d'avoir essayé, hein ? *Bunt à la rescousse*, c'est tellement énorme.

— Je vais vous le répéter encore une fois, dit Perry, tranquillement et à voix basse. Je ne vais venir à la rescousse ni de vous, ni de la Terre, ni de personne d'autre, uniquement pour amuser une bande de monstres de l'espace. »

Il prit soudain conscience que les autres clients étaient en train de le regarder avec une certaine hostilité. Il ramassa l'addition et se dirigea vers la caisse. Cheyenne lui posa la main sur le bras.

« Ils vous veulent. Ils veulent vous regarder sauver les gens et sauver la planète. Pourquoi refusez-vous ça ? »

Perry réfléchit. Ce n'était pas une mauvaise question.

« J'imagine que c'est parce que rien de tout ça n'est vrai.

— Vrai ? Cheyenne éclata de rire. Vous êtes sérieux ? Vous êtes un écrivain. Depuis quand vous préoccupez-vous de la vérité ?

— Depuis que j'ai compris à quel point c'était dur de l'obtenir.

— Je vous en prie. » Cheyenne balaya les cheveux de son front et glaça Perry de ses yeux bleus perçants. « Je voudrais travailler avec vous, monsieur Bunt. Donnez-nous encore une chance. Allez, on va sauver le monde et bien s'amuser. » Elle lui adressa un sourire matois qui lui fit palpiter le cœur. « Hé ! On pourrait même forniquer un peu, si c'est ça que vous voulez. S'embrasser, je ne sais pas, il faut qu'on en parle. Mais je vous promets qu'on va s'éclater.

— C'est ça. Jusqu'à ce que ça ne marche plus et que vos patrons envoient d'autres stylos avec des filles à poil. Foutez-moi la paix. »

Mais Cheyenne ne s'avoua pas vaincue. Avant que Perry n'ait atteint la porte, elle se tourna vers les clients et s'écria : « C'est Monpote ! » Au début, il n'y eut pas de réactions, ou très peu. Quelques clients regardèrent bêtement Perry. Puis, avant qu'il ne comprenne ce qui lui arrivait, plusieurs d'entre eux s'étaient levés et couraient vers lui. Perry se précipita sur le parking, fit démarrer sa Festiva et partit à toute vitesse pendant que ses poursuivants déferlaient hors du *diner*.

Lorsqu'il arriva devant son appartement, Noah l'attendait devant la porte, pâle et tremblant de tout son être. Il s'excusa vigoureusement auprès de Perry d'avoir pensé qu'il était fou. Il lui raconta que, la nuit précédente, il avait eu une vision : les trois hommes qu'il admirait le plus – Gandhi, Martin Luther

King et Albert Schweitzer – étaient apparus au pied de son lit et lui avaient expliqué que la Terre courait effectivement un grave danger et que, s'il voulait la sauver, il devait unir ses forces à celles de Perry Bunt.

« Je sais que ça a l'air bizarre, dit Noah. Mais c'était tellement réel. »

Perry expliqua à Noah qu'il ne s'agissait pas d'une vision et que d'ailleurs ce genre de visions n'existait pas vraiment ; ce n'étaient que des effets spéciaux créés par des producteurs extraterrestres pour obtenir un certain type de comportement de la part des habitants de la Terre. Gandhi, King et Schweitzer n'étaient en réalité que des fac-similiens, des extraterrestres métamorphes qui pouvaient adopter n'importe quelle forme ou apparence.

Noah regarda un long moment Perry. « Je n'imaginais pas que ce serait possible, dit-il, mais c'est encore plus bizarre que ce que je viens de te raconter. »

Perry ouvrit la porte de son appartement. « Je suis vraiment désolé de t'annoncer ça, mais la Terre ne peut pas être sauvée. Ni par toi ni par personne d'autre. C'est hors de notre portée. »

Noah ouvrit grand la bouche. « Je ne te crois pas. Nous devons continuer d'essayer. Si mon travail à la banque alimentaire m'a appris quelque chose... » Perry se précipita dans son appartement, claqua la porte et la ferma à clé.

Noah se mit à tambouriner dessus. « Je ne te laisserai pas renoncer, Perry ! hurla-t-il à travers la vitre brisée. Je vais rester là jusqu'à ce que tu me répondes ! »

Génial, pensa Perry. *Si je dois passer les dernières semaines de ma vie à me faire emmerder, autant que ce soit par mes parents.* Il jeta quelques affaires dans un sac à dos et se dirigea vers la porte.

Il l'ouvrit à moitié. Noah le fixa avec un regard déterminé. «Tu dois m'écouter, dit-il.

— Je vais à l'aéroport, répliqua Perry.

— Alors, je viens avec toi.»

Perry haussa les épaules et Noah le suivit dans la rue.

Pendant que Perry conduisait sa Festiva sur la 405ᵉ, Noah, assis sur le siège passager, l'entretenait des différents problèmes concernant la planète – des bouteilles en plastique à la disparition des abeilles en passant par l'obésité infantile – ainsi que des moyens de les résoudre. Perry ne daigna pas expliquer à Noah que le grand finale à venir rendait toutes ses solutions sujettes à caution – c'était tellement plus simple de conduire en laissant ses paroles glisser sur lui, comme on écoute la radio. Jamais il ne s'était senti aussi libre. Le sentiment que sa vie n'avait été qu'une longue déconvenue et qu'il avait échoué à être à la hauteur de son potentiel, la morosité quasi étouffante dans laquelle il avait baigné pendant tant d'années, tout s'était soudain dissipé. Il n'était plus seul. Oui, en effet, tout le monde, sur Terre, allait échouer à être à la hauteur de son potentiel.

L'autoroute était exceptionnellement dégagée et Perry décida de célébrer sa liberté nouvelle en testant la vitesse à laquelle sa Festiva pouvait descendre le versant sud de Sepulveda Pass. Lorsque l'aiguille dépassa en tremblotant les 160 kilomètres/heure, Noah interrompit sa harangue. «On est vraiment obligés d'aller aussi vite?

— Non, répondit Perry, en poussant jusqu'à 170. Et surtout pas avec cette voiture. C'est pas du tout une bonne idée.»

Ils s'approchaient à toute vitesse de la sortie pour l'aéroport. Lorsque après un virage très serré Perry emprunta la bretelle qui menait sur Century Boulevard, une moto de police démarra tous gyrophares allumés derrière eux et déclencha sa sirène. En temps normal, c'est le genre de spectacle qui aurait soulevé chez lui une panique à vous retourner l'estomac, mais il était encore en train de célébrer sa liberté.

« Tu crois qu'on devrait prendre la fuite ? » demanda-t-il à Noah.

Le jeune homme le regarda, horrifié. « Oh ! mon Dieu ! Non ! »

Perry se demanda un instant si Noah avait jamais eu le sens de l'humour. Y aurait-il des gens qui en sont dépourvus à la naissance ? Est-ce parce qu'on le leur a retiré ? Ou bien est-ce qu'il cesse de fonctionner si on ne s'en sert pas, comme un muscle ? Perry se gara et l'officier de police, un grand Noir, se pencha à la portière.

« Permis », dit-il.

Perry sortit son portefeuille et tendit son permis de conduire au policier. « J'ai peut-être un peu trop accéléré là-bas », dit-il.

Le motard ne répondit pas. Il regarda très brièvement le permis avant de le lui rendre. « C'est vous qui avez écrit *Un tueur qui a du chien* ? »

Perry fut quelque peu décontenancé ; il hocha lentement la tête. « J'ai réécrit le script, oui. Le film n'a jamais été tourné.

— Il y a un avis de recherche vous concernant. Je dois vous conduire directement à l'hôtel de ville. »

Perry fronça les sourcils. « Je vous demande pardon ?

— Le maire a besoin de votre aide.

— De *mon* aide ? » Perry sourit. « Je suis professeur d'écriture.

— Je sais. Un gang de trafiquants de drogue de South Central s'est servi de chiens pour tuer des gens. Le maire a besoin de votre expertise. »

Perry regarda le policier qui se tenait, l'air grave, à la portière de sa voiture. « Belle tentative », dit-il. Il tendit le bras et attrapa la manche gauche de l'uniforme du motard, qu'il fit remonter sur son musculeux avant-bras.

Pas de tatouage à l'intérieur du poignet.

Le policier lança un regard furieux à Perry. « Qu'est-ce que vous foutez ? dit-il.

— Oui, Perry, dit Noah, toujours aussi inquiet, sur le siège passager. Qu'est-ce que tu fous ?

— Vous n'êtes pas un producteur, soit, dit Perry au motard. Mais vous êtes manipulé par l'un d'entre eux. Peut-être votre supérieur. Peut-être le maire. Qui sait ?

— Pardon ? »

Le flic avait pratiquement craché le mot dans la figure de Perry.

« Je suis en état d'arrestation, ou pas ? demanda Perry.

— Non. Je vous l'ai dit : j'ai l'ordre de vous escorter.

— Alors, dites au maire que je décline votre... escortage. » Le mot n'était pas bien beau, ce qui fit ricaner Perry: « J'ai un avion à prendre. »

Il fit démarrer la Festiva qui repartit en vrombissant sur Century Boulevard. Dans le rétroviseur, il vit le policier qui le regardait partir, complètement ahuri. Noah jeta un œil derrière lui, très inquiet.

« Tu ne penses pas qu'on aurait dû le suivre ? Pourquoi est-ce que tu ne veux pas aider le maire ? »

Perry alluma une cigarette et prit une longue bouffée. « Tu te souviens des producteurs extraterrestres dont je t'ai parlé tout à l'heure ? » Noah hocha prudemment la tête. « Ils essaient de me piéger pour que je redevienne un héros. Mais je ne vais pas les laisser faire parce que c'est exactement ce qu'ils veulent et, depuis qu'ils ont créé la Terre et qu'ils l'ont peuplée avec la lie de leur civilisation, ils nous ont fait faire tout ce qu'ils voulaient. Mais, aujourd'hui, c'est terminé.» Noah le regardait, les yeux si grands ouverts que Perry pouvait en voir le blanc tout entier. «Pardon, tu disais?

— Je vais descendre ici», répondit Noah.

Perry s'arrêta. Noah ouvrit la portière et sortit de la voiture. Perry baissa sa vitre et hurla : «Rends-toi service : tire un coup!», avant de partir en accélérant.

Il gara la Festiva dans la zone des départs de l'aéroport de Los Angeles. Au moment où il franchissait nonchalamment les portes automatiques en verre, un agent de sécurité de l'aéroport se précipita vers lui. «Ne laissez pas votre voiture ici! hurla-t-il. Elle va être ramassée et confisquée!

— C'est promis?» répondit Perry. Et il pénétra dans l'aéroport.

Il passa devant la longue queue qui serpentait devant le comptoir des classes éco et s'acheta un billet de première classe avec une carte de crédit qu'il avait trouvée, le matin même, dans sa pile de courrier indésirable. N'ayant aucun bagage, c'est presque en sautillant qu'il passa le contrôle de sécurité, laissant ses grosses baskets sur le tapis roulant. Il ne les avait jamais aimées. En chaussettes sur le linoléum, il marcha en direction de la porte des départs, s'acheta un iPod, un magazine de surf et une énorme boîte de chocolats.

Il embarqua et s'enfonça dans son fauteuil de première classe. S'abandonnant avec délice à tout ce confort, il ne put que songer à cette vie perdue en classe économique. Comment avait-il pu? C'était tellement mieux en première. Même à l'époque où il aurait pu s'offrir la première classe, il choisissait toujours la seconde, pour économiser quelques centaines de dollars. À quoi cela l'avait-il mené? «Un autre, s'il vous plaît!» Tout en faisant tourner les glaçons dans son verre, il adressa un geste à une jeune femme au sourire de sainte, vêtue d'un uniforme rouge parfaitement ajusté. Elle s'empressa de prendre le verre en question et le remplit pour la troisième fois avec un whisky 12 ans d'âge, tandis que les passagers continuaient d'affluer, le regard mort à la perspective de passer plusieurs heures confinés dans une boîte d'acier, à respirer les pets de leurs voisins. La femme d'âge mûr impeccablement coiffée qui était assise à côté de Perry n'avait pas osé croiser son regard depuis qu'à l'embarquement il avait fait sensation en essayant de faire rentrer sa gigantesque boîte de chocolats sous son siège. Mais là, alors qu'il était en train de siroter un nouveau scotch, elle était en train de s'adresser à lui.

«Quoi? répondit Perry en parlant très fort.

— Votre musique! dit-elle. On l'entend à travers vos écouteurs!

— D'accord.»

Perry ne fit aucun geste pour baisser le volume de son nouvel iPod. *Pauvre femme*, pensa Perry. Lui non plus n'aimerait pas être assis à côté de lui.

Les joyeuses voix cartoonesques d'ABBA s'envolèrent sur *Waterloo*. Il avait commandé l'album sur Internet en cliquant sur le premier artiste par ordre alphabétique. Il n'avait jamais aimé ABBA. Maintenant il se demandait bien pourquoi. Il se rendait compte que ce groupe n'avait absolument rien de déplaisant. C'était comme d'être dégoûté par le ciel ou de détester l'eau. Pourquoi gâcher son énergie? Au nom de son «intégrité artistique » ? Ha ! Ha ! Comme si ça l'avait mené quelque part. Sa vie aurait été tellement plus facile s'il avait *baissé la garde*.

L'avion décolla et Perry, qui était maintenant légèrement saoul, s'émerveilla de ce miracle accompli par l'homme : voler ! Il ne put toutefois s'empêcher de se demander s'il s'agissait réellement d'un miracle ou d'un habile effet spécial concocté par Channel Blue. Les deux semblaient dorénavant aussi probables l'un que l'autre. Les frères Wright avaient-ils vraiment existé ? Ou étaient-ils simplement des acteurs d'un jour dans un film d'époque ?

Au-dessus de la Sierra Nevada, l'avion fut secoué par des turbulences, mais Perry était maintenant plongé dans *Dancing Queen* et son magazine de surf. Il n'avait jamais appris à surfer et n'apprendrait jamais, de toute évidence, mais il avait toujours adoré assister à l'exultation et au triomphe de ces chevaliers des vagues ; l'espace d'un instant, ils étaient maîtres de leur destin, conquérants de la force infinie de la nature et du chaos de l'univers. Cela devait être tellement agréable de ressentir ça, se disait-il, même pour un moment, même si ce n'était qu'une illusion.

Nouvelles turbulences. L'avion faisait à présent des soubresauts dans la stratosphère, montant et descendant précipitamment. Tandis que les passagers autour de lui se cramponnaient, l'air grave, à leurs accoudoirs, regardant droit devant eux dans une expression toute sublimée de terreur, Perry lisait un article à propos du Lizzy Surf Slam et chantait *Fernando* d'une voix terne.

L'hôtesse de l'air vint l'interrompre. Elle ne souriait plus. « Excusez-moi, monsieur Bunt ? » Perry retira ses écouteurs. « Le pilote a besoin de votre aide dans le cockpit. »

Perry la regarda un instant avant de lui faire un grand sourire. « Oh ! mon Dieu, dit-il. Vous avez failli m'avoir. »

Ce coup monté portait en tout la trace graisseuse de Marty Finch. Perry hocha la tête d'admiration. Il fallait reconnaître ça aux producteurs de Channel Blue : ils ne renonçaient pas facilement.

L'hôtesse, déséquilibrée suite à un nouveau trou d'air, se cramponna à l'arrière du siège de Perry.

« Je ne comprends pas.

— Le pilote et le copilote ont une intoxication alimentaire ? »

La bouche de l'hôtesse de l'air fit un O de surprise, quasiment parfait.

« Comment le savez-vous ?

— Et vous avez besoin de quelqu'un pour faire atterrir l'avion ?

— Oui.

— Et, même si je ne suis pas pilote, je vais vous suivre dans le cockpit et m'asseoir sur le siège du pilote. Dès que j'aurai mis les mains sur les commandes, l'avion va se stabiliser et j'aurai l'honneur d'avoir sauvé la vie de tout le monde ici. »

L'avion tressauta violemment ; l'hôtesse de l'air trébucha dans le couloir et se rattrapa au siège d'à côté. « Tout ce que je sais, c'est qu'on m'a demandé de vous emmener dans le cockpit !

— Je suis désolé, répondit Perry, mais j'aimerais finir mon article. »

Et il replaça ses écouteurs sur ses oreilles.

L'hôtesse lui jeta un regard furieux et partit à reculons dans l'allée. La voisine de Perry, qui avait assisté à toute la conversation avec une exaspération croissante, ne put plus se contenir. « Quel est votre problème ? hurla-t-elle. Levez-vous et allez les aider ! »

Perry se tourna vers elle et la regarda placidement. « L'avion ne va pas s'écraser, dit-il. S'ils voulaient que ça arrive, ça serait déjà arrivé. » Il retourna à son magazine de surf au moment même où l'avion, fortement secoué, se mit à piquer vers le sol. La cabine retentit des cris des passagers terrifiés, au milieu desquels une voix chantait, faux et à pleins poumons :

When you're near me, darling
Can't you hear me?
S.O.S.
The love you gave me
Nothing else can save me
S.O.S... [1]

---

1. Il s'agit des paroles de la chanson *S.O.S.* du groupe ABBA. « Quand tu es près de moi, mon amour, tu ne m'entends pas ? S.O.S. L'amour que tu m'as donné, rien d'autre ne peut me sauver. S.O.S... *(N.d.T.)*

CANAL 25 : RETOUR SUR TERRE

PERRY DESCENDIT DE L'AVION SOUS LE REGARD RÉPROBATEUR de l'équipage et des passagers. Selon la rumeur, le pilote s'était miraculeusement remis de son repas à base de crevettes avariées juste à temps pour faire atterrir l'avion en pleine tempête, sauvant ainsi les vies dont Perry avait fait si peu de cas en refusant de lui venir en aide. Ce dernier s'était en outre endormi, alors même que le drame battait son plein, la bouche grande ouverte et un peu baveuse, comme pour narguer encore un peu plus les autres passagers.

Reposé et content de lui, Perry, toujours en chaussettes, fit la queue à la sortie de l'aéroport pour prendre un taxi, afin de se rendre dans la petite ville qu'il avait appelée son chez-lui pendant les dix-huit premières années de son existence. Depuis qu'il en était parti, il pouvait compter sur les doigts d'une main le nombre de fois où il y était retourné. En franchir les frontières avait été comme retirer une camisole de force – le fait est qu'il avait dû fuir cet endroit pour perdre sa virginité ; et y revenir lui donnait chaque fois l'impression de devoir la réendosser.

Mais aujourd'hui, c'était différent. Tout au long de la route, Perry prit même plaisir à voir défiler le paysage, dont les contours étaient magnifiés par l'éclat en Technicolor des teintes automnales. Le champ de maïs où il avait échangé son premier baiser avec la langue, le parc où il avait bu sa première bière, le terrain vague à côté du parc, où pour la première fois il avait été malade d'avoir bu trop de bière, le lycée où il avait désespérément tenté de s'intégrer avant de comprendre que ça serait impossible. Il n'était pas assez intelligent pour être un *geek*, trop parano pour être un junkie (une seule bouffée de marijuana lui donnait le pouvoir de lire dans les pensées des autres et, détail intéressant, les autres pensaient tous la même chose : « Perry Bunt est un loser ») ; en outre, son incapacité à faire ne serait-ce qu'une seule traction jusqu'au bout faisait qu'il était absolument hors de question qu'il rejoigne les sportifs.

Alors, Perry avait préféré créer un magazine littéraire. *Sorti du front de Zeus* servait essentiellement à publier, à compte d'auteur, ses propres nouvelles, qui allaient de l'autobiographie plutôt embarrassante à l'autoglorification assez inquiétante. Perry entretenait l'espoir qu'être un écrivain publié le rendrait instantanément populaire et digne d'avoir une petite amie, espoir qui s'évanouit lorsque les exemplaires du premier numéro alimentèrent de façon substantielle le tout nouveau programme de recyclage de son lycée. Lorsqu'il fut manifeste que *Sorti du front de Zeus* n'intéressait personne hormis ses parents – que la lecture de la revue troubla suffisamment pour qu'ils en envoient discrètement un exemplaire à son oncle psychiatre (un jour, sur la coiffeuse de sa mère, Perry tomba par hasard sur un article intitulé « Votre enfant est-il un serial killer ? »), il joua son va-tout pour gagner en popularité : il se porta volontaire pour devenir la mascotte de l'école.

À peine avait-il enfilé le costume de géant à grosse tête à l'occasion d'un match de football américain que Perry comprit immédiatement pourquoi le job avait été vacant jusque-là. Enfermé dans cette tête de dix kilos, s'efforçant désespérément de voir quelque chose et de respirer par les trous, grands comme des petites assiettes, ménagés pour les narines, il était censé galoper le long de la ligne de touche en agitant une grande épée en plastique. Du fait de la chaleur et du manque d'oxygène, sept minutes après le début du premier quart-temps, il vomit. Il se dirigea en titubant vers les vestiaires, périple rendu plus compliqué encore par son propre vomi qui ballottait en clapotant d'un bout à l'autre de la mâchoire du géant.

Depuis ce jour, il ne portait que très rarement un chapeau, et encore moins un masque.

C'était ce genre de souvenirs qui l'empêchait généralement de savourer son retour au foyer. Mais, aujourd'hui, il s'en amusait. Il s'agissait après tout des péripéties d'une comédie maintenant à l'affiche depuis bien longtemps. Et quand arrive le dernier épisode de sa série, que faire sinon s'en repasser les moments les plus mémorables ?

Son arrivée causa un véritable choc à ses parents, au-delà du fait qu'il n'avait pas de chaussures, qu'il était ivre et n'avait pas daigné les prévenir. Ils soupçonnèrent naturellement un terrible malheur d'être la raison de sa venue, et ils ne se trompaient pas. Mais Perry présenta sa visite comme une petite folie, une envie, sur un coup de tête, de venir prendre des nouvelles de sa famille. « La vie est trop courte pour perdre contact », fut-il ébahi de s'entendre dire.

Pas de surprise : sa mère se mit à pleurer et à l'étouffer de baisers humides, et son père lui sourit avant de disparaître dans le garage où le piquet d'une clôture réclamait son attention sur le tour à bois. Mais, encore une fois, rien de tout cela ne contraria Perry. Il se sentait étrangement libéré de tout jugement à l'encontre de ses parents. Pour la première fois de sa vie, il les voyait tels qu'ils étaient, sans prendre leurs bizarreries à titre personnel. En fait, il se surprit à plutôt apprécier l'émotivité toute théâtrale de sa mère et la distance quasi autistique de son père, comme si ses parents étaient les personnages d'une pièce de théâtre familière. Étant donné qu'il ne nourrissait plus le moindre espoir d'avoir avec eux une relation digne de ce nom, il échangea pour de bon de joyeuses banalités avec sa mère et se lança dans des conversations profondes avec son père.

Il acceptait tout car il n'y aurait jamais rien de mieux – les choses étaient telles qu'elles devaient être.

Les derniers jours de la Terre s'étiolèrent dans un heureux brouillard. Pendant que la « situation au Moyen-Orient » continuait d'échapper à tout contrôle – Dieu sait pourquoi, l'armée russe avait envahi le Pakistan –, Perry fit des nuits de dix heures et laissa sa mère l'engraisser avec une nourriture revigorante. Aucune mouche, ni bleue ni d'aucune sorte, ne voletait autour de lui et aucun étranger suspect ne lui demanda son aide. Il se promena seul au milieu des magnifiques orangers et lut un vieux volume d'Hérodote qu'il avait trouvé sur une étagère du salon. Debout dans la cuisine de ses parents, il coupa, avec un gros couteau, une Pink Lady venant d'une ferme voisine. *C'est peut-être la dernière chose que je vais manger*, pensa-t-il, en engloutissant de petites tranches acides. C'était comme s'il n'avait jamais rien goûté de pareil à cette ultime pomme. Chaque bouchée pouvait être la dernière ; chaque bouchée était donc la meilleure de sa vie.

C'était peut-être ça, le secret du bonheur, songea-t-il un matin, assis dans le jardin à regarder un corbeau qui croassait au-dessus de l'étendue brune où l'on venait de moissonner le maïs. Ah ! Si seulement il s'était dit plus souvent que la fin du monde était pour bientôt...

Un soir que Perry était allé se promener en ville, il s'arrêta pour prendre une bière dans un bar. C'est Darlene Brickton qui prit sa commande. Grande et blonde, Darlene était, au temps du lycée, la fille la plus sexy de sa promo et Perry trouva qu'elle n'avait pas beaucoup changé. Comme si la pom-pom girl du lycée avait été cryogénisée en barmaid – elle avait certainement perdu un peu de sa saveur d'antan, mais elle était toujours aussi ravissante.

Ils se lancèrent dans une conversation plutôt agréable, ce qui eût été parfaitement impossible si Perry n'avait pas su que le monde courait à sa fin. Même après tant d'années, il aurait été bien trop intimidé. Mais plus maintenant. Bien entendu, Darlene ne se souvenait pas de lui mais, comme la plupart des personnes très populaires, elle crut Perry sur parole quand il lui dit qu'ils se connaissaient. Elle lui raconta qu'elle s'était mariée deux fois – mais pas d'enfants, « Dieu merci » – et qu'elle était revenue en ville pour travailler dans ce bar avant de décider quelle serait la prochaine étape de sa vie. « C'est le genre de question qu'il n'y a plus à se poser », eut envie de lui expliquer Perry, mais il ne sut pas comment le lui dire sans passer pour un hippie, un fou ou un pauvre type.

Darlene lui parla de toutes ses amies du lycée qui étaient devenues comme leurs parents « sans même vouloir se battre ». Elle ne voulait pas que cela lui arrive.

«Tu sais quoi? dit Perry. Ça ne t'arrivera pas : je peux te le dire avec certitude.» Darlene lui sourit, touchée par tant de confiance. Bien sûr, il n'alla pas jusqu'à lui dire que personne n'aurait l'occasion de devenir autre chose que de la poussière interstellaire.

Lorsque Darlene lui eut apporté une deuxième bière, offerte par la maison «en souvenir du bon vieux temps», Mitch Thalmer fit son entrée dans le bar. Au lycée, Mitch était le quaterback des Titans et la terreur des élèves comme Perry, qu'il se faisait un point d'honneur de martyriser quand il n'était pas occupé à savourer les fruits de son immense popularité.

Perry ne put retenir un frisson en repensant à toutes les baffes qu'il avait reçues dans la figure au cours de cette reconstitution quotidienne de *Sa Majesté des Mouches* que l'on appelait «cours de gym», et qu'il connaissait maintenant comme la «pire émission de l'histoire de Channel Blue». Incontestablement, Mitch et lui avaient très bien joué leur rôle pour divertir le reste de la galaxie

Perry fut excessivement heureux de voir que Mitch était devenu gros et chauve, sans parler de son alcoolisme. L'ancienne star du lycée réclama grossièrement une bière à la barmaid et la siffla en tournant sa grosse figure suante vers la télé. Il exigea que l'on change de chaîne pour pouvoir regarder le sport et Darlene dut lui expliquer plusieurs fois que même les chaînes sportives ne parlaient que de la crise qui s'aggravait au Moyen-Orient.

«Et ça intéresse qui, ça? dit Mitch, très fort pour que tout le bar entende. J'espère qu'ils vont s'entretuer. Ça me fait ni chaud ni froid.

— C'est vrai, dit Perry, se surprenant à penser à voix haute. Aujourd'hui, tu n'es qu'une merde. Dans quelques jours, tu seras une merde morte. »

La tête de Mitch pivota vers la table de Perry et ses jambes d'ivrogne titubèrent dans sa direction, comme en pilotage automatique, tandis que, de part et d'autre de son corps, ses grosses mains se refermaient en deux poings gros comme des pigeons. Il arriva en se traînant et s'arrêta devant la chaise de Perry, en soufflant bruyamment par le nez. « Qu'es't'as dit, connard ? »

Perry se fit un plaisir de lui répéter ses paroles. Témoignant de réflexes d'une étonnante acuité pour un homme aussi alcoolisé et aussi gras, Mitch fit prendre de l'élan à l'un de ses imposants poings qu'il envoya directement dans la bouche de Perry. Pendant un moment, Perry ne broncha pas. À part sa lèvre supérieure qui se mit à saigner, rien ne changea sur son visage. Puis, très posément, il se leva et regarda droit dans les yeux Mitch qui le surplombait de toute sa hauteur.

Et il sourit.

Être au courant de l'imminence de la fin du monde vous donne visiblement un avantage décisif dans une rixe de bar. Avoir eu peur ou pas du premier coup porté, voilà de quoi toute la bagarre dépend. Et quand Perry, la lèvre ensanglantée, sourit à Mitch, le colosse avait déjà perdu la bataille sans même que son adversaire ait eu à le toucher. Ce fut encore Mitch qui porta le deuxième coup, mais il était tellement désarçonné par le comportement qu'avait eu Perry après son premier assaut qu'il se mit à tanguer furieusement et rata sa cible. Avant qu'il n'ait pu reprendre son équilibre, Perry le bouscula et Mitch s'écroula en se cognant la tête contre le pied d'un tabouret.

Difficile de savoir ce qui avait subsisté de l'ancien quaterbarck jusqu'au moment où il se retrouva sans connaissance sur le sol, étalé de tout son long comme un vaste continent sur un océan de linoléum vert foncé. Les clients durent contourner cette énorme masse pour aller commander un verre ou se rendre aux toilettes. La barmaid finit par le réveiller en lui jetant de l'eau froide à la figure. Perry aida le gros homme totalement hébété à se relever et le mit dans un taxi.

« Merci, lui dit Darlene. Ça fait des semaines qu'il vient là et qu'il me rend dingue. Ça va peut-être le faire réfléchir. » Perry se dit qu'il avait surtout réussi à le faire « fléchir » et cela le fit sourire. Darlene y vit une preuve supplémentaire qu'il était le type le plus cool du monde et elle lui proposa de la raccompagner jusqu'à sa voiture.

C'est ainsi que, quelques instants plus tard, Perry se retrouva sur le canapé de Darlene Brickton, à embrasser fougueusement l'ancienne pom-pom girl. Ses sentiments oscillaient entre un désir extrême et l'émerveillement de voir que l'objet de tant de fantasmes d'adolescent était maintenant littéralement (eh oui, *littéralement*) entre ses bras. Mais, lorsqu'il entreprit de glisser précautionneusement une main dans son chemisier, elle la retira.

« Alors... ça doit être chouette de vivre à L. A., dit-elle.

— Ce n'est pas si génial que ça », répondit Perry.

Il se pencha en avant pour poursuivre son exploration, mais elle se remit à parler, ce qui ne manqua pas de le déconcerter totalement.

« Quand tu étais là-bas, tu as entendu parler de ce type qu'on appelle "le Monpote" ? »

Perry crut n'avoir pas bien entendu.

« Le quoi ?

— "Le Monpote". Je crois que c'est un sans-abri qui prêchait dans un square de Los Angeles et a qui créé une nouvelle religion. Il raconte que la Terre est observée par les extraterrestres qui en ont marre de nous, parce que nous sommes trop égoïstes et trop violents. Il faut que nous devenions de meilleures personnes, ou bien ils vont détruire la planète. Il paraît que toute cette histoire au Moyen-Orient, c'est à cause de ça. »

Perry la regarda, totalement figé ; il n'en croyait pas ses oreilles. Darlene s'imagina qu'il doutait d'elle.

« Je sais, dit-elle, ça a l'air complètement dingue. Mais depuis que j'en ai entendu parler à la radio, je n'arrête pas d'y penser.

— Hmm, dit Perry. C'est vrai que c'est bizarre. »

Il l'embrassa sur la bouche, mais elle avait maintenant l'air de penser à complètement autre chose. *Génial*, songea-t-il. On peut dire qu'il avait réussi à casser lui-même son coup.

« Voici sa photo. » Darlene sortit une feuille de papier de la poche de son jean et la tendit à Perry, qui la déplia. C'était la sortie papier d'une photo prise par un téléphone, de loin, au square de Saint-Jude. Le visage de Perry avait explosé en un méli-mélo de pixels, que quelqu'un avait entrepris de photoshoper pour qu'il ressemble un peu plus à un être humain. Au cours du processus, les cheveux clairsemés de Perry s'étaient transformés en une abondante crinière, et ses joues mal rasées arboraient maintenant une barbe fournie. Sur la photo, Perry ressemblait surtout à un jeune Père Noël, un jeune Père Noël mentalement dérangé.

Perry replia la feuille. « Qu'est-ce qui est arrivé à Monpote ?

— Il faut dire "le Monpote", répondit Darlene. Ça doit être une marque de respect. »

Voilà que Perry était une nouvelle fois rattrapé par le mouvement religieux qu'il avait lui-même créé par inadvertance. «D'accord, dit-il. Qu'est-ce qui est arrivé au Monpote?

— Il a prêché pendant deux jours, puis la police est arrivée et l'a emmené. Lorsque ses disciples sont venus pour le faire sortir de prison, il avait disparu. On dit que les extraterrestres n'ont pas apprécié qu'il dévoile leurs agissements aux Terriens, alors ils l'ont enlevé.

— Tu crois vraiment à tout ça?»

Darlene haussa les épaules. «Je sais pas trop. J'ai lu des trucs sur le monpotisme sur Internet et, quelque part, ça a vraiment du sens. Enfin... Je ne sais pas vraiment si je crois aux extraterrestres et à tout ça mais, quand j'imagine ce que ça doit faire de regarder tout ce qu'on fait depuis l'espace, il y a vraiment de quoi vous donner envie de devenir quelqu'un de meilleur.

— Tu sais ce que je pense? lui demanda Perry, en mettant sa photo de côté.

— Quoi?

— Je pense que si le Monpote était là, il voudrait que nous nous aimions et prenions soin l'un de l'autre, ici et maintenant.»

Darlene lui adressa un sourire. «Tu dois avoir raison.

— Il s'agit de vivre le moment présent, dit Perry en l'embrassant.

— Oui, répliqua Darlene, en l'embrassant en retour, pleinement investie. Pourquoi ne pas passer plus de temps à nous aimer les uns les autres...

— C'est parfaitement sensé», dit Perry en reprenant son souffle. La main droite de Darlene venait d'atteindre son entrejambe. «J'aime le Monpote!» laissa-t-il échapper.

Le lendemain matin, en se réveillant dans un lit qui n'était pas le sien, à côté de la fille la plus sexy du lycée, Perry crut, l'espace d'un instant, que la fin du monde avait bien eu lieu et qu'il était au paradis. Puis il se rappela tout ce qui s'était passé la nuit précédente, et cela l'emplit d'un tel bonheur qu'il n'arriva pas à se rendormir. Il était également ravi d'avoir inventé une nouvelle religion, d'autant plus qu'il s'agissait apparemment d'une religion qui encourageait les belles femmes à coucher avec les hommes pas vraiment séduisants. Ça, c'était une chose en laquelle il était parfaitement disposé à croire. Prenant soin de ne pas réveiller Darlene, il s'habilla et quitta furtivement la maison de sa conquête.

Il faisait assez chaud, ce matin-là, et il rentra chez lui tranquillement, sans se presser, réfléchissant à la manière dont sa chance avait tourné depuis que la Terre avait amorcé son agonie. Perry était enfin devenu le type cool et satisfait dont il avait toujours soupçonné l'existence au fond de lui, tout simplement en se fichant de tout. C'était aussi simple que ça.

Lorsque, aux alentours de midi, il franchit la porte d'entrée de chez ses parents, sa mère le serra fort dans ses bras et Perry oublia l'intense sentiment de culpabilité qu'il avait d'avoir découché. «Une fille est venue, elle voulait te parler, lui dit sa mère. Je n'ai même pas pu lui dire quand tu serais de retour.»

Perry fronça les sourcils. «Elle est passée quand?

— Il y a quelques minutes. Elle m'a dit que c'était important, alors je lui ai dit qu'elle pouvait attendre ici. Elle est dans le jardin.»

Perry soupira. Peut-être avait-il agi de façon trop cavalière, en quittant Darlene sans même lui laisser un mot. Comment aurait-elle pu savoir que plus rien n'avait d'importance? Il allait devoir s'excuser. Il gagna la porte de derrière et la vit, debout, au fond du jardin, en train de contempler les champs de maïs rasés, de l'autre côté de la route. Mais en s'approchant, il se rendit à l'évidence : ce n'était pas Darlene.

Amanda était là, dans le jardin de ses parents.

Perry arriva à sa hauteur. Ils restèrent un moment, debout, sans rien dire, à regarder le maïs mort. « Il faut croire que la fin du monde sera bien l'*unique* moyen de me débarrasser de vous », lui dit-il sur un ton qui n'avait rien d'inamical.

Amanda lui sourit. « Vous vous êtes bien amusé cette nuit ? »

Il sentit qu'il rougissait. Dans son exultation pré-apocalyptique, il avait oublié que les caméras étaient toujours capables de le débusquer. « Écoutez, répondit-il, elle et moi, on se connaît depuis le lycée et...

— Économisez votre salive, l'interrompit Amanda. Je ne suis pas venue ici pour ça. »

Ce manque manifeste de jalousie le démoralisa un peu. Ce qui de surcroît le contraria, ce fut de se rendre compte à quel point il était heureux de la voir. « Je suis vraiment désolé de m'être mis en colère et d'être parti comme ça l'autre jour, lui dit-il. Je sais que vous n'êtes pas aussi méchante que les autres, mais c'est vous qui étiez là, alors vous avez tout pris.

— Ce n'est pas non plus pour ça que je suis là. Je suis venue parce qu'il faut relancer l'émission. »

C'est ainsi que, d'un seul coup, toute la satisfaction tranquille que Perry avait réussi à engranger depuis son retour chez lui, se mua en agacement et en inquiétude. Il prit une profonde inspiration, essayant de retrouver l'équilibre qu'il était parvenu à atteindre. « On a déjà eu cette conversation. Ça ne sert à rien.

— Maintenant, si. C'est nous qui faisons l'émission. »

Perry fit deux pas en arrière. « C'est non. Je ne sais pas où est votre ascenseur de verre, mais, je vous en prie, remontez dedans et expliquez à Elvis, Marty et tous les autres que ça n'arrivera pas !

— Je ne travaille plus pour eux, dit Amanda. J'ai quitté la chaîne. »

Perry prit un air suspicieux. « Ça n'a aucun sens. Vous adorez votre boulot. »

Elle sortit un morceau de papier de sa poche et le tendit à Perry. « J'ai dû venir ici en *avion*. Un avion rempli de Terricules. Puis le bus. Pourquoi me serais-je infligé une chose pareille si je travaillais encore pour la chaîne ? »

Perry examina la carte d'embarquement. « Qu'est-ce qui s'est passé ? » lui demanda-t-il.

Amanda ne répondit pas. Elle regarda les champs nus qui s'étendaient en une longue plaine brune jusqu'à l'horizon. « Au fait, où sommes-nous ? Cet endroit est déprimant.

— Ça s'appelle le Midwest. Vous avez dû en entendre parler, à propos de concours de tartes ou d'accidents de moissonneuses-batteuses. Vous ne devriez vraiment pas être là. Vous n'avez rien à faire ici. Les stylos ont fait leur boulot. La guerre au Moyen-Orient a commencé. Même si personne ne veut appeler ça comme ça. Vous devriez être loin, très loin d'ici, en route vers votre merveilleuse planète. »

Amanda planta son regard dans celui de Perry. « Je ne peux plus vivre là-bas, dit-elle. Et puisque je ne peux plus vivre dans le monde d'où je viens, nous devons arranger celui-ci. »

CANAL 26 : BLOQUÉE SUR TERRE

IL SE TROUVE QUE, PENDANT QUE PERRY ÉTAIT OCCUPÉ À devenir le golden boy de l'apocalypse, le sort d'Amanda avait emprunté une direction opposée. À son retour à Galaxy Entertainment, tout le monde voulait savoir ce qui s'était passé sous l'autoroute pour mettre Perry dans une telle colère. Personne ne se souciait de ce qui lui était arrivé à elle ; la seule chose qui importait, c'était de faire revenir le Terricule dans l'émission. *Qu'est-ce que vous avez fait là-dessous ?* ne cessa-t-on de lui demander.

Bien entendu, répondre que Perry et elle s'étaient accouplés sur le plancher d'un van de la société était hors de question pour de multiples raisons, la principale étant qu'elle-même ne savait pas vraiment pourquoi elle avait agi ainsi. À quoi pensait-elle ? Avait-elle complètement perdu la tête ? Manifestement, oui. Mais, à présent, elle était à nouveau saine d'esprit et, n'eût été son corps tellement moite qu'il en était tout irrité, elle aurait parfaitement pu se convaincre que rien de tout cela n'était arrivé.

Presque s'en convaincre.

Quoi qu'il en soit, ce retour à l'animalité lui avait confirmé tout ce que cet acte pouvait avoir de sordide et de dégénéré ; il lui avait donné la certitude que rien de tel ne se reproduirait jamais. Elle se dit : *Maintenant je sais pourquoi nous sommes le produit de quelque chose de supérieur à la fornication.* Mais à peine se l'était-elle dit qu'elle se surprit à revivre entièrement dans sa tête cet acte inconvenant ; comme si elle avait *aimé* ça.

Mais il n'en était rien, n'est-ce pas ?

Voilà à quoi étaient occupées ses pensées pendant que Marty Finch et les autres producteurs l'interrogeaient comme la première criminelle venue. *Pourquoi vous êtes-vous garés ? Tu sais que nous avons des délais de production très serrés. Que lui as-tu raconté ?*

Sans rien mentionner de ce qui s'était passé, Amanda leur raconta qu'avant son exfiltration forcée de la station-service Nick Pythagore avait réussi à glisser sa plaque d'Orby dans la poche de Perry, que celui-ci l'avait découverte, avait compris tout ce que cela signifiait et, de ce fait, il avait quitté l'émission.

« Alors, qu'est-ce que tu fais là ? » lui demanda Marty. Vermy et lui la regardaient comme si elle était un fantôme. « Tu aurais dû lui courir après.

— Il nous hait ! » hurla-t-elle, prenant Marty au dépourvu. Il n'avait absolument pas l'habitude qu'on lui crie dessus. Ne jamais élever la voix était une des caractéristiques propres aux Édenites, sauf s'il y avait le feu dans la pièce à côté ou si une avalanche leur tombait dessus. Ils savaient que, dans la plupart des cas, crier entravait la communication. Tous ceux qui étaient présents dans la salle de conférences regardèrent Amanda, stupéfaits. « Il nous hait et ne veut plus rien avoir à faire avec nous ; et je ne peux pas le lui reprocher. »

Amanda se sentit rougir. C'était la deuxième fois, cette semaine. *Qu'est-ce qui m'arrive, bon sang?* Voilà qu'elle se comportait de la même façon que la pire des gamines terricules, celles qui sont constamment submergées par leurs émotions, comme par de véritables tsunamis.

«Eh bien, Amanda, dit lentement Marty Finch, comme s'il s'adressait à une folle, il faut que tu lui parles, que tu le convainques d'arrêter de se comporter comme un gamin. Quelle importance, que la Terre soit un parc d'attractions, un zoo ou une ferme à lapins? S'il ne coopère pas, ça ne sera bientôt plus *rien du tout*. Enfin, quoi, il est en train de mettre *toute la production* en péril!

— Parle-lui, toi. Moi, c'est terminé.»

Elle se leva et gagna la porte.

«Reviens ici ou tu es virée de la chaîne, dit Marty.

— Très bien, répondit-elle. Alors, fais tout péter pour que nous puissions tous rentrer à la maison.»

Elle se précipita dans son bureau et en désactiva tous les détecteurs; elle était en train d'essayer de remettre de l'ordre dans ses idées, lorsque Dennis fit irruption dans la pièce.

«Il faut que tu voies ça, dit-il.

— Ça ne m'intéresse pas.

— Oh, que si.»

Il alluma l'écran principal sur son mur et le visage de Perry Bunt apparut devant eux. «Amanda et moi avons forniqué. Je vous l'ai déjà dit, non? disait-il. Et c'était merveilleux.»

Amanda se cacha la tête dans les mains. Elle savait très bien que personne dans la galaxie ne croirait Perry, qu'on attribuerait ses élucubrations hystériques à l'amertume d'un Terricule confronté à la perspective d'une destruction imminente de sa planète. Mais ce n'était qu'une faible consolation.

Dennis tentait tant bien que mal de contenir sa jubilation. « Tu devrais voir dans quel état est Marty. Il *crève* d'envie de diffuser ça. » Mais c'était impossible, et Amanda le savait. Cette séquence sonnerait définitivement le glas de *Bunt à la rescousse* et Marty avait toujours l'espoir – espoir totalement vain, elle en était persuadée – de le ramener à l'antenne pour quelques épisodes très rentables avant que l'on en finisse avec la Terre.

Bien évidemment, les images finiraient tout de même par parvenir à Éden ; il y avait en effet, parallèlement aux chaînes officielles, plusieurs milliers de réseaux pirates dont la raison d'être était la diffusion, des quatre coins de la galaxie, des séquences que l'on avait choisi de couper. D'ici peu, la diatribe de Perry allait passer sur l'une d'entre elles, agrémentée d'un bandeau où serait inscrit quelque chose comme : UN PF BIEN AMER PRÉTEND AVOIR COUCHÉ AVEC UNE PRODUCTRICE, et tous les gens qu'elle connaissait la verraient. Étant donné la popularité de *Bunt à la rescousse*, elle ne serait pas surprise que cela devienne en outre la chute pour bêtisier la plus regardée pendant quelques secondes, voire quelques minutes.

Après que Perry eut insulté Marty et Elvis et que sa séquence eut été coupée, Dennis se tourna vers elle. « Tout le monde dit que ça n'a pas pu arriver, dit-il.

— De quoi ?

— Que tu aies couché avec le Terricule. »

Amanda s'enfonça dans son fauteuil et se couvrit à nouveau le visage de ses mains. « Qu'est-ce que tu veux, Dennis ?

— Aussi dingue que ça en ait l'air, je veux simplement te poser la question. J'avais l'impression qu'il y avait un petit truc entre vous, l'autre soir. Et, malgré toute sa terriculité, Perry Bunt n'a pas l'air d'être le genre de type à inventer une chose pareille.» Il se pencha vers elle. «As-tu couché avec un Terricule?».

Amanda avait toujours le visage dissimulé derrière ses mains.

«Fous-moi la paix, c'est tout.

— J'ai entendu dire que ça sent vraiment très mauvais. Ça sentait vraiment très mauvais?

— Barre-toi!» Amanda se leva et poussa Dennis dans le couloir. «Va bouffer ton pop-corn; tant que c'est encore possible.»

Cette fois-ci, elle ferma la porte à clé. Elle s'assit à son bureau et ressentit quelque chose qu'elle ne se rappelait pas avoir déjà ressenti auparavant, et c'était un sentiment qu'elle n'aimait pas du tout. Ça s'appelait la honte. L'unique raison pour laquelle elle connaissait ce mot était qu'elle l'employait lorsqu'elle rédigeait les résumés de certains épisodes de ses émissions pour Channel Blue. Et voilà qu'aujourd'hui, elle la ressentait à son tour, comme tant de répugnants attributs propres aux Terricules. Et il y avait autre chose, qui était en train de la submerger avec une telle force qu'elle n'arrivait pas à s'en débarrasser. Elle éprouvait aussi de la haine pour la Terre et surtout à l'encontre de Perry Bunt, un mépris mauvais, intense, qui lui brûlait l'estomac comme de la nourriture avariée.

Elle posa le front sur son bureau, dont la surface s'anima soudain pour prendre les traits si fins de son petit ami Jared. Elle avait oublié d'éteindre son téléphone.

«Salut, dit Jared, la voix chargée d'inquiétude. Ça va?»

Amanda aurait préféré qu'il lui hurle dessus mais, bien entendu, il ne ferait jamais une chose pareille. L'année de la naissance de Jared, l'empathie était une des caractéristiques les plus à la mode pour les garçons.

«Oui», répondit-elle, en lui faisant un signe de la tête. Elle avait peur de poser la question, mais savait qu'elle devait le faire. «C'est la plus regardée?»

Jared acquiesça. «Ça fait quasiment trente secondes, maintenant.» Il frissonna. «Je ne peux pas croire ce Terricule. Je savais qu'ils n'étaient pas du tout évolués. Mais de là à raconter des choses pareilles. Beurk.»

Amanda essaya de dissimuler son agacement et de dire quelque chose de vrai. «Je serais vraiment heureuse de ne plus jamais en revoir un, dit-elle.

— Eh bien, ça ne sera pas nécessaire. Tu peux partir directement pour la Lune et laisser tomber ce tas de boue.»

Il y eut un silence; Amanda se sentit ballottée par différentes vagues d'émotions désagréables : de l'écœurement à l'égard de Perry Bunt, du dégoût vis-à-vis d'elle-même et une profonde aversion à l'égard de Jared, ce si raisonnable Jared.

«Je l'ai fait, finit-elle par dire.

— Quoi?

— J'ai couché avec lui.»

Après un silence, Jared éclata de rire. «Oh! nom d'Adam!» dit-il.

Amanda se retrouva à faire un sourire forcé, pour accompagner sa blague qui n'en était pas une. *Pourquoi fais-je semblant?* pensa-t-elle. Jared n'avait pas besoin qu'elle fasse semblant. Elle pouvait tout à fait lui dire qu'elle avait bel et bien couché avec un Terricule; d'une façon ou d'une autre, il le comprendrait parfaitement. Mais c'était le moment ou jamais, décida-t-elle. Elle ne voulait plus qu'il comprenne quoi que ce soit la concernant.

«Tu m'as bien eu, dit Jared, en essuyant des larmes de rire. Travailler sur Terre ne t'a pas fait perdre ton redoutable sens de l'humour.

— Non.

— Bon. J'ai une bonne nouvelle.» Jared consulta attentivement un écran. «Tu es déjà en baisse. Maintenant c'est la troisième séquence la plus regardée. Attends. Ça continue à baisser. Quarante-deuxième!» Il afficha un sourire plein de soulagement. «C'est grâce à une chasse aux mutants sur Monde de Dingues 26.»

Amanda eut un tout petit sourire. «Dieu merci! Il y a la chasse aux mutants!

— Ils savent y faire pour raccourcir les cycles, ça, c'est sûr.» Les yeux de Jared demeuraient fixés sur son écran. «Ça baisse encore. Quatre-vingt-huitième! Regarde. Dans trente secondes, une mère qui va accoucher de son dix-septième enfant va complètement faire disparaître la séquence.» Jared la regarda à nouveau, ses yeux bleus et brillants ayant chacun la taille d'une soucoupe sur la surface du bureau. «Maintenant, fais-moi plaisir. Et là, je suis très sérieux, Manda. Pars d'ici. Va sur la Lune, prépare ton départ et reviens ici. Je te veux près de moi.» Il sourit. «Et puis, si tu as réellement envie d'expérimenter le sexe, je crois que je suis tout à fait disposé à essayer. À la terricule. Mais pas de baisers – il y a quand même des limites!»

Amanda se força à rire et se détesta de le faire. Elle expliqua à Jared qu'elle se préparait à rentrer et raccrocha.

Dès qu'elle fut arrivée sur La lune, elle se sentit prodigieusement soulagée. Tandis qu'elle regagnait son appartement à travers les couloirs, personne ne la regardait. Jared avait peut-être raison : son cycle était terminé et tout cet incident diablement humiliant était bel et bien derrière elle.

Elle passa le reste de la semaine à préparer ses affaires et à boucler ses émissions. Elle produisit le dernier épisode de plusieurs séries, dont un finale particulièrement élaboré concernant Steve Santiago. Lors d'un de ses voyages au Mexique pour acheter des médicaments sur ordonnance à bas prix et les revendre ensuite à des malades du cancer, le représentant en Jacuzzi était kidnappé par des trafiquants de drogue puis violemment sodomisé dans le sous-sol d'un bar de Tijuana avant de trouver la mort au cours d'un duel au couteau. Au moment où la vie refluait de son corps, Jésus-Christ (Jeff) apparaissait devant lui et lui disait : « Je t'avais prévenu. »

L'audience fut meilleure que d'habitude, sans être exceptionnelle.

La façon dont s'achevèrent les autres émissions d'Amanda ne fut guère plus joyeuse. Concernant la Terre, il n'y eut que des fins plus tristes les unes que les autres. Amanda ne protesta pas et ne posa pas de questions. Elle produisit, c'est tout. *Personne ne peut plus rien faire, maintenant*, se disait-elle. Pour la première fois, elle se résigna à la suppression de Channel Blue, et elle dut admettre que, pour elle, c'était un soulagement.

Le jour où il était prévu qu'elle prenne un vaisseau pour rentrer chez elle, elle se leva de bonne heure afin de s'occuper des dernières formalités. Au pôle des départs, le réceptionniste enregistra son dossier de transfert et la conduisit dans la salle d'examen. Là, elle s'assit dans un fauteuil pivotant pendant que deux médirobots de classe 3 sortaient du mur en pivotant et la scannaient. Une fois qu'ils se furent complètement rétractés, elle se leva et se dirigea vers la sortie. Mais la porte ne s'ouvrit pas. Au lieu de ça, une voix très douce se fit entendre : « Le Dr Roberts doit poursuivre votre examen. »

Une autre porte s'ouvrit, qu'Amanda franchit pour pénétrer dans un bureau où un médirobot de niveau 5, donc doté de sensations, était assis derrière une table. Comme tous les médirobots, il s'appelait Dr Roberts, du nom du créateur du logiciel originel, et était configuré de manière à avoir l'apparence d'un vieux mâle à l'aspect paternel avec blouse blanche et cheveux blancs. Le bureau derrière lequel était assis le Dr Roberts était couvert d'objets familiers : presse-papiers souvenirs, appâts de pêche – des accessoires destinés à rassurer le patient. Les médirobots avaient toujours été, parmi les robots assistants, ceux dont l'apparence se rapprochait le plus de l'être humain. On disait que c'était parce qu'au début les Édenites n'étaient pas trop disposés à aller les voir pour leur confier leur problèmes de santé. C'était une chose que de dépendre d'un robot pour garder sa maison, réparer sa voiture ou sortir ses poubelles, c'en était une autre d'engager une conversation avec l'un d'entre eux à propos de ses hémorroïdes.

« Bonjour, Amanda, dit le Dr Roberts, tout sourire. Ou je devrais dire plutôt : félicitations ! »

Amanda se figea. « Pourquoi donc ? »

Le Dr Roberts eut un petit rire chaleureux, ce que les docteurs étaient programmés à faire lorsqu'ils ne comprenaient pas une question de leur patient. « Nous avons besoin de mettre à jour nos dossiers médicaux, dit-il. Qui était votre programmateur génétique ? »

Décontenancée, Amanda fronça les sourcils. « Je ne me souviens plus de son nom mais mon dossier est dans la médibase depuis ma conception.

— Je ne parle pas du vôtre, Amanda, dit le Dr Roberts tranquillement. Je parle de celui de votre enfant. »

Amanda regarda le médirobot d'un air ahuri, ce qui entraîna la machine à lui donner des informations supplémentaires. « Il semblerait qu'un ovule fécondé ait été implanté dans votre utérus, mais nous n'en avons aucune trace. »

Amanda remua la tête. « C'est impossible. »

Un écran s'alluma derrière le Dr Roberts, sur lequel on voyait ce qui ressemblait à une balle de golf rose et grumeleuse flottant dans l'eau. « Voici votre blastocyste, dit joyeusement le docteur. De nos jours, comme vous le savez, et même si les femmes ont encore la possibilité de choisir cette méthode de gestation, la fécondation *in utero* peut comporter de nombreux risques. Afin de contrôler au mieux le développement du bébé, nous devons savoir où vous avez procédé à l'implantation. »

À l'arrière d'un van, pensa Amanda. Comment était-ce arrivé ? Aucune femme n'avait jamais été enceinte. Il faut dire aussi que les Édenites n'avaient depuis très longtemps plus de relations sexuelles, mais une chose était sûre, aucune femme n'avait jamais été enceinte.

La panique qui lui serrait la gorge lui embrouillait les idées ; ses pensées défilaient en masses désordonnées et non en rangs bien réguliers, comme d'habitude. Elle regarda la balle de golf rose et grumeleuse sur l'écran et sentit son cœur palpiter d'une manière étrange, qui lui était parfaitement inconnue. Ça ressemblait manifestement à un Produit de Fornication. Les médirobots étaient-ils déjà en mesure de détecter le caractère génétiquement aléatoire des cellules en train de se diviser à toute vitesse dans son utérus ? *Non*, décida-t-elle, *ils ne sont probablement même pas programmés pour le prendre en considération.* Ce serait comme s'ils avaient été programmés à identifier une maladie éradiquée mille ans plus tôt.

Les médirobots étaient conçus pour stimuler un patient qui demeurait silencieux pendant plus de vingt secondes. « Il vous sera sans doute utile de savoir que, d'après nos calculs, cela s'est produit il y a une semaine. »

— Bien sûr, répondit Amanda. Comment ai-je pu oublier ? Je suis partie en week-end sur Antarès, pour le faire. Nous en avions parlé avec mon compagnon, et je me suis dit que, puisque Channel Blue allait être supprimée, eh bien, j'aurais le temps pour une gestation. »

Le Dr Roberts était tout sourire. « Eh bien, je suis sûr que ce sera un petit garçon parfaitement programmé.

— Un garçon ? » dit Amanda, incapable de dissimuler son émotion.

Jusqu'à cet instant, elle n'avait pas considéré le blastocyste comme une personne.

« Oui. » Le docteur fronça les sourcils. « C'est bien ce que vous aviez demandé, n'est-ce pas ?

— Absolument, répondit Amanda, reprenant ses esprits. J'ai toujours voulu... un garçon.

— Alors, félicitations ! Qui a donc procédé à votre programmation génétique ? »

Amanda se leva. « Je suis désolée ; mais il faut que j'y aille. J'enverrai mon dossier à la médibase. Merci de me l'avoir rappelé. »

Elle quitta en trombe le pôle des départs et c'est presque en courant qu'elle regagna son appartement. Elle désactiva écrans et détecteurs, et fit quelques exercices de respiration afin de ralentir les battements de son cœur. Elle réfléchit à sa situation avant de remplir un sac et de prendre un ascenseur pour retourner à Los Angeles.

« C'était une sensation tellement étrange », expliqua-t-elle à Perry. Ils étaient toujours dans le jardin de ses parents. Il la regardait, complètement abasourdi depuis quelques minutes, un état dont il avait du mal à sortir. « En l'espace de quelques minutes, on a balayé sous mes pieds mes croyances les plus fondamentales.» Elle ne pouvait concevoir que l'être qui était en train de grandir en elle avait, d'une certaine manière, moins de valeur que le premier Édenite venu. Par conséquent, elle ne pouvait plus prétendre être supérieure aux Produits de Fornication. Tout cela l'avait amenée à prendre conscience que la rationalité tant vantée de son peuple n'était qu'une imposture et que le trauma du Grand Abêtissement avait brisé la boussole morale de sa civilisation : l'idée que presque tout pouvait se justifier au nom du divertissement n'appelait que le mépris. Elle avait conduit les plus grands esprits et les technologies les plus avancées de l'univers connu à alimenter un business sinistre qui avait pour conséquence la torture et la mort en série d'autres êtres humains. Et oui, elle, Amanda, y avait participé. Alors qu'elle gagnait la Terre dans son ascenseur, à mesure qu'elle s'en approchait, elle sentait une honte profonde monter en elle.

Les portes de l'ascenseur s'ouvrirent. Amanda franchit à pas rapides le hall d'entrée, avec l'espoir de ne croiser aucune connaissance, et cela essentiellement parce qu'elle tenait à ne regarder personne dans les yeux. Elle avait le sentiment que, si elle le faisait, on devinerait aussitôt les terribles pensées qui la taraudaient. Une fois arrivée devant la première salle de projection libre, elle s'y faufila. Elle savait qu'on avait abandonné *Bunt à la rescousse* mais que des caméras continuaient à suivre Perry, simplement au cas où il déciderait de reprendre ses actes de bravoure ou de faire quelque chose de rigolo. Une fois qu'elle l'eut localisé, elle attrapa son sac et se glissa dans le hall, en marchant aussi vite que possible, sans toutefois avoir l'air de se précipiter. Elle était pratiquement arrivée à la double porte en verre quand Dennis la héla : «Amanda! Qu'est-ce que tu fais là ?» Elle s'arrêta et fit de son mieux pour avoir l'air le plus calme possible. Dennis s'approcha d'elle, en mâchant bruyamment du pop-corn. « Je croyais que tu rentrais chez toi.

— C'est le cas, mentit-elle. Jared m'a juste demandé de lui rapporter du pop-corn. »

Dennis sourit et s'approcha encore pour lui dire sur le ton de la confidence : « J'en ai déjà envoyé trois containers à la maison. J'en aurais volontiers envoyé plus mais j'ai déjà du mal à trouver de la place pour mes propres affaires. » Il se mit à discourir non-chalamment sur ses problèmes de bagages et sur combien c'était génial, même si la Terre allait être supprimée, de rentrer bientôt à la maison, avant qu'Amanda ne s'excuse, en expliquant qu'elle devait être de retour sur la Lune d'ici quelques minutes. Elle franchit la porte. Elle descendit Ventura Boulevard jusqu'à ce qu'elle trouve un taxi qui l'emmena à l'aéroport.

« Je n'avais pas d'autre choix, expliqua Amanda à Perry. Je ne peux pas avoir ce bébé sur Éden. » Elle prit une grande inspiration. « C'est pourquoi vous devez aller voir le président des États-Unis et lui expliquer comment sauver le monde. »

CANAL 27 : PERRY BUNT II : LE RETOUR

L E PLAN D'AMANDA ÉTAIT ABSOLUMENT BRILLANT, une sorte de testament de ses prodigieuses qualités de productrice, une véritable leçon de planning effectif, la parfaite démonstration de son talent à appréhender le macro comme le micro et tout ce qui se situe entre les deux.

Par ailleurs, il était absurde et n'avait pas la moindre chance de réussir.

Il impliquait une grosse somme en liquide (fournie par le magasin des accessoires de Channel Blue, où elle avait fait une razzia avant de partir), les tenues de rêve de la réception de Del Waddle (qui étaient, Dieu merci, passées par le pressing), une séance photo avec le président des États-Unis et un projet écrit pour sauver le monde, lequel n'avait pas encore été rédigé.

Mais, durant tout le temps qu'elle consacra à le lui expliquer, Perry n'écouta pas vraiment. Il ne pensait que deux choses : *Je vais être papa!* et *Il est impossible que je sois papa!* Ces deux idées ne cessaient de clignoter dans son cerveau, à l'image des deux filaments d'un stroboscope ou des deux notes d'une symphonie de Philip Glass. Puis une autre pensée, nettement plus sombre, fit irruption dans son esprit : *comment peut-elle me faire ça* ? Il était en train de profiter pleinement ici de ses derniers jours d'insouciance avant l'apocalypse – il avait enfin réussi à ne plus penser à elle, à trouver une sorte de bonheur, du moins ce que lui, Perry Bunt, pouvait espérer de plus proche d'une sensation brigadoonesque – et la voilà qui déboulait, faisait un retour en force dans son existence avec, cerise sur le gâteau, un embryon dans son utérus !

Perry avait l'habitude d'être très prudent en matière de contrôle des naissances, même si, récemment, il n'avait pas eu beaucoup d'occasions d'exercer cette prudence. À une époque lointaine, et sexuellement plus active, il s'enorgueillissait de conserver toute une provision de préservatifs dans sa chambre, sa voiture ainsi que dans le boîtier à filtres de son Jacuzzi. Se considérant comme un homme de son temps, il n'avait jamais été de ceux qui rejettent sur leur partenaire la responsabilité de veiller à des relations sexuelles sans conséquences. Mais il n'avait pas pensé à évoquer la question sur le plancher du van – il y avait alors d'autres choses qui lui paraissaient nettement plus importantes – et, bien sûr, il en payait aujourd'hui le prix.

Il entendit dans sa tête la voix du récitant d'un film d'éducation sexuelle pour lycéens : « Même quand votre partenaire vient de l'espace, il est *obligatoire* de parler contraception. »

« Je ne comprends pas », dit Perry. Amanda en était à la phase de son plan où ils arrivaient à la Maison-Blanche pour une séance photo avec le président. Elle lui montra le carton d'invitation mais il était bien trop préoccupé par autre chose pour y jeter un œil. « Vous ne vous battez pas, vous ne chiez pas, vous ne baisez pas mais vous pouvez toujours vous faire engrosser ? Comment c'est possible ?

— La conception *in utero* est techniquement impossible, répondit Amanda. Elle est supposée ne pas faire partie de notre patrimoine génétique. Il doit donc exister un gène récessif que personne ne connaît. Et, bien évidemment, ça n'a jamais constitué un problème, puisque ça n'a jamais été expérimenté.

— Moi, j'aurais tendance à dire que c'est un problème. C'est indubitablement un problème.

— Je ne pouvais pas imaginer que quelque chose comme ça pourrait arriver.

— Fantastique. Comme si je n'avais pas assez de choses auxquelles penser en ce moment. »

Amanda haussa les sourcils. « On ne peut pas dire que vous ayez l'air de penser à beaucoup de choses, ces derniers jours. Vous vivez chez vos parents, vous buvez de la bière et couchez avec une serveuse. »

Elle avait raison, bien sûr, mais ça ne fit qu'irriter davantage Perry. « Ça, c'est mes affaires, OK ? dit-il en haussant la voix. Ce n'est pas moi qui vais faire sauter la planète. »

Amanda le regarda droit dans les yeux. « Je sais que vous me haïssez, que vous haïssez Éden ainsi que tout ce que nous avons fait ici, et je ne vous en veux pas. Mais ne vous en prenez pas au bébé.

— Au bébé ? » Perry s'étrangla de rire ; il n'en croyait pas ses oreilles. « C'est pas possible ! Je rêve, ou quoi ? Chez vous, on baise une fois et votre cerveau cesse de fonctionner ? Vous venez d'une civilisation où on ne se reproduit qu'en laboratoire et soudain vous avez un *bébé* ? Un agglutinement de cellules

341

gros comme une tête d'épingle! Vous préférez rester sur une planète à l'agonie, avec une bande de losers, à cause d'une tête d'épingle?

— Il faut croire. Même si je pense que je ne décrirais pas la situation en ces termes.»

Perry remua la tête. «Bébé ou pas, vous devez vous tirer d'ici.»

Amanda prit une grande inspiration. «Vous et les vôtres, vous devriez comprendre ça. Les Produits de Fornication n'ont aucun avenir dans le monde qui est le mien. Je ne peux pas prendre la responsabilité de faire vivre ça à un bébé.

— *Personne ne vous oblige à avoir un bébé.* Vous avez d'autres choix.»

À peine ces mots furent-ils sortis de sa bouche que Perry regretta de les avoir prononcés. Mais Amanda demeura pragmatique.

«Non, dit-elle, je n'ai pas d'autre choix. Mais je ne suis pas sûre que vous puissiez comprendre ça, pour la bonne et simple raison que, moi-même, je ne suis pas certaine de le comprendre.» Elle regarda ailleurs, pour trouver ses mots. «En règle générale, les Édenites ne croient pas au destin. Le concept de destinée est une chose à laquelle peuvent parfois croire les enfants, mais pas les adultes. Les adultes sont plus avisés. Mais ça...» Elle se passa la main sur le ventre. «Ça dépasse ma compréhension. Enfin, quoi, je ne suis pas même censée posséder le *gène de la reproduction*. Et, sans ce gène, la probabilité qu'une chose pareille m'arrive est encore plus infime. Nous parlons d'un enchaînement d'événements, où chacun est plus improbable que le précédent: l'oubli de mon manteau dans votre classe; vous qui franchissez la porte de sécurité à Galaxy Entertainment; la plaque d'acier dans votre crâne qui protège votre cerveau de l'anneau ; les raclées que vous vous prenez pour essayer de sauver le monde et qui font de vous une star sur Channel Blue, ce qui nous amène à finir dans un van sous l'autoroute, où nous perdons la tête, l'espace de quelques secondes.

— Je dirais que ça a plutôt duré quelques minutes.

— Comme vous voulez. C'est un enchaînement d'événements tellement improbable qu'il confine au ridicule...

— Je n'emploierais pas le terme "ridicule".

— Si ! hurla pratiquement Amanda. Même dans mes rêves les plus insensés, je n'aurais jamais imaginé quelque chose de pareil. Malgré toutes ces années passées à regarder les Terricules faire les choses les plus folles et les plus absurdes, je n'aurais jamais imaginé qu'une chose pareille puisse arriver. Pas vous ?»

La vérité, c'était que Perry aurait parfaitement pu imaginer une chose pareille ; il lui était même arrivé plusieurs fois d'imaginer une chose pareille, mais jamais il ne pourrait le reconnaître. «Peut-être pas, mais vous en parlez comme si c'était quelque chose d'anormal.

— C'est une parfaite définition : *quelque chose d'anormal.* Et c'est bien vous qui nous disiez toujours, en cours, de ne pas avoir recours à des choses anormales dans nos scénarios ; que, s'il y a une coïncidence après le premier acte, le public n'y croira pas et se sentira floué. Pourquoi ? Parce que, dans la vraie vie, ça n'arrive jamais.»

Perry opina. «Bon, d'accord, aucun écrivain qui se respecte ne ferait quelque chose comme ça. Qu'est-ce que ça prouve ?

— Qu'il se passe quelque chose ici ! Et même si je ne suis pas prête à appeler ça Dieu, ou destin ou destinée, je ne suis pas non plus prête à défaire ce qui a déjà été fait. Et il y a une partie de moi qui pense...» L'espace d'un instant, la voix d'Amanda faiblit. «... Une partie de moi pense que j'étais faite pour avoir ce petit garçon avec vous.»

Bien malgré lui, les yeux de Perry s'emplirent de larmes. Il les effaça bien vite d'un battement de paupières, mais il était trop tard – elles avaient déjà fait capoter toute sa colère. *Merde, la voilà qui recommence.* Il sentait sa colère fondre pour devenir une espèce de bouillie tiédasse qui se répandait dans son estomac, amenant chaque battement de son cœur à se répercuter à travers tout son corps.

Amanda le regarda. «Voulez-vous m'aider, oui ou non?»

Au bout d'un moment, Perry lui prit l'invitation des mains. L'écriture gravée sur le carton invitait «Monsieur Perry Bunt», en «reconnaissance de son généreux soutien», à une rencontre avec le président Brendan Grebner dans le Bureau ovale à 11 heures, le lendemain matin. Perry secoua la tête. «Le président va poser pour une séance photo avec des donateurs alors qu'il y a la guerre au Moyen-Orient?

— Il ne sait pas que c'est la dernière, répondit Amanda. Il pense qu'il va y avoir une nouvelle élection, qui devrait coûter très cher. Il serre quelques mains, fait quelques photos. Ça fait partie du job.»

Perry continuait à étudier l'invitation avec un certain scepticisme. «Je peux bien aller voir le président avec les arguments les plus convaincants du monde, il n'y croira pas. Je serai le type extravagant de la Maison-Blanche. Ça va recommencer comme avec Del Waddle, en pire.

— J'ai pensé à ça. Vous savez que le président est un homme très croyant, n'est-ce pas?»

Perry hocha la tête. Il n'avait pas suivi la dernière campagne présidentielle de très près – comme la moitié de ses concitoyens, il préférait se plaindre plutôt que d'aller voter – mais il savait que Brendan Grebner avait souvent parlé de sa foi et de la manière dont elle l'aiderait à gouverner la nation. En un paradoxe que seuls les Édenites pouvaient trouver amusant, les citoyens des États-Unis avaient une préférence pour des dirigeants qui suivaient les conseils d'un être invisible dont l'existence était, par nature, impossible à prouver.

« La nuit qui a précédé mon départ de Channel Blue, poursuivit Amanda, j'ai demandé à Jeff de faire un tour dans la chambre Lincoln et de rendre visite au président Grebner. »

Il fallut un moment à Perry pour réaliser ce qu'elle était en train de lui dire. « Vous avez donné une vision au président ? »

Amanda hocha la tête. « Jésus-Christ a dit au président Grebner que la fin du monde était imminente mais que Perry Bunt viendrait bientôt le voir avec un plan pour le sauver. Lorsque le président vous serrera la main, vous n'aurez qu'à lui dire votre nom. Il saura pourquoi vous êtes là. »

Perry ne put s'empêcher de sourire. « Bravo.

— C'est vous qui avez écrit la scène d'origine... Je n'ai fait que ce que les producteurs savent le mieux faire.

— C'est-à-dire ?

— Piller les écrivains. »

Perry sourit une nouvelle fois. Il savait bien que ce n'était pas par hasard qu'il avait fait un enfant avec cette femme.

« Et qu'est-ce que je vais dire au président lorsqu'il me demandera comment sauver le monde ?

— Comme d'habitude : qu'il faut cesser d'être égoïste, de tuer les gens, et d'empoisonner la planète... »

Perry se mit à remuer vigoureusement la tête. « Il me faut plus que ça. C'est le président des États-Unis, nom de Dieu !

Même s'il pense que c'est Jésus qui m'envoie, il voudra plus de détails.»

Amanda agita les mains avec impatience. «Ça ne m'inquiète pas. Il y a un million de choses qu'il peut faire pour rendre les Terricules moins répugnants. Si vous parvenez à le faire renoncer à un seul bombardement, ou si vous l'amenez à détruire une seule arme nucléaire, ça suffira à nous maintenir à l'antenne.

— Peut-être. Mais si nous faisons ça, il faut le faire bien. Nous avons besoin d'un projet concret pour sauver le monde.

— D'accord, dit Amanda. On trouvera quelque chose dans l'avion.»

Perry n'était pas convaincu. «Qu'est-ce qui vous fait penser que des gens voudront regarder? Vous avez démissionné. Et j'ai arrêté tout ce que je faisais. Comment savez-vous qu'il y a encore quelqu'un là-haut?

— Ils nous suivent toujours à la trace. Marty n'est pas un crétin.» Amanda leva les yeux vers le ciel. «D'accord, il est bien plus que ça. Il est vraiment malin, c'est le producteur le plus doué avec lequel j'aie jamais travaillé.» Elle fit un clin d'œil à Perry. «Il sait que nous allons tenter quelque chose. Il serait idiot de ne pas regarder. Nous jouons notre remise à l'antenne sur un pari. Tout dépend de notre réussite. Mais je pense qu'ils ne pourront pas résister. La star des séries, Perry Bunt, et le plus puissant des Terricules qui s'allient pour la rédemption de la planète, nos téléspectateurs avaleront ça tout cru.

— Ils n'aiment que quand je me plante.

— Ils se délectent de vos échecs, concéda Amanda. Mais je pense connaître notre public. Il est tout à fait disposé à nous voir réussir.»

À la manière dont elle avait dit «nous», Perry pouvait dire qu'elle ne parlait pas uniquement d'elle et de lui.

Il regarda le carton d'invitation comme s'il essayait de découvrir, entre les lignes gravées avec soin, une autre faille dans le plan d'Amanda.

«Si nous faisons ça, nous devons y aller, dit-elle. Le dernier vol pour Washington est dans une heure.»

Perry lui tendit l'invitation. «Il n'y a qu'une seule manière dont je puisse faire ça. Vous devez me promettre que, si ça ne marche pas, vous partirez d'ici.»

Au bout de quelques instants, Amanda acquiesça.

«Je suis sérieux. Si, dans vingt-quatre heures, nous ne sommes pas parvenus à ralentir la fin du monde, vous vous trouvez un ascenseur direct pour la Lune.»

Amanda soupira. «J'ai déjà accepté. Allons-y.

— Attendez, dit Perry. J'ai besoin que vous demandiez à Jeff un service supplémentaire.»

***

Noah Overton était seul dans son studio, en train de manger du riz brun et des haricots mungo. Il avait l'esprit préoccupé par une dispute qui avait eu lieu entre deux professeurs bénévoles à l'atelier d'écriture dont il s'occupait, tout en se sentant affreusement coupable d'être ainsi obsédé par ses propres soucis, bien insignifiants, alors qu'il y avait tant d'autres choses plus graves dans le monde. Le Moyen-Orient était à feu et à sang et lui, il se tourmentait pour son atelier d'écriture. C'est dans cet état d'agitation coupable que Noah passait la majeure partie de ses journées.

«Noah», dit une voix chantante. Noah bondit de sa chaise et se retourna. Gandhi était debout dans son salon – *le foutu Mahatma Gandhi* –, juste à côté de son futon, vêtu de sa tunique blanche, resplendissant de sainteté.

«Non! Non! Je ne veux plus! dit Noah, les yeux écarquillés de terreur.

— Si, et cette fois-ci, tu devras tenir compte de ce que tu as vu», dit Gandhi, réprimandant tendrement Noah de son élocution chantante.

Noah recula en vacillant jusqu'à ce qu'il se cogne contre son canapé.

«Qu'est-ce que c'est? Qu'est-ce que vous voulez?

— Tu es un jeune homme très chanceux, dit Gandhi. Tu as encore une chance de sauver le monde.»

CANAL 28 : RENDEZ-VOUS
AVEC LE PRÉSIDENT

À TRAVERS LES VITRES TEINTÉES DE LA LIMOUSINE, Perry aperçut les colonnes de la Maison-Blanche et sentit un frisson parcourir toute son épine dorsale. Il ne s'était jamais vraiment intéressé à la politique. Comme la plupart des Américains, il tenait pour acquis que la plupart des politiciens étaient des êtres vénaux et des escrocs avides de pouvoir, tout en ayant un grand respect pour les fonctions qu'ils occupaient. Depuis qu'il était petit garçon, il éprouvait une sorte d'admiration pour ce que représentait la présidence : était-ce dû au téléphone spécial qui permettait de déclencher une guerre nucléaire, aux illustres visages qui ornaient les billets de banque ou au fait qu'un chant, *Hail to the Chief,* lui était spécialement consacré ? La simple pensée de rencontrer le président lui donnait la chair de poule.

«On y est», dit Perry, dont la voix trahissait un rien d'émerveillement.

Amanda, qui n'était pas le moins du monde impressionnée, acquiesça évasivement. Dans sa robe de soirée blanche, elle était en train de lire le document de dix pages que Perry, à 5 heures du matin, en plein délire insomniaque, avait intitulé *Comment sauver le monde*. Pendant le vol Los Angeles - Washington, Noah Overton avait trouvé 315 mesures que le président des États-Unis pouvait prendre dès aujourd'hui pour améliorer la vie sur Terre, de quoi remplir une cinquantaine de pages. Puis, dans leur suite du Willard Intercontinental Hotel, Amanda avait dormi toute la nuit, tandis que Noah et Perry n'avaient pas fermé l'œil, pour tailler dans le document et le peaufiner afin de parvenir à une pagination raisonnable.

La limousine tourna pour emprunter Pennsylvania Avenue. Plusieurs groupes étaient déjà en train de manifester devant la grille qui les séparait de la pelouse de la Maison-Blanche. Perry pressa le bouton qui baissait la vitre séparant la banquette arrière du conducteur. «Qu'est-ce qui se passe?» demanda-t-il.

Le chauffeur jeta un coup d'œil dans son rétroviseur. «Il y a toujours plein de gens ici. Faut croire que tout le monde a son truc à dire.»

Prise dans cet embouteillage matinal, la limousine progressa lentement au milieu des manifestants. Perry put alors lire leurs pancartes et apprécier le spectre extrêmement large de leurs revendications : pour la paix, contre l'avortement, pour Jésus, contre le gouvernement, pour Israël, contre Israël. Sans oublier cet étrange groupe de manifestants vêtus de survêtements bleus qui agitaient des panneaux où il était écrit : FAISONS VITE AVANT LA VENUE DES EXTRATERRESTRES ou LE CUPCAKE NE SERA POUR PERSONNE ! La limousine ralentit puis s'immobilisa derrière une voiture à l'arrêt; un jeune homme en bleu colla une affiche contre la vitre de Perry. On y voyait le portrait d'un prophète à la barbe fleurie et les mots : LE MONPOTE EST AMOUR. Il fallut un instant à Perry pour se reconnaître, ou plutôt la version, retouchée par les soins d'un artiste, d'une photo de lui prise au téléphone portable. La limousine redémarra. Perry n'arrivait pas à y croire. « Vous avez vu ça ? »

Amanda était absorbée par la lecture de *Comment sauver le monde*. « Pardon ? »

Perry se retourna et regarda par la vitre arrière. Les survêtements bleus n'étaient plus que des petits points parmi les autres manifestants. « Rien... Laissez tomber. »

La limousine franchit un portail de sécurité avant de rejoindre un cortège d'autres limousines qui défilaient sous le portique ouest de la Maison-Blanche en une chorégraphie parfaitement agencée, chacune s'arrêtant pour se vider de ses élégants passagers avant de reprendre sa route.

Pendant qu'ils sortaient de la limousine et se dirigeaient vers l'entrée de la Maison-Blanche, Amanda rangea *Comment sauver le monde* dans une enveloppe en papier kraft qu'elle tendit à Perry. « Bien joué, dit-elle.

— C'est pas trop dingue ?

— Je ne pense pas. Cela dit, je ne suis pas du coin. »

Perry contempla l'imposant bâtiment. Ses grands-parents l'avaient emmené là quand il avait 11 ans, et il avait éprouvé un trac fou en franchissant le portique est en compagnie des autres visiteurs. À présent, il ressentait le même trac, mais en beaucoup plus fort. Aujourd'hui, il n'allait pas se contenter de la visite du rez-de-chaussée ; il allait monter à l'étage pour rencontrer le maître des lieux. Et, pour couronner le tout, il allait lui demander de l'aider à sauver le pays, le reste du monde et son fils à naître.

Calmons-nous ! se dit-il.

Et, lorsqu'il passa le contrôle de sécurité et montra son invitation ainsi que son permis de conduire à des agents impassibles du Secret Service, il ressentit une étrange euphorie. Dans une main, il tenait *Comment sauver le monde,* dans l'autre, celle d'Amanda. L'avoir à ses côtés insufflait en lui une confiance parfaitement irrationnelle. À ce moment-là, comme pour lui donner raison, une mouche bourdonna au-dessus de lui et traversa le long corridor orné de majestueux portraits à l'huile de présidents emperruqués. Pas moyen de voir si la mouche était bleue, mais c'était certainement de bon augure. « Matez-moi ça, bande d'aliens affalés sur vos canapés ! eut-il envie de hurler. Vous voulez voir le plan de la dernière chance pour sauver la Terre ? Eh bien, le voici ! »

Perry, Amanda et le reste des visiteurs élégants se rassemblèrent au pied d'un escalier, où un homme en costume noir les accueillit avec empressement. « Permettez-moi de vous souhaiter la bienvenue à la Maison-Blanche, dit-il. Nous allons tout d'abord monter pour accéder au Bureau ovale. Une fois là, vous pourrez rencontrer le président. Il vous sera possible de prendre des photos, mais étant donné l'emploi du temps très chargé du président, il ne pourra pas poser avec chacun d'entre vous. Si vous avez envie d'être pris en photo avec le président, nous vous demanderons que quelqu'un d'autre prenne la photo pendant que le président vous serre la main... » Il poursuivit sur le même ton et Perry se surprit à grincer des dents d'impatience. Puis c'en fut fini du protocole et l'homme empressé invita les visiteurs à monter l'escalier.

Lorsque Perry pénétra avec le reste du groupe dans une pièce plutôt ordinaire qui leur fut présentée comme le Bureau ovale, il pensa qu'il y avait erreur. Mais, à y regarder de plus près, il s'aperçut qu'il s'agissait bel et bien de la pièce qu'il voyait depuis des années sur des photos ou dans des films, mais en plus petite et en plus vieille. L'homme empressé prit soin de disposer Perry, Amanda et le reste des visiteurs sur un seul rang. Ils restèrent là, tels des oiseaux perchés sur un fil, pendant plusieurs minutes jusqu'à ce s'ouvre une porte que Perry n'avait pas remarquée. En sortirent deux agents du Secret Service qui firent le tour de la pièce et examinèrent attentivement les visiteurs avant de se coller au mur, immobiles comme des statues. Quelques minutes supplémentaires passèrent. Puis, par une autre porte, surgit un grand et bel homme aux cheveux blancs qui était en train de parler à deux hommes plus jeunes qui marchaient derrière lui. Aucun doute, cet homme était le président Brendan Grebner.

«Appelez-les d'abord, dit-il en regardant une feuille de papier qui était sur son bureau. Nous avons besoin de plus d'informations.» Un des deux hommes plus jeunes acquiesça et sortit par où il était entré. Le président jeta un coup d'œil aux documents posés sur son bureau, l'air totalement indifférent à la dizaine d'étrangers qui étaient alignés face à lui. Puis il leva les yeux et sourit.

«Bienvenue, chers amis, leur dit-il. Je vous présente toutes mes excuses. La situation au Moyen-Orient rend les choses un peu chaotiques ce matin. Mais je suis très heureux que vous ayez tous pu venir...» Il entreprit de serrer la main de chaque visiteur, à un rythme soutenu, en commençant par un bout de la file, échangeant au passage quelques propos aimables : «Bonjour à tous, d'où venez-vous?», «Bienvenue à la Maison-Blanche, comment vous appelez-vous?».

Perry et Amanda étaient presque à l'autre bout de la file, mais le président serait bientôt à leur hauteur. Perry caressait nerveusement l'enveloppe en papier kraft et essaya de sécréter un peu plus de salive ; sa gorge ressemblait soudain à une grotte en plein désert. Amanda lui pressa la main et lui sourit. « Rappelez-vous, dit-elle. Ce n'est qu'un épisode de plus. » Perry ne put que lui sourire en retour.

Le président Grebner était maintenant en train de serrer la main de l'homme qui se tenait à côté d'eux. Perry s'apprêtait à tendre la sienne, mais l'homme n'en finissait pas de raconter des choses à propos de biocarburants. Le président Grebner fit enfin un pas de côté pour se retrouver face à Perry, qui prit une grande inspiration et lui tendit la main.

« Bonjour, Monsieur le président. Je suis Perry Bunt. »

L'espace d'un instant, Perry crut déceler dans l'œil du président un signe indiquant que celui-ci l'avait identifié. Mais ensuite, à sa grande surprise, le président lâcha sa main et poursuivit son chemin, en s'empressant de saluer Amanda puis un autre visiteur avant de disparaître par une autre porte.

Perry regarda la porte se refermer derrière le président, l'estomac noué par la panique. Il se pencha vers Amanda. « Qu'est-ce qui s'est passé ? »

Amanda remua la tête. « Je ne sais pas.

— Vous êtes sûre qu'il était réveillé quand vous lui avez envoyé la vision ?

— Certaine, oui. Il a pleuré. Il a mouillé de larmes son pyjama. Oh non, Perry... » Amanda regardait vers le bas. Perry se rendit alors compte qu'il tenait toujours *Comment sauver le monde* sous le bras. « Vous ne le lui avez pas donné.

— Il ne m'en a pas laissé la possibilité ! »

— Eh bien, il faut absolument qu'on le lui fasse parvenir. Il faut qu'il se passe quelque chose ici, sinon plus personne ne va regarder. Vous savez aussi bien que moi qu'on ne considérera même pas ce moment comme une scène s'il ne se passe rien qui fasse avancer l'intrigue.

— Je connais les règles de construction d'une scène», répondit laconiquement Perry.

Les visiteurs, guidés par l'homme empressé, étaient en train de sortir du Bureau ovale. Perry et Amanda regardaient désespérément partout autour d'eux.

«Laissez-la sur le bureau», lui souffla Amanda. Des gouttes de sueur perlaient sur le front de Perry ; il fit deux pas en direction du bureau et l'homme empressé se trouva aussitôt à côté de lui.

«C'est par là, monsieur, dit-il prenant délicatement Perry par le bras pour le conduire vers la porte. Nous avons des boutons de manchettes de la Maison-Blanche pour ces messieurs et des poudriers pour ces dames...»

Au moment de franchir la porte, Perry aperçut un des agents du Secret Service qui se tenait près de la bibliothèque. Il lui tendit l'enveloppe en papier kraft. «S'il vous plaît, pourriez-vous remettre cela au président», dit-il. Au bout d'une interminable seconde, l'agent allongea le bras et prit l'enveloppe, à l'instant précis où l'homme empressé poussait Perry hors de la pièce.

Perry rattrapa Amanda en bas des marches et lui raconta ce qu'il venait de faire. «C'est déjà quelque chose, dit-elle. Espérons qu'elle lui parviendra.»

Au bout du couloir, il y avait une femme qui tendait aux visiteurs les boutons de manchettes et les poudriers officiels de la Maison-Blanche. Une fois qu'ils eurent pris les leurs, et après avoir été contrôlés par les agents du Secret Service, Perry et Amanda furent ramenés vers le parking. Pendant le contrôle, un des agents s'approcha de Perry.

« Monsieur Bunt ?

— Oui ?

— Puis-je vous demander de retourner à la Maison-Blanche. Le président désirerait vous poser quelques questions au sujet du document que vous lui avez laissé. »

Perry et Amanda se regardèrent, passablement soulagés. « Bien sûr », répondit Perry.

Amanda le serra dans ses bras. « Parlez-lui tout votre saoul, murmura-t-elle. On se retrouve à l'hôtel. » Ils s'embrassèrent rapidement et Perry suivit l'agent pour entrer à nouveau dans la Maison-Blanche.

Ce dernier fit franchir le même corridor à Perry mais, lorsqu'ils arrivèrent en bas de l'escalier par lequel il avait accédé au Bureau ovale, l'agent ouvrit une porte et guida Perry vers un escalier dérobé. Ils descendirent dans les sous-sols de la Maison-Blanche, où l'on ne retrouvait rien du charme historique des étages. Ils tournèrent plusieurs fois et pénétrèrent dans une petite pièce où les attendaient deux autres agents du Secret Service parmi lesquels Perry en reconnut un du Bureau ovale. L'agent avait dans la main l'enveloppe en papier kraft qui contenait *Comment sauver le monde*.

« C'est vous qui avez écrit ça ? demanda-t-il.

— Oui », répondit Perry.

L'agent fit un signe de tête et on enfila soudain une cagoule sur la tête de Perry, le privant de toute vision. Instinctivement, Perry se mit à courir mais se cogna aussitôt à un mur. Quelqu'un retint son bras et remonta la manche de sa veste sur son avant-bras. « Il faut que je parle au président ! hurla Perry sous sa cagoule noire. Écoutez-moi. Si je ne peux pas lui parler, ce sera la fin du monde. » Il sentit une piqûre d'aiguille et eut l'impression de tomber. Il se demanda où était le sol, mais ne le trouva jamais.

***

Le président Brendan Grebner ne pouvait pas entendre les hurlements de Perry. Il ne se trouvait pourtant qu'à une dizaine de mètres de lui, en train d'emprunter d'un bon pas un corridor pour se rendre à une réunion ne figurant sur aucun agenda – ultra-confidentielle, comme celles relatives à une action militaire secrète. Le président tourna au bout du couloir et pénétra dans un ascenseur dont lui seul avait l'usage et qui le fit rapidement accéder à un deuxième sous-sol. Une fois qu'il fut sorti de la cabine, un scanner à infrarouges balaya son œil droit pour confirmer son identité avant de déverrouiller une porte qui s'ouvrit sur un petit bureau. À l'intérieur de cette pièce, assis dans un fauteuil qui faisait face à un fauteuil plus grand, il y avait un homme d'âge mur, portant barbe et lunettes. Le président Grebner entra, ferma la porte et s'assit dans le fauteuil libre.

« Alors, dit l'homme barbu. Comment ça va, aujourd'hui ? »

Le président Grebner hocha la tête. « J'ai bien peur que ça empire.

— Expliquez-moi, s'il vous plaît.

— Vous vous souvenez de mon hallucination de la semaine dernière ?

— Jésus ? »

Le président hocha la tête. «J'ai reçu des visiteurs ce matin, dans le Bureau ovale; l'un d'eux *s'appelait Perry Bunt*.» Il s'attendit à voir une réaction sur le visage de l'homme barbu, mais rien. «Vous avez entendu ce que je vous ai dit? Perry Bunt.

— Je suis désolé, ce nom ne me dit rien.

— Mais si.» Le président agita la main, visiblement agacé. «C'est le nom dont m'avait parlé mon hallucination. Elle m'a dit que Perry Bunt avait un plan pour sauver le monde.» Il désigna le petit cahier qui se trouvait sur les genoux du barbu. «Regardez à la semaine dernière, vous devez avoir écrit ça là-dessus.»

L'homme barbu ne prêta pas la moindre attention à son cahier. «Que pensez-vous que cela signifie?

— C'est vous le spécialiste. Ça a l'air de quoi, bon sang?

— Je veux savoir ce que vous en pensez.

— Je viens tout juste de rencontrer quelqu'un qui visitait la Maison-Blanche et qui portait le nom que m'a transmis une hallucination. Ce qui signifie que je suis encore en train d'halluciner. Ce qui veut dire que ces foutus médicaments ne marchent pas!»

L'homme barbu hocha lentement la tête, semblant totalement ignorer l'état d'agitation du président. «Je sais que la situation au Moyen-Orient pèse d'un grand poids sur vos épaules. Lorsque nous sommes en état de fragilité et sous pression, notre esprit peut nous jouer toutes sortes de tours.» Il caressa pensivement sa barbe. «Peut-être le nom de ce visiteur était-il Barry Bunt. Ou bien Perry Hunt.

— Non! C'était *Perry Bunt*, bordel!

— Lui avez-vous demandé de le répéter?

— Vous vouliez que je m'adresse à une hallucination, en plein Bureau ovale?

— Peut-être vous rappelait-il quelqu'un, physiquement ?

— Non ! Il ne ressemblait à personne, il ne ressemblait à rien du tout.

— Et ce nom n'a aucune signification pour vous, personnellement ?

— *Perry Bunt* ? Vous plaisantez ? Quelle signification ça pourrait bien avoir pour moi ? »

L'homme barbu retira ses lunettes et les essuya avec un chiffon. « Vous le savez, je suis un homme de science. Mais je crois également qu'il y a tant de choses que nous ignorons qu'il nous faut envisager toutes les possibilités.

— En langage clair, docteur ? demanda le président. J'ai des juifs et des djihadistes qui sont sur le point de s'entre-carboniser, je n'ai pas le temps pour un séminaire de doctorat.

— Ce que je veux dire, c'est que vous êtes peut-être en train de vivre une sorte d'expérience spirituelle. »

Le président regarda l'homme barbu, véritablement stupéfait. « Vous êtes sérieux ? »

Son interlocuteur se cala au fond de son fauteuil. De toute évidence, aborder ce sujet ne le mettait pas spécialement à l'aise. « Je sais que, dans certaines interviews, vous avez évoqué le fait de recevoir des conseils de la part de Dieu...

— Pas *littéralement*, soyons clairs ! Jésus ne vient pas réellement *voir les gens pour leur dire quoi faire* ! Ils en chieraient dans leur froc ! » Le président paraissait totalement désemparé ; il parcourut la pièce du regard. Son mordant sembla soudain céder à une grande tristesse. « Docteur, qu'est-ce qui se passe dans ma tête ?

— Un nouveau traitement met toujours du temps avant d'être efficace. Ça va s'arranger, vous verrez. Tout va bien se passer. »

CANAL 29 : LE TERRORISTE

C'EST UNE PSALMODIE ENTONNÉE À PLEINE VOIX QUI réveilla Perry. Il s'assit, encore groggy. Il était dans une vaste cellule sans fenêtres, vêtu d'une combinaison orange. Ses chevilles étaient retenues par une chaîne fixée dans le sol en béton. De toutes parts, il était entouré d'autres hommes en combinaison orange, enchaînés comme lui. Ils portaient la barbe et étaient donc en train de psalmodier à voix haute, les yeux fermés, tournant leurs corps pour orienter leurs têtes inclinées dans des directions différentes.

« *Soubhâna rabbiya al-a'alâ. Soubhâna rabbiya al-a'alâ. Soubhâna rabbiya al-a'alâ.* »

L'homme qui était à sa gauche se tenait les bras écartés au point de presque le toucher.

« *Allâh akbar.* »

Sans bouger leurs pieds enchaînés, les hommes se levèrent et continuèrent à psalmodier. Perry se rallongea sur le dos pour essayer de faire le point. Il avait des élancements dans la tête.

Il regarda au-dessus de lui le triste néon accroché au plafond. Il remua ses jambes pour voir jusqu'où il pouvait les bouger. Très peu – quelques centimètres.

La psalmodie s'arrêta et la pièce parut atrocement silencieuse. L'homme qui était à côté de lui s'aperçut qu'il était réveillé, se tourna vers celui qui lui faisait face, à qui il dit quelque chose dans une langue étrangère.

Puis, au bout d'à peine quelques minutes, une grande porte métallique s'ouvrit et deux soldats en tenue de camouflage pénétrèrent dans la cellule. Ils marchèrent au milieu des prisonniers et s'arrêtèrent devant Perry. « Tendez les bras », lui dit l'un d'eux. Perry s'exécuta. Ils lui menottèrent les poignets puis détachèrent ses chaînes de l'anneau qui les fixaient au sol. Ils le mirent debout et, le saisissant chacun par une épaule, le firent sortir de la cellule, ses pieds traînant contre le sol.

Ils arrivèrent dans un couloir-cave, également faiblement éclairé au néon. Il y avait davantage d'air et l'esprit de Perry commença à lentement se désembuer.

De toute évidence, il était ici un prisonnier et, sans aucun doute, cela était la conséquence du document qu'il avait voulu remettre au président. En gros, il y avait une bonne et une mauvaise nouvelle. La mauvaise : il était incarcéré sans avoir eu droit à un semblant d'interrogatoire, ce qui signifiait que sa vie était en danger. La bonne : il était incarcéré sans avoir eu droit à un semblant d'interrogatoire, ce qui signifiait que sa vie était en danger. D'expérience, Perry savait maintenant que les téléspectateurs de Channel Blue tiraient un grand plaisir de ses malheurs. L'incarcération de Perry Bunt dans une prison secrète suffirait peut-être à empêcher le grand finale d'avoir lieu. Mais est-ce qu'ils regardaient ? Depuis qu'il avait repris conscience, il n'avait vu aucune mouche, mais les satellites devaient être en train de capter tout ça. Et, fort heureusement, Amanda était saine et sauve ; elle pourrait faire pression sur Marty pour qu'il diffuse ces images. Faible espoir auquel était suspendu l'avenir du monde, mais espoir tout de même. La scène à la Maison-Blanche avait bel et bien fait progresser l'intrigue. Une nouvelle fois, il arrivait quelque chose à Perry. La production de *Bunt à la rescousse* avait en quelque sorte repris, à défaut de sa diffusion à l'antenne.

Les gardes conduisirent Perry dans une cellule plus petite. Derrière une table, au centre de la pièce, étaient assis deux hommes : un jeune, à la coiffure impeccable, vêtu d'un costume gris immaculé, et un vieux, chauve, avec une veste de chasse en tissu écossais rouge. Ils regardèrent en silence les soldats installer Perry sur une chaise en métal puis attacher les fers qu'il avait aux pieds à la barre transversale.

Le jeune homme s'éclaircit la gorge. « Monsieur le Président, dit-il, la Terre est en grand danger. Vous connaissez déjà nombre de ces dangers. Mais il y a un danger encore plus imminent. Depuis maintenant cent cinquante ans, notre planète sert à divertir une race extraterrestre technologiquement supérieure. Il se trouve que ces extraterrestres se sont lassés de notre comportement égoïste et belliqueux et ont décidé de nous anéantir. Telle est l'origine de la crise que traverse actuellement le Moyen-Orient. Si vous ne prenez pas immédiatement des mesures pour montrer à ces téléspectateurs extraterrestres que nous sommes capables d'agir de façon humaine, de dépasser nos intérêts personnels et de susciter ainsi leur sympathie, nous serons tous morts d'ici une semaine. Voici quelques mesures à prendre immédiatement... »

Le jeune homme fit une pause. Il tenait sur ses genoux le document que Perry avait intitulé *Comment sauver le monde*. «Permettez-moi tout d'abord de vous faire mon compliment. Ça fait trente ans que l'agent qui nous a remis votre dossier lit les courriers que les cinglés adressent au président. Pour lui, avec ce document, vous avez pulvérisé tous les records. On peut affirmer qu'on est *bien au-delà* du cinglé. Quiconque en lit ne serait-ce qu'un seul paragraphe a très vite le tournis. Conséquemment, si l'on accepte l'idée, passablement osée, que vous soyez suffisamment sain d'esprit pour comprendre ce que je dis, vous devez probablement vous demander : "Pourquoi suis-je là? Tout ce que j'ai fait, c'est d'écrire une lettre de cinglé au président et d'aller dans son bureau. Pourquoi ne suis-je pas tout simplement dans un hôpital psychiatrique en train de me faire examiner avant d'être inculpé par un jury fédéral pour menaces à l'encontre du président des États-Unis, crime passible de cinq ans de prison?"»

Perry remua la tête. «Je n'ai pas menacé le président.»

Le jeune homme revint au document. «"... nous serons tous morts d'ici une semaine", lut-il, avant de sourire à Perry. Mais tout cela, c'est de la théorie. Le fait est que vous n'êtes pas près de voir un grand jury. La raison – encore que nous ne soyons pas obligés de vous en donner une –, c'est ce qui suit ce que je viens de lire. Ce sont ces mots qui font que vous suscitez chez nous un certain intérêt.» Le jeune homme tourna la page et lut : «"1) Mettre fin à toutes les opérations militaires. 2) Faire rentrer dans leur foyers tous les membres de l'armée ne participant pas à une mission humanitaire. 3) Consacrer tous les financements militaires qui ne concernent pas la garde nationale à l'amélioration de l'éducation, de l'alimentation et des soins médicaux aux États-Unis ainsi que dans le reste du monde…"» Le jeune homme feuilleta le document. «Et ça continue encore et encore. Comment avez-vous pu pénétrer dans la Maison-Blanche avec ça ?

— J'y suis entré à pied.

— Pourquoi vouliez-vous remettre ça au président ?»

Perry le regarda. «Pour la raison que je donne dans ma lettre.

— Qui est… ?

— Sauver le monde.»

Les deux hommes de l'autre côté de la table échangèrent un regard entendu : Perry semblait confirmer leurs pires craintes. Le jeune homme se dressa d'un coup. «Pourquoi voulez-vous détruire ce pays ?

— Mais ce n'est pas du tout mon intention.

— Vous venez de dire que vous vouliez sauver le monde.

— Notre pays fait partie du monde.

— Mais vous ne parlez pas de sauver les États-Unis, n'est-ce pas ?

— Je veux sauver le monde entier !

— Mais votre principal souci est de sauver le monde. Oui ou non ?

— Sans le monde, il n'y aurait plus d'États-Unis.

— C'est ce que vous croyez ?

— Ce n'est pas une question de croyance», dit Perry qui commençait à s'échauffer.

Le jeune homme se leva, en brandissant le dossier de Perry. «Le fait est que, si le gouvernement mettait à exécution une, et seulement une seule, de vos suggestions pour sauver le monde, cela entraînerait la destruction de notre pays.

— Ce n'est pas vrai.»

Le jeune homme tourna plusieurs pages : « "38) Travailler en collaboration avec les Nations unies pour mettre fin à tous les conflits armés." » Il regarda Perry avec un sourire où la suffisance le disputait au triomphe, puis passa à une autre page : « "92) Faire passer un décret présidentiel créant des avantages fiscaux pour les adoptants d'enfants étrangers de milieux défavorisés." » Nouvelle page : « "218) Vendre tous les actifs non essentiels du gouvernement américain – dont les 8 139 tonnes d'or stockées sous terre – et les utiliser pour nourrir les pauvres". » Il adressa un regard particulièrement sévère à Perry. « Pourquoi ne pas aller tout simplement au Lincoln Memorial et chier un bon coup sur les genoux de Lincoln ?

— Mais l'or est juste là, à attendre sous la terre, dit Perry. Il ne sert à personne, là où il est. On n'est même plus sur l'étalon-or.

— Ne me parlez pas de l'étalon-or ! » hurla le jeune homme, avant de se jeter sur Perry et de le rouer de coups. Perry, sous le choc de cette férocité soudaine, tomba sur le sol. Il s'écoula quelques instants avant que les soldats, non sans un certain dégoût, ne remettent sa chaise en place et le réinstallent dessus. « Vous savez *que dalle* à propos de l'étalon-or, siffla le jeune homme toujours en fureur.

— En fait, oui, vous avez raison, dit Perry. Je n'y connais rien. Je pensais simplement que c'était une idée qui avait du sens, compte tenu que nous avons tout cet or sous la terre...

— La ferme ! » aboya le jeune homme, qui avait maintenant le visage écarlate. Il arpentait la pièce, en se frottant le visage comme pour tenter de se calmer. « Arrêtez de parler... C'est tout ! »

Perry se tut. De toute évidence, ce type avait un sérieux problème avec l'or.

« Écoutez et apprenez. »

Le jeune excité s'arrêta de marcher et se retourna vers la table. Le vieil homme venait de parler pour la première fois. « Voici la nouvelle engeance. C'est véritablement le pire genre de terrorisme qui soit : le terrorisme de l'esprit. » Le vieil homme regardait Perry intensément, avec toute l'attention qu'un entomologiste porterait à un insecte des plus rares qu'il vient de découvrir.

Durant sa longue vie, le vieil homme en avait vu, des ennemis qui avaient voulu défier l'Amérique. Mais, au cours des cinquante-trois années qu'il avait passées à garder ses frontières, à la protéger des communistes, des révolutionnaires, des anarchistes et des terroristes, Drummond Nash avait rencontré très peu d'agents qu'il ait tenus pour aussi dangereux que Perry. Pour ce vénérable maître espion, Perry était le signal d'alarme qui annonçait que les règles du jeu avaient changé, la première salve tirée sur un tout nouveau théâtre d'opérations.

Cette guerre ne cesserait jamais de surprendre le vieil homme. D'ailleurs, comment pourrait-il en être autrement ? Il n'y avait aucun précédent qui pût le guider. Ce n'était pas une guerre comme les autres – elle était non conventionnelle, multilatérale et, surtout, sans fin.

Drummond avait vu de nombreux présidents hantés par l'idée d'avoir à livrer une guerre interminable. Des hommes faibles qui, pour mener cette guerre, devaient se convaincre eux-mêmes qu'ils pouvaient la gagner. Le vieil homme n'avait pas besoin de ces artifices de consolation. Personne ne voulait d'une guerre, bien évidemment, et encore moins d'une guerre qui durerait indéfiniment. Pourtant, quelque part cette idée de guerre éternelle le fascinait presque. Il avait l'impression d'être un alpiniste chevronné qui, au crépuscule de sa carrière, découvre une montagne tellement gigantesque qu'on ne peut en distinguer le sommet. Comment ne pas être excité face à pareil défi ? À ses yeux, c'était une évidence : cette ultime épreuve était bien le couronnement de sa carrière. Et, à bien y réfléchir, cet éternel état de guerre était bien plus naturel que les fluctuations des affrontements humains, où les grandes nations faisaient une pause entre deux conflits pour fabriquer de nouvelles armes et engendrer de nouveaux soldats. Si l'on croyait à l'existence du bien et du mal dans ce monde, cela n'impliquait-il pas qu'ils soient tous deux constamment en conflit ? Quelle valeur pouvaient avoir le bien et le mal s'ils ne devaient pas éternellement tendre à leur annihilation mutuelle ?

Drummond Nash regarda attentivement Perry. C'était donc là l'ultime escalade de l'ennemi éternel, son ultime système de livraison, son ultime arme. Il était évident qu'on ne pouvait qualifier le détenu d'intimidant, de puissant, d'intelligent, de personnage fort, ni même de viril – mais peu importe.

« Ne vous méprenez pas, Jérôme, dit le vieil homme à son protégé. Lorsque les idées du mal revêtent une apparence bienveillante, elles peuvent retourner les esprits des citoyens de toute une nation contre elle-même. Et qu'est-ce qu'une nation, même la nôtre, sinon une simple *idée* ? Les bonnes âmes, les soi-disant humanitaires ne voient pas combien elle est fragile. "Soyez plus humains", "aimez-vous les uns les autres". » Drummond Nash hocha sa grosse tête, tout à la fois admiratif et terrifié. « Quelques bombes ne feraient pas plus de dégâts. Ces idées, ce sont autant de virus. Elles dupent les esprits en se faisant passer pour le *bien*, pour la *bienveillance*, puis, une fois qu'elles ont fait leur chemin, elles prennent le pouvoir et éradiquent tout le reste. On en a eu avant-goût pendant les années 1960, mais là...» Il pointa une grosse main burinée en direction de Perry. «C'est une toute nouvelle espèce. Avec suffisamment d'agents comme lui, l'ennemi n'a peut-être plus besoin de bombes. Regardez-le. Il voudrait nous voir vivre dans un air raréfié. Il voudrait nous voir partager la même fosse à merde que le reste du monde.» Drummond Nash et le jeune homme adressèrent un regard féroce à Perry, qui se sentait de plus en plus mal à l'aise.

«J'aimerais tellement le voir essayer de survivre un an dans le monde de ses rêves, murmura le vieil homme, rien qu'un an.

— Écoutez-moi, dit Perry, plus paniqué que jamais. Je ne suis pas un terroriste.»

Le jeune homme, qui paraissait toujours aussi énervé par les idées de Perry concernant l'or, se pencha en avant pour lui décocher un coup juste à la base du sternum. Perry se plia en deux, cherchant de l'air.

«Attention, dit Drummond Nash, plutôt amusé, ne passons pas trop rapidement au stade supérieur.»

Le jeune homme attrapa quelques pages sur la table, empoigna Perry par les cheveux et lui renversa la tête en arrière. «Nous voulons savoir qui t'a aidé à écrire ça et qui t'a aidé à pénétrer dans le Bureau ovale.

— J'ai fait ça tout seul, répondit Perry.

— Beaucoup de ces informations sont classifiées.

— On trouve tout sur Internet.

— C'est ça, répondit le jeune homme. Qui t'a aidé?

— Je vous l'ai dit : j'ai fait ça tout seul.»

Le jeune homme marcha sur le pied de Perry, qui vit des étoiles et poussa un hurlement.

« Tu es venu à la Maison-Blanche avec une certaine Amanda Mundo. C'est quoi, son vrai nom ?

— C'est son vrai nom.

— Faux. On n'a aucune trace d'elle. Où est-elle maintenant ?

— Je ne sais pas.

— Qui t'a aidé ?

— Personne. » Cette fois-ci, ce fut un coup en plein dans les côtes. « Où est Amanda Mundo ? »

L'interrogatoire se poursuivit ainsi jusqu'au moment où Drummond Nash, alors que Perry était persuadé que le jeune homme allait le tabasser à mort, dit : « Emmenez-le au Jardin », et Perry fut ramené dans sa cellule, contusionné et sanglant. Une fois là-bas, les soldats l'allongèrent sur le sol en ciment au milieu des autres hommes habillés en orange, comme un cadavre sur une dalle, lui enchaînèrent les pieds au sol et le laissèrent ainsi.

« Je pourrais avoir de l'eau ? » bredouilla Perry avant de se rendre compte que les gardes étaient repartis. Il resta allongé là, bouillie humaine sur le ciment, s'émerveillant que, peu importe le nombre de raclées reçues, la dernière soit toujours la pire. Son cerveau embrouillé se souvint de son grand-père qui, chaque année, disait que le sapin de Noël était le plus beau qu'ils aient jamais eu. Perry et ses parents appelaient ça le « paradoxe de l'arbre de Noël ». Actuellement, il faisait l'expérience d'un paradoxe de l'arbre de Noël inversé : chaque raclée était la pire que l'on pût imaginer et, d'une manière ou d'une autre, chaque nouvelle raclée qui venait ensuite se révélait encore bien pire.

Il finit par s'évanouir avant d'être réveillé par un bruit qui lui rendit insupportables sa gorge déshydratée et sa bouche asséchée : de l'eau qui gouttait. Il ouvrit ses yeux tuméfiés et vit, au plafond, au-dessus du néon, une goutte d'eau cristalline qui était en train de se former, lentement, avant de tomber. *Plop*. Une autre goutte d'eau commença à se former ainsi à partir de la moisissure du plafond. Est-ce que ça gouttait comme ça tout à l'heure ? Peut-être que ça lui avait échappé, à cause de la prière collective. Au prix d'un effort colossal, il s'assit et suivit la chute de la goutte. Le ruissellement produisait une flaque entre deux prisonniers de l'autre côté de la pièce, flaque qui devenait un ruisselet qui s'écoulait sur le sol jusqu'à une fissure où l'eau disparaissait.

Non, se dit Perry, *c'est impossible*. Il examina attentivement le plafond pour la première fois, en plissant les yeux pour scruter l'obscurité, au-dessus du néon. Puis il vit ce qu'il redoutait : le criblage que fait un tailleur de pierre lorsqu'il travaille une roche solide.

« Mon Dieu, dit-il à voix haute. Nous sommes sous terre. »

CANAL 30 : LE VRAI CROYANT

L'HOMME BARBU QUI ÉTAIT À CÔTÉ DE PERRY SE TOURNA vers lui en faisant cliqueter ses chaînes et l'examina avec curiosité. Le spectacle de ces prisonniers sans défense ne faisait que souligner la ridicule futilité de toute sa mission. « Pas de mouches ! hurla Perry, à personne en particulier. Et aucun satellite ne peut nous voir ! Personne ne voit ça ! Pas d'émission ! On est complètement foutus ! » Les prisonniers continuaient de le regarder, l'air perplexe. « Vous comprenez ? Aucun dieu, ni le vôtre, ni celui de personne, ne peut nous sauver. »

Ses camarades de cellule se murmurèrent des choses les uns aux autres et regardèrent ailleurs, laissant Perry seul à son désespoir. C'est du moins ce qu'il imagina.

« Vous avez de la chance qu'ils ne parlent pas anglais », dit une voix, avec un accent anglais des plus soignés. Perry tourna la tête vers le barbu au teint olivâtre qui était allongé sur le sol, à deux détenus de distance de lui. Il gisait là, immobile, les yeux fermés, comme s'il voulait économiser toute son énergie.

«Quant à moi, je n'ai pas cette chance. Quelles balivernes! Des mouches et des satellites, mon Dieu.

— Vous parlez très bien anglais, dit Perry.

— C'est parce que je suis anglais, répondit le prisonnier. Pas comme vous.» Il se mit à imiter Perry à la perfection : «*Nous sommes complètement foutus!*» Il rit d'un rire sans joie. «Si la reine était là, elle demanderait à récupérer sa langue. Ce qui serait merveilleux, parce que, du même coup, elle pourrait me ramener à la maison.

— Où sommes-nous?

— Eh bien, gisant ici dans ma propre merde, à force de passer en revue dans ma tête tout ce que je sais concernant les prisons secrètes qui sont censées ne plus exister, j'ai restreint notre localisation à Cuba, la Biélorussie ou Israël.

— Nous sommes sous la terre?

— Je ne suis pas géologue, mais si votre mur et votre plafond ont été taillés dans de la roche-mère bien solide, vous ne vous trouvez pas dans une suite du Savoy.»

Perry se dressa sur ses pieds, en agitant ses chaînes. «Il faut que je sorte d'ici.

— Félicitations. Vous êtes la première personne ici à avoir cette idée.» Le prisonnier se mit à rire. «La toute première.

— Je ne suis pas un terroriste.

— Mais bien sûr que non. Les terroristes ne confessent jamais qu'ils sont des terroristes.

— Vous ne comprenez pas. J'essaie de sauver le monde.

— *Voilà* exactement le genre de chose que confesserait un terroriste.»

Perry regarda son camarade de cellule, toujours allongé sur le ciment, les yeux fermés. «Comment vous appelez-vous?

— Alistair Alexander, de Londres. Et vous ?

— Perry Bunt. De Los Angeles. »

L'homme ouvrit les yeux. Ils avaient une teinte vert émeraude des plus surprenantes. « Et comment comptez-vous sauver le monde, Perry Bunt de Los Angeles ? »

Perry raconta tout à Alistair, depuis sa découverte de Channel Blue jusqu'à ses dernières tentatives pour sauver la Terre. Alistair sembla prendre son récit pour argent comptant, n'éclatant de rire qu'à seulement deux ou trois reprises. « Eh bien, il est donc relativement inopportun que vous vous trouviez sous terre, dit-il lorsque Perry eut terminé. Mais voyez le bon côté des choses : si vous avez raison, nous pourrions, ici-bas, survivre un peu plus longtemps quand c'en sera fini du reste du monde.

— Et vous, demanda Perry. Pourquoi êtes-vous ici ? »

D'un ton calme et mesuré, Alistair commença à raconter à Perry l'histoire de sa vie. Fils d'immigrés yéménites, parlant couramment cinq langues dès l'âge de 10 ans, il avait grandi dans l'amour du langage et des livres. Il était actuellement en doctorat de littérature comparée à Cambridge. Sa thèse était provisoirement intitulée : *Voyages vers les pères – Comment échapper à l'infanticide en littérature*. Alistair avait choisi ce sujet en réaction à tous les archétypes qui prévalaient en matière de liens père-fils. Sa propre relation avec son père, un accro au travail autoritaire, qui était mort alors que lui-même n'avait que 12 ans, avait été, au mieux, mouvementée. Lorsqu'il avait cherché une explication dans ses livres bien-aimés, il avait été chagriné de découvrir que, dans la civilisation occidentale, les récits les plus emblématiques de rapports père-fils se divisaient en deux catégories : ou bien le père offrait son fils en sacrifice

(Abraham et Isaac dans l'Ancien Testament, Dieu et Jésus dans le Nouveau) ou bien le fils tuait le père (Cronos empoisonné par Zeus, Œdipe roi, Hamlet). L'exception fondamentale à cette dynamique – tuer ou être tué – était *L'Odyssée*, qui se trouvait être le livre préféré d'Alistair. *L'Odyssée* raconte à la fois le retour d'Ulysse à Ithaque, après la guerre de Troie, et le voyage de Télémaque, son fils, à la recherche de son père.

Il y avait environ six mois de ça (pour autant qu'il puisse dater les événements), une nouvelle relecture de *L'Odyssée* lui avait donné l'idée de passer un week-end à New York. Le plus beau moment de la triste vie de son père avait en effet été un bref séjour à New York, au début des années 1960, lorsqu'il avait assisté à un spectacle au Radio City Music Hall. Dans le plus vieux souvenir qu'avait Alistair de son père, il l'entendait parler des « Rockettes de Radio City » qui, par leur façon de danser, leur beauté et leur grâce apparemment naturelle, représentaient la quintessence de tout ce que le monde pouvait contenir de splendeurs. Les Rockettes avaient été les sirènes de l'odyssée de son père.

C'est ainsi que, suivant les traces de Télémaque, Alistair avait espéré découvrir quelque chose sur son père en refaisant son voyage. Tout s'était très bien passé jusqu'à ce qu'il arrive au contrôle des passeports à l'aéroport JFK. Lorsque les douaniers lui avaient demandé la raison de son voyage, il avait répondu, en reconnaissant aujourd'hui ce que cela pouvait avoir d'un tantinet malvenu : « les Rockettes ». Bien entendu, l'agent des douanes avait envoyé ce touriste d'origine yéménite qui s'intéressait aux roquettes américaines auprès d'un autre agent pour un interrogatoire plus poussé, lequel l'avait à son tour remis au FBI.

Alistair eut tôt fait de découvrir l'effet Pygmalion d'un soupçon en matière criminelle : plus on reste en détention longtemps, plus il est difficile d'en sortir. L'ensemble du dispositif sécuritaire est en place pour se justifier lui-même et, tant que l'on se retrouve pris à l'intérieur, il faut bien qu'il y ait une raison pour que ce soit le cas.

C'est finalement une terrible coïncidence qui scella le destin d'Alistair : il ressemblait à la seule photographie dont on disposait d'un terroriste yéménite en cavale nommé Ali al-Zander, personnalité mystérieuse qui avait enseigné la fabrication des roquettes aux talibans afghans. Rien de ce qu'aurait pu expliquer Alistair Alexander aux agents du FBI n'aurait pu les convaincre qu'il n'était pas Ali al-Zander, même cet argument des plus évidents : aucun terroriste n'aurait été assez stupide pour adopter un pseudonyme aussi proche de son vrai nom. Comme le terroriste Al-Zander n'avait jamais eu l'amabilité de fournir au FBI ses empreintes digitales ou un échantillon d'ADN, mais seulement cette simple photographie, les agents furent donc convaincus qu'il n'était autre qu'Alistair. L'étudiant britannique se retrouva bientôt dans la situation présente sans aucune possibilité de contacter sa mère, sa petite amie et encore moins son avocat.

« C'est horrible », dit Perry. Il avait su apprécier, non sans une certaine perversité, l'histoire d'Alistair, car elle l'avait distrait de ses propres malheurs. Mais, maintenant que le récit était terminé, ses pensées revenaient à Amanda. Si seulement il pouvait être sûr qu'elle était saine et sauve, et loin. Quelle horreur, de mourir dans une pareille incertitude.

Alistair haussa les épaules. « Que tout cela soit arrivé alors que j'essayais de mieux comprendre mon père est, quelque part, parfaitement compréhensible. Je crois bien que l'une des raisons pour lesquelles il s'est montré si cruel envers moi est qu'il avait une peur morbide des autorités. Il vivait dans la terreur d'être arrêté et renvoyé au Yémen. Eh bien, j'illustre ses pires peurs, puissance mille. D'une certaine manière, tout cela fait partie intégrante de mon voyage. » Il inspecta la cellule autour de lui. « Toutefois, je doute que quelqu'un d'autre ici se montre aussi philosophe. Peu importe que tous ces hommes aient été innocents en arrivant ici ; ils seront tous coupables en repartant. » Il ricana. « Qui a dit que l'Amérique ne créait plus rien ? Vous créez des terroristes, avec le même soin et la même efficacité que vous mettiez autrefois à fabriquer des automobiles. Et j'ai bien peur que, dans les décennies à venir, vous ayez de nombreuses occasions de goûter ce produit si raffiné. » Il jeta un coup d'œil à Perry. « Désolé, j'avais oublié que c'était bientôt la fin du monde. Donc, ce n'est pas grave.

— C'est exactement pour ça que c'est la fin du monde, dit Perry. Galaxy Entertainment a organisé notre planète de manière que nous nous méfiions les uns des autres et que nous nous fassions du mal. Le terrorisme n'est dû qu'à une seule chose : l'audience. C'est ce qu'ils voulaient voir, puis ils en ont eu marre et ont décidé de tuer le monstre qu'ils avaient créé.

— C'est une théorie intéressante, dit Alistair. Si j'envisageais la folie comme un mode de vie, je pourrais bien y souscrire. »

Perry se pencha en avant et remua ses chaînes. « Quelqu'un s'est déjà évadé d'ici ?

— J'ai bien peur que vous ayez lu trop de romans d'aventures comme *Le Comte de Monte-Cristo*. Personne ne s'échappe d'un endroit pareil. C'est que nous sommes enchaînés à de vrais rochers, nom d'une pipe ! »

À l'autre bout de la cellule, un des prisonniers se mit à psalmodier à voix haute. Soudain, l'atmosphère entière résonna
de prières entonnées avec ferveur et tous les détenus, à l'exception de Perry et Alistair, se levèrent, s'agenouillèrent puis
s'inclinèrent dans toutes les directions. « On ne peut pas savoir
l'heure qu'il est, alors, quand quelqu'un commence à prier, tout
le monde fait pareil ! cria Alistair au milieu de cette cacophonie.
Et, comme personne ne sait où est La Mecque, tout le monde
prie dans une direction différente ! » Il eut un sourire plein
d'ironie. « Je suis tellement heureux d'avoir pu vivre jusqu'au
jour qui m'a rendu heureux d'être anglican. »

C'est le cœur lourd que Perry assista au spectacle de tous
ces hommes en train de prier avec enthousiasme. *Est-ce comme
ça que le monde doit finir ? Ne devrait-on pas au moins savoir dans
quelle direction prier ?* Il sentit les larmes lui monter aux yeux,
avant de se rendre compte qu'il pleurait vraiment. Alistair s'en
aperçut. « Je dois être honnête avec vous, Perry Bunt, dit-il. Je ne
crois pas un mot de ce que vous m'avez raconté. Mais, s'il y a la
moindre chose de vraie là-dedans et si vous êtes effectivement
un écrivain qui essaie de réécrire la fin du monde, alors l'histoire
n'est pas terminée. Votre histoire reste encore à écrire, non ? »

Une clé tourna dans la serrure de l'énorme porte en acier, qui
s'ouvrit d'un coup. Les deux soldats entrèrent et s'avancèrent
jusqu'au centre de la cellule. Les prisonniers s'arrêtèrent de
prier. Perry les sentit tous se raidir autour de lui, dans l'attente
de ce qui allait se passer. Lorsque les gardes s'immobilisèrent
devant Perry et défirent ses chaînes, ce fut comme si la cellule
entière soupirait de soulagement.

Cependant, Alistair s'assit. « Pourquoi l'emmenez-vous encore
une fois ? demanda-t-il. Il sort tout juste d'une de vos séances.
Regardez-le : le sang sur son visage n'a même pas encore séché ! »

Les soldats mirent Perry debout, comme s'ils n'entendaient pas Alistair. «Il n'y a rien à en tirer, poursuivit Alistair. Il est complètement fou! Il devrait être dans un hôpital psychiatrique, pas dans ce trou à rats!»

Pendant que les soldats, impavides, le conduisaient vers la sortie, Perry se rappela les derniers mots du plus âgé de ses interrogateurs. Il se retourna vers Alistair. «C'est quoi, le jardin?» demanda-t-il.

Une nouvelle fois, il sentit les prisonniers se tendre, tout autour de lui. Alistair avait l'air bouleversé. Les soldats entraînèrent Perry dans le corridor sombre, il entendit l'étudiant anglais lui crier : «Écrivez-vous un *happy end*, Perry Bunt de Los Angeles! Écrivez-vous une chouette fin!»

Perry fut à nouveau emmené dans le vaste couloir. Il essaya de retenir le chemin, mais s'aperçut bien vite qu'il avait perdu tout sens de l'orientation. Les grottes se succédaient, l'une après l'autre, toutes éclairées par la même lumière au néon. «J'ai vraiment très soif, dit-il aux soldats. Je pourrais avoir de l'eau, s'il vous plaît?»

Les soldats éclatèrent de rire. «Ah! ça, oui!» dit l'un d'eux. Ils conduisirent Perry dans une petite pièce très éclairée. Une dame au physique un peu flasque, qui portait des lunettes et un tablier, se tenait debout, à côté d'une table d'examen. N'eût été le décor, on l'aurait prise pour une institutrice de maternelle. Sur le sol, il y avait une pile de serviettes bien pliées et deux bidons d'eau.

«Perry Bunt? demanda la dame, avec entrain.

— Oui? répondit, Perry, assez décontenancé.

— Je suis la Jardinière», lui dit la dame. Il y eut un silence un peu embarrassant. Elle tendit le bras et défit distraitement la boucle d'une sangle attachée à la table. « Y a-t-il quelque chose dont vous voudriez me faire part avant de commencer ?

— Avant de commencer quoi ? » demanda Perry.

La Jardinière lui sourit, ce qui fit gonfler ses joues. Les soldats enfilèrent une cagoule sur la tête de Perry et l'attachèrent à la table. Il sentit que l'on serrait fortement les sangles, puis eut comme l'impression de tomber lorsque l'on inclina la table vers le bas. On lui mit une serviette pliée sur le visage, ce qui fit disparaître toute la lumière qu'il pouvait encore percevoir à travers la cagoule. Il eut le temps de prendre deux laborieuses inspirations avant de se rendre compte que de l'eau était en train de lui pénétrer dans le nez.

Il retint son souffle. Il comprit alors ce qui lui arrivait, il savait qu'on appelait ça le *waterboarding*, et que c'était le traitement appliqué à ceux que l'on soupçonnait de terrorisme. Il avait entendu parler du débat qui opposait les associations de défense des droits civiques, lesquelles affirmaient que ça n'était ni plus ni moins que de la torture, et les champions de la sécurité nationale, qui déclaraient que c'était une simple technique d'interrogatoire. Mais il n'avait en fait jamais vraiment prêté attention à tout ça pour la bonne et simple raison que le nom lui faisait surtout penser à un sport aquatique. À l'heure qu'il était, il regrettait moins le peu d'intérêt qu'il avait porté à cette pratique que de n'avoir pas pu prendre plus de souffle avant d'en faire lui-même l'expérience. Il était déjà en train de suffoquer et on continuait à lui verser de l'eau sur le visage. Ses poumons se mirent à battre, dans un effort désespéré pour évacuer le dioxyde de carbone qui les envahissait. Lorsqu'il ne put supporter davantage la pression, lorsque le souffle jaillit de sa bouche, qu'il ne put rien faire d'autre que d'inspirer aussitôt de l'air et que le tissu mouillé se colla à sa bouche, en empêchant avec une redoutable efficacité cet air de passer, il comprit que les associations de défense des droits civiques et les champions de la sécurité nationale avaient tort les uns comme les autres. Le *waterboarding* n'était rien d'autre que de la noyade. Et, même si Perry s'était plus ou moins accoutumé à penser à la mort depuis qu'il avait appris la suppression de Channel Blue, ce genre de mort n'était pas aussi abstraite qu'il l'aurait souhaité. Elle était atroce, douloureuse et elle était en train de lui arriver *en ce moment même*.

Quelques instants avant de sombrer dans une inconscience tourmentée, Perry sentit qu'on le mettait à la verticale ; les différentes couches de tissus mouillés empilées sur son visage, qui pesaient maintenant aussi lourd que le cul d'un hippopotame, tombèrent. La lumière vive le fit cligner des yeux et il se mit à tousser, tout en aspirant de l'air, ce qui ne le fit que tousser davantage.

La Jardinière assistait à tout cela avec une vraie bienveillance, son gros visage à moitié souriant. « Et maintenant, y a-t-il quelque chose dont vous voudriez me faire part ? » lui demanda-t-elle.

Oui ! essaya de dire Perry. *Noah Overton. Tout est de sa faute, c'est lui qui m'a transmis ces idées terroristes, qui m'a initié. Et Amanda Mundo, tout ça c'est son plan, c'est elle le cerveau, c'est elle qui nous a fait entrer dans la Maison-Blanche. Je ne sais pas si c'est son vrai nom – je suivais les ordres, c'est tout, je ne suis rien du tout, je suis un simple professeur au Community College, nom de Dieu !* Mais lorsqu'il tenta de prononcer ces mots, il ne put que tousser. « Noah... », ce fut tout ce qu'il réussit à dire en s'étranglant. « Noah, répéta-t-il d'une voix éraillée. Noah. »

« Bon, très bien », dit la Jardinière, en haussant les épaules. On glissa à nouveau le capuchon mouillé sur la tête de Perry « *Non !* » réussit-il à hurler, se rendant compte, mais un peu tard, qu'avec sa voix rauque, ce mot ressemblait beaucoup à « Noah ». Il se retrouva à nouveau allongé, la serviette mouillée sur visage. Il réussit à prendre une inspiration avant de sentir l'eau derechef envahir son nez. *Ça n'a jamais été un interrogatoire*, se dit-il. *C'est une exécution.* Il commença à paniquer et sa poitrine se mit à tressauter.

Il décida de suivre les conseils d'Alistair et de réécrire la fin. Il se visualisa lui-même, en compagnie d'Amanda, dans la maison qui était la sienne avant que ses scénarios ne cessent de se vendre. C'était une très belle maison, de style moderne, perchée sur les hauteurs d'Hollywood Hills ; trois pièces et une terrasse avec une piscine qui semblait défier la gravité. Amanda et lui étaient en train de s'embrasser, là, sur la terrasse, et un enfant, un petit garçon, venait les rejoindre en courant. Perry le souleva dans les airs et le serra dans ses bras. L'enfant lui montra un jouet, un petit animal mécanique, et le manipula de façon si mignonne qu'Amanda et lui se mirent à rire de concert. Ensuite, il fit mine de pousser Amanda dans la piscine avant qu'elle-même ne l'y pousse pour de vrai. Il trébucha de façon assez comique et tomba dans l'eau, en riant, puis plongea jusqu'au fond – mais là, quelque chose d'étrange se produisit. Il se mit à agiter les bras, mais ceux-ci n'avaient aucun effet sur l'eau. Il ne parvenait pas à quitter le fond de la piscine, il ne pouvait prévenir personne de ce qui était en train de lui arriver – on ne pouvait même pas le voir, tout au fond. Il était en train de se noyer, en train de mourir...

Puis il cessa de mourir. Il était de retour à la surface, il toussait. On était en train de détacher les sangles qui le tenaient prisonnier. La Jardinière le fixait du regard, son visage flasque témoignant d'un certain désarroi. « Ça va ? lui demanda-t-elle. Je suis vraiment désolée. » C'est à ce moment-là que Perry s'aperçut qu'il y avait un nouveau venu dans la pièce. Il portait un uniforme militaire avec tout ce qu'il fallait de barrettes et de médailles étincelantes. Il avait une moustache parfaitement taillée et un air d'autorité bien affirmé qui tranchait avec son apparente juvénilité. « Le lieutenant ici présent affirme qu'il y a eu erreur, dit la Jardinière. Il est là pour vous ramener immédiatement chez vous. »

Le lieutenant adressa un sourire chaleureux à Perry et le prit par le coude. « Venez, Perry, on va vous sortir de là. » Totalement abasourdi, Perry le suivit, en traînant ses pieds enchaînés, dans le corridor. Les deux soldats s'apprêtaient à les suivre mais le lieutenant les congédia d'un geste de la main. « Je peux m'occuper de ça tout seul », dit-il. Ils hochèrent la tête et partirent dans la direction opposée. Le lieutenant fit tourner Perry à l'angle du couloir.

« Merci, parvint à dire Perry. J'ai vraiment cru que j'allais... »

Le lieutenant le poussa contre le mur de pierre et lui pressa le canon en acier froid de son pistolet contre le front.

« C'est à moi que revient l'honneur de vous tuer, dit-il. Et je vais le faire. Mais on m'a aussi demandé de vous expliquer pourquoi. Je ne le dirai qu'une fois avant de vous tuer, alors écoutez-moi bien. »

Perry était tout ouïe.

« Voici pourquoi, dit le lieutenant. C'est parce que votre plan a échoué. » Après quoi, il prit une brève respiration et arma le pistolet.

« Quoi ? glapit Perry. C'est pour ça ?

— Silence !»

Le lieutenant examina le corridor.

«Je ne comprends même pas ce que ça veut dire. Quel plan ?

— C'est tout ce qu'on m'a dit de vous dire.»

Le canon du pistolet s'enfonça un peu plus dans le front de Perry.

«Du coup, je ne comprends absolument pas pourquoi vous voulez me tuer.»

Le lieutenant soupira. Tout en continuant à bloquer Perry contre le mur avec un bras, il baissa le col de sa chemise avec son autre main, celle qui tenait le pistolet, pour laisser apparaître un petit gâteau barré d'un trait rouge. «Le cupcake ne sera pour personne ! dit-il. Pigé ?»

Perry hocha la tête. Le lieutenant roulait des yeux, visiblement très en colère. «Vous avez écrit une lettre pour expliquer au président comment sauver le monde, dit-il d'une voix sifflante. Il y a trois semaines, à Los Angeles, dans un square, et avant que les extraterrestres ne descendent l'enlever, le Monpote avait prophétisé qu'ils allaient détruire le monde. Et c'est exactement ce qu'ils vont faire. Aucun faux prophète ne doit tenter de les en empêcher. Vous comprenez *maintenant* ?»

Perry eut alors une terrible révélation : comme les manifestants en survêtement bleu qu'il avait vus devant la Maison-Blanche, le lieutenant était un disciple égaré de la religion qu'il avait créée bien involontairement lorsqu'il avait parlé de Channel Blue aux sans-abri. Tout portait à croire que, depuis son bref passage au square de Saint-Jude, cette religion, qui n'était au départ qu'un système de croyance un peu barré et parfaitement bénin, avait métastasé pour devenir un culte apocalyptique mortel.

« Écoutez-moi, dit Perry aussi calmement qu'il le pouvait avec un pistolet contre le front. Il y a un terrible malentendu. Je m'appelle Perry Bunt...

— Je sais qui vous êtes ! aboya le lieutenant, très agacé.

— Je suis celui qui, dans le square de Los Angeles, a essayé de faire en sorte que tout le monde soit plus gentil afin que les extraterrestres ne nous tuent pas. »

Le lieutenant fronça le nez. Il n'en croyait pas un mot. « Vous n'êtes pas le Monpote ! » Il fouilla dans la poche de sa veste et en sortit une carte plastifiée où figurait ce qui ressemblait à un Jésus en survêtement bleu en train de léviter au-dessus d'une foule de disciples en adoration. « Voilà le Monpote ! »

Perry remua la tête. « Je n'ai jamais dit que j'étais le Monpote ni même Monpote, d'ailleurs. C'est un sans-abri, Ralph, qui appelle tout le monde "mon pote" et c'est comme ça que tout a commencé...

— Frère Ralph ? Vous prétendez connaître Frère Ralph ?

— Je ne connais pas de Frère Ralph. Je parle de Ralph, un SDF qui vit à Los Angeles et traîne devant une supérette... »

Le pistolet heurta la mâchoire de Perry et il tomba sur le sol. « Frère Ralph est notre prophète sur la Terre depuis que les extraterrestres ont enlevé le Monpote, dit le lieutenant. Il est second en divinité après le Monpote. »

Voilà qui explique tout, pensa Perry. Il se frotta la mâchoire et essaya de s'asseoir, ce qui n'était pas chose facile avec des menottes et des chaînes aux pieds. « Écoutez-moi bien : personne n'a jamais dit que les extraterrestres *devaient* détruire la Terre. Ce qui est important, c'est de tous s'entraider pour que les extraterrestres *ne détruisent pas* la Terre. Et, si vous m'aidez à sortir d'ici maintenant, il n'est pas trop tard. Il y a encore une chance. Si je peux accéder à la surface ou au moins quelque part où il y a quelques mouches, nous aurons la vie sauve, et nous sauverons le monde entier. Vous comprenez ? Nous pouvons encore sauver le monde !

— N'essayez pas de m'amadouer avec vos mensonges ! » Le lieutenant frappa Perry dans les côtes, l'envoyant à nouveau au sol. « Tout le monde sait que le monde doit finir ! »

Perry essaya de s'asseoir à nouveau mais la douleur était trop forte.

« Pourquoi ça ?

— Ce sont les paroles du Monpote. Lorsque le monde finira, sa prophétie sera révélée comme la seule Parole véritable. »

Perry savait parfaitement qu'il ne devait pas contrarier quelqu'un qui lui pointait un pistolet sur le front, mais il lui fut impossible de se retenir davantage. « Vous écoutez ce que vous êtes en train de dire ? Si c'est la fin du monde, quelle est la différence ? Personne ne sera là ! »

Le visage du lieutenant parut soudain empreint d'une étrange extase, les yeux grands ouverts, la bouche se fendant en un énorme sourire. « Oh si ! Je serai là. Nous serons des milliers à être là. Le Monpote arrivera dans son astronef et sauvera tous ceux qui ont cru en sa Parole.

— Non, il ne sauvera personne ! Le Monpote n'a pas d'astronef ! En ce moment il n'a même pas un putain de pantalon !

— Assez, avec vos mensonges, blasphémateur ! » Le lieutenant s'agenouilla pour presser à nouveau le canon de son revolver contre le front de Perry. « Préparez-vous à mourir. »

« Lieutenant ? » La voix venait de l'autre bout du couloir. Un soldat apparut et vit le lieutenant qui se tenait au-dessus de Perry. « Il y a un problème, lieutenant ?

— Ce détenu fait des siennes. Que voulez-vous ?

— Nous avons des ordres concernant le détenu, mon lieutenant. »

Le lieutenant eut l'air contrarié.

« Celui-ci ?

— Oui. Perry Bunt. Je suis allé dans la salle 6 mais on m'a expliqué que vous l'aviez emmené.

— Oui. Je me suis trompé. Ce n'est pas le bon détenu. Allez-y. » Le lieutenant s'avança en direction du soldat, qui aida Perry à se remettre debout. « Un instant, soldat. » Le lieutenant sortit un mouchoir de sa poche de poitrine et l'appuya contre la mâchoire enflée de Perry. « On peut y aller », dit-il avant de se pencher vers Perry et de lui chuchoter : « Si ce n'est pas eux qui en finissent avec vous, ce sera moi. »

Le soldat emmena Perry. Quelques minutes plus tard, celui-ci, à nouveau vêtu du costume qu'il portait à la Maison-Blanche, était dans un bureau, face à Drummond Nash. Le vieux chef des services secrets portait maintenant une casquette de chasse écossaise assortie à sa veste de chasse. Un fusil était posé sur son bureau. À côté de lui se tenait un homme en costume que le vieil homme présenta comme étant Dan Whittaker, du Département d'État. « M. Whittaker ici présent va vous ramener à Washington, dit-il. Aujourd'hui est votre jour de chance. Il semblerait que le président veuille discuter avec vous. » Le cœur de Perry battit à tout rompre. Le plan d'Amanda avait marché. Il avait fallu plus de temps que prévu, mais il allait avoir la possibilité de vraiment parler au président.

« Apparemment, il a vu votre nom sur la liste des prisonniers, poursuivit Drummond Nash. La raison pour laquelle il éprouve le besoin d'interférer avec le travail vital qui est le nôtre alors que l'enfer se déchaîne au Moyen-Orient n'est à première vue pas évidente.» Dan Whittaker lui lança un regard réprobateur et le vieil homme comprit qu'il s'était laissé emporter par ses émotions. Relâcher des détenus était quelque chose de difficile pour lui, ce qui était hautement compréhensible car il ne l'avait jamais fait auparavant. Il prit une grande inspiration. «La Constitution m'oblige à obéir aux ordres du président.» Son attention revint sur Perry. «Vous serez escorté par un détachement de sécurité durant le voyage, lequel vous rapatriera ici dès que le président aura obtenu satisfaction.»

Drummond Nash prit son fusil de chasse et commença à l'essuyer avec un chiffon. Cela indiquait manifestement que leur conversation était terminée. Mais Perry n'en avait pas fini.

«Je veux récupérer ma lettre», dit-il.

Le vieil homme le regarda de toute la force de ses petits yeux.

«Nous avons bien sûr besoin de l'original pour votre dossier, mais je ferai porter une copie dans l'hélicoptère», dit-il, avant de retourner à son fusil.

Perry acquiesça. Puis, en compagnie de Dan Whittaker et de deux soldats, il quitta la pièce pour prendre un ascenseur. La cabine entama une ascension rapide qui lui parut durer plusieurs minutes. Les portes s'ouvrirent sur un immense salon lambrissé. Sous des poutres en bois dégrossies, les murs étaient ornés d'énormes têtes d'animaux. Un feu ronflait dans une cheminée grande comme une pièce. Un des soldats recouvrit la tête de Perry avec une cagoule. Dan Whittaker la retira. «J'en prends la responsabilité», dit-il. Le soldat hocha la tête, non sans une certaine inquiétude, et rangea la cagoule dans sa poche. Perry fut emmené hors du pavillon de chasse. Au milieu de pins d'Aspen, un hélicoptère Marine One les attendait.

« Où sommes-nous ? demanda Perry.

— Je n'ai pas le droit de vous le dire », répondit Whittaker.

Ils montèrent à bord de l'hélicoptère. La cabine ressemblait à celle d'un luxueux jet privé. On attribua à Perry toute une rangée de vastes sièges en cuir, tandis que ses gardes occupaient les deux rangs qui lui faisaient face et que Whittaker s'installait dans le cockpit en compagnie du pilote. L'hélicoptère s'anima en vrombissant, et décolla.

Perry regarda par la fenêtre les grandioses montagnes couvertes de neige. Il se dit qu'il espérait qu'un jour Alistair aurait l'occasion de voir à quel point il s'était trompé. Les deux soldats piquèrent rapidement du nez.

Il se cala dans son siège et ferma les yeux. Il voulait dormir avant de rencontrer le président, afin d'avoir l'air aussi convaincant que possible, mais ses nerfs étaient à vif.

« Désirez-vous un café ou une boisson fraîche ? » dit une voix de femme.

Perry ouvrit les yeux. Devant lui se tenait Amanda Mundo.

CANAL 31 : LE DERNIER ÉPISODE

APRÈS AVOIR LAISSÉ PERRY À LA MAISON-BLANCHE, Amanda était retournée dans leur suite du Willard Intercontinental Hotel. Là, elle avait passé une heure à regarder la télévision, ce qui avait exercé sur elle la même fascination que les signaux de fumée sur les touristes visitant une réserve indienne. Elle allait quitter sa robe de soirée lorsqu'on frappa violemment à la porte. Elle ouvrit. Deux hommes en costume se tenaient sur le seuil, l'air grave.

« Amanda Mundo ? demanda l'un d'eux.

— Oui ?

— Étiez-vous à la Maison-Blanche, ce matin ?

— Oui, répondit Amanda, veillant à ne pas laisser entrevoir la moindre particule de l'inquiétude qui était en train de l'envahir.

— Veuillez nous suivre, s'il vous plaît. Nous avons quelques questions à vous poser concernant votre visite. »

Amanda leur adressa un chaleureux sourire. « Mais avec grand plaisir. C'est un endroit fantastique, ça a été le plus beau moment de ma vie. Et rencontrer le président ! Quelle expérience... » Elle continua dans cette veine pendant un petit moment, s'assurant de ne jamais interrompre le contact visuel avec les deux hommes. Au bout d'une minute de ce bavardage insipide, elle avait déjà réussi à les faire sourire, bien malgré eux. Amanda avait appris à flirter ainsi toute seule, en regardant Channel Blue, adolescente, et elle avait rarement eu l'occasion de mettre ses talents en pratique.

Un des hommes finit tout de même par l'interrompre, à grand renfort d'excuses, en lui expliquant qu'ils devaient vraiment y aller maintenant. Amanda leur joua le grand numéro de la contrariété, avec toute la trivialité propre à une Terricule : « Mon Dieu ! Je ne me suis même pas changée depuis que j'ai rencontré le président ! » – et s'il vous plaît, s'il vous plaît, *s'il vous plaît*, ces messieurs lui accorderaient-ils le temps d'aller super super vite se changer dans la salle de bains ? « J'en ai pour une seconde ! » Un des deux hommes hocha vaguement la tête. Elle attrapa son sac à main et, avant qu'ils ne se rendent compte de ce qu'ils venaient de l'autoriser à faire, elle s'enferma dans la salle de bains. Elle ouvrit la fenêtre, en escalada le rebord et, en avançant d'un pas chancelant sur une étroite corniche, dix étages au-dessus des voitures qui sillonnaient Pennsylvania Avenue, elle alla jusqu'à la fenêtre d'à côté. Fermée. Elle enleva une de ses chaussures, brisa la vitre avec le talon, ouvrit la fenêtre, se glissa à l'intérieur, et traversa la salle de bains pour pénétrer dans la chambre où Noah Overton dormait, après avoir passé toute la nuit à travailler au sauvetage de la Terre.

Elle le secoua pour le réveiller. « Perry a des ennuis. On doit y aller. » Elle repéra le portefeuille, le téléphone et l'ordinateur portable de Noah sur le bureau, les prit sous son bras et, de l'autre, tira le jeune homme, pas vraiment réveillé et simplement vêtu d'un caleçon et d'un tee-shirt.

Ils sortirent dans le couloir. Un autre homme en costume y était posté. Il vit Amanda, sortit une arme de la poche intérieure de sa veste et lui hurla de ne pas bouger. Amanda fit mine de n'avoir rien entendu et se dirigea vers les ascenseurs, en traînant Noah qui protestait haut et fort. L'homme les prévint que, s'ils ne s'arrêtaient pas, il allait tirer. Amanda poussa Noah, qui tomba tête la première sur le sol, puis se retourna en un éclair pour se retrouver face à l'homme. Celui-ci pointa son arme sur l'épaule droite d'Amanda et tira. La balle fut déviée par le bouclier anti-météorite de la jeune femme avant de ricocher dans tout le couloir pour finir par s'enfoncer dans le plafond.

Amanda effectua sept pas rapides en direction de l'homme, complètement stupéfait ; d'un coup de pied, elle fit sauter le pistolet qu'il tenait au bout de son bras tendu. Elle l'attrapa au vol et le braqua sur lui tout en reculant vers l'ascenseur, entraînant à nouveau Noah avec elle. « Qu'est-ce que vous foutez ? » gémit-il.

Amanda appuya sur le bouton du bas. L'homme en costume leva les bras en l'air. « Ne faites pas ça, dit-il.

— Ouais, convint Noah. Écoutez-le. Ne faites pas ça. »

On entendit le tintement signalant l'arrivée de l'ascenseur et les portes s'ouvrirent. À l'intérieur se trouvait un couple assez âgé accompagné d'un garçon d'étage tenant un portant à roulettes. Amanda poussa Noah dans la cabine et y entra à son tour. Les portes commencèrent à se fermer ; l'homme en costume se jeta vers eux, les mains en avant. Lorsqu'elle se rendit compte qu'il allait peut-être réussir à entrer dans la cabine avant la fermeture totale des portes, Amanda lança le pistolet dans l'ouverture, de plus en plus étroite, et lui asséna un coup sur le front. Avant que les portes ne se referment complètement, les occupants de l'ascenseur eurent le temps de voir l'homme tomber en arrière sur la moquette.

Amanda adressa un sourire aux autres passagers, qui regardaient droit devant eux, encore sous le choc. Elle inspecta le portant, prit un costume d'homme sur l'un des cintres et le tendit à Noah, en lui disant : « Ça doit être à peu près votre taille. » Lorsque les portes s'ouvrirent, elle traversa le hall bondé de l'hôtel en tirant Noah derrière elle, jusqu'à la sortie où attendait une longue file de taxis.

Ils s'engouffrèrent dans le véhicule qui était en tête. « Au Jefferson Memorial, dit Amanda au chauffeur. Et si nous n'y sommes pas dans cinq minutes, on va rater la visite. » Elle prit un billet de 20 dollars dans le portefeuille de Noah et le posa sur l'accoudoir du chauffeur, qui sourit et appuya sur l'accélérateur. Les pneus du taxi crissèrent, Amanda et Noah s'enfoncèrent dans la banquette arrière. « C'est de la folie ! hurla Noah. Il faut retourner là-bas ! Vous êtes complètement dingue ! »

Amanda expliqua avec douceur et sérénité à Noah que, s'ils voulaient avoir le moindre espoir de sauver Perry ainsi que la Terre, il ne fallait certainement pas finir en prison. Il valait mieux que Noah essaie de se calmer et enfile le costume qu'elle avait volé pour lui. « Vous avez votre portefeuille, votre téléphone et votre ordinateur. Y avait-il autre chose avec votre nom inscrit dessus ? » Noah fit non de la tête. « Alors, tout se passera bien pour vous. »

Noah se mit à sangloter tout doucement pendant qu'il enfilait son pantalon : « Ça part complètement en sucette. »

Le taxi s'arrêta à un feu rouge sur la 4e Rue et, juste avant que le feu ne passe au vert, Amanda ouvrit précipitamment la portière et sauta hors du taxi, toujours en entraînant Noah, qui était en train d'enfiler la veste du costume volé. Ils descendirent C Street à vive allure, entrèrent dans un grand magasin qu'ils parcoururent d'un bout à l'autre pour ressortir sur D Street. Ils traversèrent, tournèrent à un coin de la rue et s'approchèrent d'un immeuble en haut duquel était écrit en grandes lettres bleues : GALAXY ENTERTAINMENT.

Amanda emmena Noah dans le petit café qui se trouvait à côté de l'immeuble. Elle lui prit son ordinateur des mains et, pendant qu'il allait commander deux cafés, s'assit à la table la plus proche du mur mitoyen de Galaxy. Le temps que Noah revienne, portant les deux cafés dans ses mains tremblantes, elle avait déjà piraté le site de Channel Blue et avait accès à toutes les images, des heures et des heures de séquences, qu'elle fit défiler à toute vitesse. En quelques minutes, elle put retracer le trajet qu'avait fait Perry, inconscient, depuis la Maison-Blanche jusqu'à la base aérienne d'Andrews, à Washington, avant d'être emmené, à bord d'un avion-cargo, à la base aérienne de Buckley, dans le Colorado. Amanda fouilla dans ses souvenirs et essaya de se rappeler tout ce qu'elle savait concernant les opérations du renseignement américain.

« Drummond Nash, dit-elle à voix haute.

— Pardon ? dit Noah.

— C'est un ancien chef des services secrets. On peut dire qu'il dirige sa propre unité antiterroriste au sein de la CIA depuis de vieux silos de missiles ICBM, dans le Colorado. C'est là qu'ils ont emmené Perry. »

Avant que Noah n'ait pu réagir, Amanda rabattit d'un coup sec l'écran de son ordinateur, jeta les deux cafés à la poubelle et, par une issue de secours, elle l'entraîna dans une ruelle. Ils revinrent rapidement sur la 4ᵉ Rue et hélèrent un taxi pour se rendre à l'aéroport Dulles.

Au terminal des départs, Amanda acheta un billet pour Telluride avec escale à Denver. Elle alla voir Noah à la porte d'embarquement de son vol pour Los Angeles et lui souhaita bonne chance.

« Merci de votre aide, dit-elle.

— Je vous en supplie, ne me contactez plus jamais, répondit-il.

— Je suis désolée que ça ait été aussi mouvementé.

— Je suis sérieux. Perry et vous, vous êtes complètement fous. Laissez-moi tranquille. »

Amanda lui sourit et lui fit au revoir de la main pendant qu'il gagnait son avion.

La nuit était tombée depuis longtemps lorsque Amanda atterrit à Telluride. Elle loua une jeep avec GPS et roula vers le nord pendant deux heures avant de quitter la route. Elle ne se souvenait pas des coordonnées exactes du pavillon de chasse de Drummond Nash et parcourut plusieurs dizaines de kilomètres sur des pistes boueuses avant d'arriver à l'entrée d'un sentier barré par une grille affichant : ACCÈS STRICTEMENT INTERDIT. ORDRE DE L'ARMÉE DES ÉTATS-UNIS. Elle gara la jeep et dormit une petite heure avant que le soleil ne commence à poindre derrière le sommet des montagnes. Une fois qu'il y eut suffisamment de lumière pour qu'elle puisse voir à quinze mètres, elle sauta par-dessus la grille et s'engagea dans le sentier d'un pas rapide, regrettant de ne pas s'être arrêtée en ville pour s'acheter des chaussures de randonnée et un manteau. Une fois arrivée devant une première clôture de barbelés, elle demeura immobile jusqu'à ce qu'elle puisse repérer les lumières infrarouges du système d'alarme. Par chance, il faisait encore assez sombre pour qu'on les distingue. Elle rampa sous les rayons – et les barbelés – et continua à gravir la montagne. Une patrouille arriva à sa hauteur alors qu'elle était à mi-chemin du sommet. Elle se dit qu'on avait dû la suivre à la jumelle car les soldats surgirent devant elle sans le moindre avertissement. Ils portaient des tenues de camouflage standards, sans étiquette d'identification ni emblème, et étaient munis de fusils automatiques. Amanda prit soin de jouer la carte de la surprise totale et fut certainement bien aidée en cela par le fait qu'elle portait une robe de soirée blanche et des talons hauts. « Je viens de me disputer avec mon petit ami, dit-elle. J'ai eu besoin de marcher un peu. Je ne sais pas combien de temps. Où suis-je ? » Elle continua ainsi suffisamment longtemps pour réduire peu à peu la distance qui la séparait des deux soldats. Lorsqu'elle se trouva à une cinquantaine de centimètres, elle en frappa un au genou et l'autre au plexus. Ils s'écroulèrent tous les deux, non sans que l'un ait eu le réflexe d'épauler son fusil en tombant. Elle le lui fit sauter des mains d'un coup de pied avant qu'il n'ait pu tirer. Elle se servit de leurs propres menottes pour les attacher à un arbre, les bâillonna avec leurs chaussettes, puis s'en alla.

Au bout d'une nouvelle demi-heure d'une montée assez raide, elle parvint au sommet. Au point culminant se dressait un chalet en bois, au milieu d'une vaste étendue d'herbe où était posé un hélicoptère. À l'instant où Amanda se mit à traverser en courant la partie totalement dégagée de la pelouse, plusieurs hommes sortirent du pavillon de chasse. Seul endroit où se cacher : l'hélicoptère. Elle rebroussa chemin, cachée par l'appareil, gagna la passerelle et se glissa à l'intérieur. La porte du cockpit était ouverte; elle se mit à genoux, et parvint à ramper vers l'allée centrale de la cabine et à se recroqueviller sous le premier rang de sièges «pour que l'équipage ne me voie pas s'il se retournait», expliqua-t-elle à Perry. Et elle était maintenant assise à côté de lui, dans l'hélicoptère. «Vous imaginez à quel point j'ai été soulagée d'entendre votre voix.»

Perry hochait la tête, incrédule. «Je n'arrive pas à croire que vous ayez fait tout ça.

— C'est moi qui vous ai entraîné là-dedans. C'était à moi de vous en sortir.

— Hé!»

Perry et Amanda levèrent les yeux. Le soldat qui était face à eux venait de se réveiller et braquait son pistolet sur Amanda. «Qui êtes-vous?

— Tout va bien, répondit Perry. Elle est avec moi.

— Ça veut dire quoi, ça? dit le soldat. D'où est-ce qu'elle sort?»

Un coup très sec, comme si la pagaie d'un canoë avait heurté le flanc de l'hélicoptère, ébranla la cabine. L'appareil se mit à sévèrement vaciller comme un cheval de rodéo victime d'un infarctus. Les soubresauts de la cabine envoyèrent valser le soldat, qui n'avait pas attaché sa ceinture, la tête la première contre la vitre. Perry et Amanda furent précipités sur la rangée de sièges qui leur faisait face, avant d'être retournés dans tous les sens, ballottés comme des poupées de chiffon.

Ils tendirent les bras et parvinrent à se cramponner l'un à l'autre; puis ils perdirent connaissance.

***

Drummond Nash était assis dans son bureau, toujours en train d'astiquer son fusil. Il se demandait s'il n'allait pas faire une petite promenade avant le dîner, mais il sentait comme une petite baisse d'énergie, l'impression d'avoir «le moral dans les chaussettes», pour reprendre l'expression de Mme Nash. *C'est ce foutu boulot*, se dit-il.

Il n'arrivait toujours pas à se faire à tout ce gâchis, à ce manque d'efficacité, au sein de la sécurité nationale. Sans arrêt, des hommes admirables mouraient inutilement. C'était malheureusement la nature même de la guerre qu'il était en train de mener. Il devait veiller à garder une vision d'ensemble des choses et à considérer le long terme. Dieu sait ce que préparait l'autre camp.

Drummond Nash ouvrit la chambre de son fusil et essuya un peu de poussière avec son chiffon. Il faudrait qu'il procède à un grand nettoyage, un de ces jours, mais pas aujourd'hui. Il reposa l'arme dans son râtelier et examina le moniteur encastré dans le mur, un écran-radar qu'il avait fait installer par l'Air Force pour assurer son périmètre de sécurité. L'hélicoptère Marine One n'y apparaissait même plus.

Jamais on ne me verra monter dans un de ces trucs, songea Drummond. Comme il le disait toujours, s'il existait des appareils munis d'ailes, c'était bien pour une raison. Dans un hélicoptère, si l'un de ces machins en métal qui tournent tombe en panne, vous n'êtes plus que de la viande en conserve. Tellement d'accidents. Tellement d'accidents qu'il y avait de quoi se demander pourquoi les gens se risquaient encore à monter dans ce genre d'engins – surtout ceux de l'armée : c'était comme si, tous les jours, il en tombait un du ciel, comme une brique. Et il y avait rarement des photos des lieux d'accident, pas d'enquête non plus. On entendait simplement parler d'un accident d'hélicoptère, il fallait l'accepter, c'est tout, comme on accepte l'inéluctabilité de la mort elle-même. Bien sûr, il y a eu un accident d'hélicoptère, se disait-on. Il y a toujours des accidents d'hélicoptère.

Alors il y avait de quoi se demander pourquoi les gens prenaient ce risque.

Son interphone bipa.

«Sécurité 1 à Orion.

— Orion, dit Drummond.

— On a repéré de la fumée au sud-est. Ça ressemble à un accident. On envoie une équipe de secours?

— OK.»

Drummond Nash se rassit dans son fauteuil. *Il y a vraiment de quoi se poser des questions*, pensa-t-il.

CANAL 32 : CHACUN SON PARADIS

PERRY ET AMANDA OUVRIRENT LES YEUX. ILS ÉTAIENT assis sur des sièges qui se faisaient face, au milieu d'une salle blanche, vide, et dont la fenêtre donnait sur un ciel nocturne. Ils étaient tous deux vêtus de blanc. Perry tendit la main pour toucher le bras d'Amanda. « Ça va ? » lui demanda-t-il.

Elle hocha la tête. « Et toi ? »

Il hocha la tête. « Qu'est-ce qui nous arrive ? » Il essaya de se remémorer ses derniers instants de panique à l'intérieur de cet hélicoptère renversé qui fonçait vers le sol. Il se souvint que, juste avant de perdre connaissance, il avait souhaité que Brent Laskey fût lui aussi à bord de l'appareil.

« Où sommes-nous ? Combien de temps sommes-nous restés évanouis ? » Il jeta un coup d'œil par la fenêtre. « Il fait nuit. Il était à peu près midi lorsque nous étions dans l'hélicoptère, n'est-ce pas ? »

Amanda se leva et s'approcha de la fenêtre. « Ce n'est pas la nuit », dit-elle.

Perry la rejoignit. De l'autre côté de la vitre, on pouvait voir toute l'étendue de la surface sombre et poussiéreuse de la Lune et, au-dessus, les étoiles. «On a dû nous localiser, dit-elle, puis immobiliser l'hélicoptère dans un champ de force et nous en extraire avant l'impact.»

Perry sentit une vague de soulagement le submerger; il en avait la gorge nouée. «Mon Dieu!» Il serra la main d'Amanda dans la sienne. «J'ai bien cru que je ne te reverrais plus jamais.» Il était au bord des larmes et s'aperçut, à sa grande surprise, qu'elle aussi avait les yeux qui brillaient.

«Je sais, dit-elle.

— Je n'ai pas eu l'occasion de te le dire, mais merci d'être venue me sauver.

— Je serai toujours là.»

Perry se pencha pour l'embrasser. Elle l'enlaça. Un son étrange envahit alors l'atmosphère. Perry crut tout d'abord que c'était de la glace qui se fissurait. Puis, avec un haut-le-cœur, il comprit de quoi il s'agissait. *Des applaudissements.*

Un flot de lumière jaillit du mur opposé, qui s'enroula sur lui-même comme un immense rideau et monta vers le plafond, laissant apparaître toute une série de gradins remplis de spectateurs qui étaient bel et bien en train d'applaudir.

Ils avaient beau ne pas avoir bougé d'un centimètre, Perry et Amanda se trouvaient maintenant sur une scène, face à un public très nombreux, composé d'hommes et de femmes en survêtement bleu, plus séduisants les uns que les autres. Une voix retentit: «Souhaitons la bienvenue aux stars de *Bunt à la rescousse*: Perry Bunt et Amanda Mundo!» Le public se leva et se mit à applaudir de plus belle. Le faisceau d'un projecteur suivit Marty Finch, vêtu d'un smoking bleu pastel, pendant qu'il trottinait jusqu'à la scène, pour rejoindre Perry et Amanda. Vermy, le ver blanc, dépassait de son oreille gauche ; il était presque aussi étincelant que le sourire de Marty.

« Quel incroyable épisode, n'est-ce pas, les amis ? » dit-il d'une voix amplifiée, même si Perry ne voyait aucun micro.

Le public hurla. Le présentateur, qui jubilait, s'approcha furtivement de Perry et lui posa la main sur l'épaule. Perry s'aperçut qu'il était encore en train d'enlacer Amanda ; un peu gêné, il relâcha son étreinte.

« Wouaouh ! dit Marty. On en a vu, des choses incroyables, sur Channel Blue, mais aujourd'hui, vous vous êtes surpassé, Perry Bunt ! » Il porta son poing à sa bouche comme pour modérer son enthousiasme. « Lorsque vous avez dit à ce lieutenant qui voulait vous tuer : "En ce moment, le Monpote n'a même pas de pantalon", ça m'a rendu dingue. »

Le public, enthousiaste, s'esclaffa. Perry regardait Marty, complètement perdu. « Eh oui ! Nous avons bien vu tout ça, dit Marty. Nous sommes toujours connectés avec les prisons secrètes. Plusieurs de nos meilleurs programmes se passent dans ce genre d'endroits, et vos facéties n'ont pas fait exception à la règle. Maintenant, un petit mot de votre co-star… » Marty se tourna vers Amanda. « Amanda, par où commencer ? Cette dame sait-elle y faire ou pas ? » Le public répondit par l'affirmative, en hurlant. Amanda semblait totalement indifférente à tout ça. Marty posa une main sur son épaule. « Vous virer est la meilleure chose que j'aie jamais faite.

— Tu ne m'as pas virée, répondit Amanda. J'ai démissionné. » Marty fit semblant de reculer comme pour éviter un coup. « Comme vous voudrez, Amanda ! » Le public rit. Marty adressa un clin d'œil à Amanda et continua : « Bienvenue à tous dans *La*

Terre nous fait vraiment marrer avec Marty et Vermy rend hommage à "Bunt à la rescousse".» Un orchestre invisible se mit à jouer une musique de fanfare et le public manifesta sa joie en poussant force cris. «Ce public est venu des quatre coins de la galaxie pour participer, en direct sur Channel Blue, à l'hommage exclusif que nous rendons à ce que vous avez accompli tous les deux. Tout d'abord, je vous annonce... que notre émission est numéro 8 de la galaxie!»

Les spectateurs applaudirent à tout rompre pendant ce qui parut durer plusieurs minutes. Amanda se pencha vers Perry. «C'est incroyable!» dit-elle. Perry crut qu'elle parlait de la totale absurdité du spectacle auquel ils étaient en train de participer, mais elle continua: «On est dans le *top ten*. Ça n'était jamais arrivé à Channel Blue!»

Pendant que Perry essayait de digérer ça, Marty poursuivit: «Nous vous avons préparé beaucoup de surprises et d'hommages de la part d'invités spéciaux plus *fantastiques* les uns que les autres, mais accueillons tout d'abord le King en personne: M. Elvis Presley!»

Le public recommença à applaudir et, sur les accords de *Blue Suede Shoes*, Elvis Presley, en lunettes noires et combinaison bleu pastel, monta sur scène, d'un pas nonchalant, un trophée en or à la main: «Bonjour, monsieur Perry Bunt. Bon, je sais que je ne suis qu'une grosse banane qui a le hoquet...» Les spectateurs hurlèrent de rire. Perry les regardait comme un animal à demi assommé avant l'abattoir, puis il se dit que ça devait avoir l'air bizarre, alors il essaya désespérément de se forcer à sourire, mais il n'en sortit qu'un rictus nerveux.

«Mais, continua Elvis, je suis ici pour vous remettre cette récompense de la part de l'Académie des arts et sciences télévisuels. L'Orby du meilleur espoir de cette saison est attribué à M. Perry Bunt!»

Ce fut une *standing ovation*. Elvis mit la statuette dans les mains de Perry et lui tapa dans le dos. Perry, qui ne savait pas trop comment réagir, examina le trophée. C'était une femme nue, en or, qui tenait dans une main une planète rouge et bleu en train de tournoyer sur elle-même, et qui le saluait de l'autre. Passablement décontenancé, il regarda Amanda, qui applaudissait, elle aussi.

«Vous savez ce que ça signifie, monsieur Bunt?» lui demanda Marty. Perry fit un peu bêtement non de la tête. «Ça veut dire que nous ne pouvons pas vous laisser mourir! Vous êtes une trop grande star!»

Nouveaux hurlements de rire dans le public.

Une fois l'hystérie dissipée, Elvis adopta un ton plus naturel. «Lorsque ce type est entré pour la première fois dans mon bureau... eh bien, celui qui m'aurait dit que, deux semaines plus tard, il remporterait un Orby, je l'aurais envoyé direct chez le robopsy. Et si quelqu'un m'avait dit que vous changeriez notre manière de voir les PF, je l'aurais inscrit direct pour une transplantation du cerveau. Ce que je veux dire, c'est que, sur une planète uniquement peuplée d'individus insignifiants, ce type semblait être le plus grand loser de tous. Et son insipidité! Je vous assure que j'ai déjà mangé des sandwichs qui avaient plus de personnalité.» Le sourire figé de Perry se mua en une grimace tandis qu'Elvis remuait la tête pour marquer son émerveillement. «Mais c'est ça que j'aime dans ce boulot: on ne sait jamais ce qui va arriver.

— Absolument, Elvis, dit Marty. Dans quelques instants, nous allons discuter un peu plus avec Perry et Amanda, et rencontrer quelques fans qui sont là, dans le public. Mais, auparavant, nous avons une invitée spéciale qui est venue ici nous chanter le générique de *Bunt à la rescousse*. Veuillez, s'il vous plaît accueillir... Baby Jade!»

Perry vit alors une petite fille âgée de 4 ans, vêtue d'une robe bleue scintillante, monter avec assurance sur scène. Le public avait accueilli Perry et Amanda à grand renfort de cris, mais là, il sembla carrément au bord de l'apoplexie, tant il se déchaîna en hurlements et en acclamations. Perry s'aperçut d'ailleurs que même Amanda applaudissait frénétiquement.

Une musique cacophonique démarra et la petite fille de 4 ans se mit à parcourir la scène en dansant d'un pas alerte. Amanda regardait l'enfant sautiller, éperdue d'admiration.

«Qu'est-ce que c'est que ça? lui demanda Perry.

— C'est Baby Jade, répondit Amanda. C'est la plus grande pop star de toute la galaxie depuis *des années*.

— C'est une gamine.

— Lorsqu'elle était encore un fœtus, on a enregistré les battements de son cœur pour un morceau de *dance*, et depuis, on ne peut plus l'arrêter...»

Perry n'en revenait pas. «Qu'est-ce que ça veut dire, tout ça?

— Ce ne sont que de bonnes nouvelles, Perry. Les moyens énormes de la production, Baby Jade, tout ce public qui est venu d'Éden... Channel Blue est en train d'investir énormément dans le programme.

— Je me fiche du programme, répondit Perry qui commençait à s'agacer. Ça veut dire qu'ils annulent leur finale?

— Tu as entendu Marty: l'émission a pris trop d'importance. S'ils ne peuvent pas te faire mourir, ils ne peuvent pas non plus faire sauter ton chez-toi, hein?»

La nouvelle fit son chemin dans le cerveau de Perry, mais il avait encore du mal à y croire, tel un chien battu, qui considère une main levée comme une menace, même si elle brandit une récompense.

«Vraiment?

— Regarde la statuette que tu as dans les mains. Ils ne vont pas éliminer le Meilleur Espoir de l'année.

— Mais...»

Amanda mit un doigt sur ses lèvres. Baby Jade avait commencé à chanter d'une voix de soprano enfumée :

> *Il ne se passait rien dans sa vie*
> *Jusqu'à ce qu'arrive une fille*
> *Qui lui dise qu'il était temps de s'y mettre*
> *Qu'il y avait un programme à émettre*
>
> *Il s'est fait tabasser par ses congénères*
> *Mais il n'a jamais renoncé à sauver la Terre*
> *En montrant que les Terricules sont bons*
> *Même s'il n'a pas de statue à son nom...*

La musique enfla pour devenir une sorte de chœur religieux aussi fort que lancinant. Le public se mit à chanter à pleins poumons.

> *Sauver la Terre!*
> *Sauver la Terre!*
> *Maintenant c'est l'hilarité qui est la reine*
> *Depuis que Perry a décidé que ça en valait la peine!*
> *Sauver la Terre!*

Sauver la Terre !
Regardez ce Terricule un peu dingue essayer de sauver la Terre !

Baby Jade faisait des bonds frénétiques sur la scène en répétant le refrain de manière particulièrement abrutissante. Perry ne savait pas s'il devait se sentir gêné par les paroles ou réconforté par le fait que l'écriture de chansons ne faisait manifestement pas partie des nombreuses supériorités que les Édenites avaient sur les habitants de la Terre.

Puis la musique finit par ralentir pour atteindre un crescendo grandiloquent. Baby Jade inclina sa petite tête et se mit à brailler :

Sauver la Terre !
Sauver la Terre !

Même si ce caillou vaut à peine
Une vieille pelletée de boue d'Éden
Il ne peut s'empêcher de sauver la Teeeeeeeeerrrrrrrrrrrrre !

Baby Jade tint la note finale, les spectateurs bondissaient comme des marionnettes toutes accrochées au même fil, applaudissant et manifestant leur approbation par des beuglements. Et, tandis que la petite enchaînait les saluts en s'inclinant, Amanda se pencha à l'oreille de Perry.

« C'est génial, hein ? »

Perry la regarda bouche bée. « Tu plaisantes ? C'était totalement injurieux.

— Quel passage ?

— Mais, *toute la chanson !*

— Tu n'es pas habitué à notre musique, c'est tout. »

Perry était sur le point d'argumenter lorsque la voix retentissante de Marty l'interrompit.

« Alors, que pensez-vous de Baby Jade ? » hurla-t-il d'une voix encore plus extatique. Une fois que la foule se fut rassise, Marty continua : « Maintenant voici le moment d'une nouvelle surprise, une surprise vraiment extraordinaire... Veuillez s'il vous plaît accueillir le fiancé d'Amanda Mundo : Jared Corley ! »

Accueilli par une formidable ovation, Jared Corley monta sur scène, comme si de rien n'était, avec ses deux mètres de haut, sa chevelure blonde de rock star encadrant parfaitement son visage aux traits admirablement ciselés. Il serra fort Amanda dans ses bras. « Salut, championne », dit-il.

Perry dut se rendre à l'évidence : Amanda avait l'air heureuse de le voir.

Jared serra vigoureusement la main de Perry. « Salut, Perry. Je suis un grand fan de l'émission. » Les applaudissements faiblirent et Jared se tourna vers le public. « Je suis simplement passé dire à tout le monde à quel point cette émission est géniale. Et vous savez quoi ? J'aime toujours cette femme, même si je suis tombé amoureux d'une productrice, et pas d'une *reproductrice*. »

Le public s'esclaffa. Amanda souriait ; Perry faisait la grimace. Apparemment, l'écriture de blagues était un autre domaine, certes assez inutile, où les Terricules tenaient la corde.

« Amanda, même si ça a été très dur de te voir partir avec un Terricule, et même si ça me fait vraiment bizarre d'imaginer ses gènes aléatoires en train de se mélanger à ton ADN parfaite, je vous souhaite sincèrement du succès à travers toute la galaxie. »

Le public parut tenir cela pour la marque d'une grande noblesse d'âme, qu'il récompensa par de respectueux applaudissements. Perry regardait Jared, il n'en croyait pas ses oreilles. Pire encore, il s'aperçut qu'Amanda rougissait.

«Sérieusement, championne, je suis prêt à te soutenir de toutes les manières. Tant que je ne suis pas obligé de vous regarder tous les deux avoir des relations sexuelles.» Le public émit un mélange de gloussements et de cris de dégoût. «Ni vous ni n'importe qui d'autre. Beurk!»

Après de nouveaux rires et de nouveaux applaudissements, Jared prit encore une fois Amanda dans ses bras, serra une main molle de Perry, et s'en alla.

Avant que Perry ait pu reprendre ses esprits, Marty fit monter sur scène une célébrité incroyablement séduisante, qui ne signifiait rien pour lui, mais apparemment tout pour Amanda, puis une autre et encore une autre. Toutes ces stars étaient là pour chanter, danser, jouer d'un instrument de musique ou simplement évoquer leurs moments préférés de *Bunt à la rescousse*, en agrémentant généralement leur intervention d'une plaisanterie que Perry ne pouvait s'empêcher de trouver insultante. «Ce Perry Bunt, imaginez ça! Quel courage! Sur Altaïr 7, j'ai vu des singes volants qui étaient plus précautionneux que ce type», déclara ainsi un Adonis que l'on présenta comme le «comique de la galaxie».

Lorsque Marty Finch annonça enfin que le show touchait à sa fin, ce fut un soulagement pour Perry. Il était impatient de sortir de scène. Il se tourna vers Amanda, mais elle était plongée dans une conversation très animée avec Jared; il préféra donc trouver la sortie tout seul. Seulement, à peine l'avait-il repérée qu'il se trouva face à Marty, qui lui expliqua qu'il devait immédiatement se rendre à une réunion avec les responsables de Channel Blue pour discuter de l'avenir de la série. Comme pour souligner l'importance de cet événement, Vermy, qui pendouillait de l'oreille de Marty, cligna des yeux à toute vitesse.

« Il y a une conférence de presse d'une importance capitale, ce soir – on fait venir tous les journalistes spécialistes du divertissement. Ce ne sera pas du tout comme la foule en adoration d'ici, qui aimait tout ce que vous disiez.

— Mais je n'ai rien dit, répondit Perry.

— Ce soir, ce sera différent, poursuivit Marty sans faire attention à ce que son interlocuteur venait de dire. Ce soir, vous serez confronté aux esprits les plus affûtés que l'on peut trouver sur Éden. »

Perry eut l'air dubitatif. « Des journalistes experts en divertissements ?

— Vous devez comprendre qu'en l'absence de guerres ou de violence, le divertissement est le secteur le plus prestigieux au sein de nos médias d'actualité. Nous devons vous préparer, et pas seulement pour les questions les plus prévisibles... »

Marty continua à se répandre de la sorte, mais Perry ne l'écoutait plus. À l'autre bout de la scène, Amanda était toujours en train de parler avec Jared. Il les regarda rire et s'enlacer. Perry avait désormais compris comment on s'enlaçait chez les Édenites : on se serrait les bras, les corps se touchaient à peine, et les têtes regardaient dans des directions opposées, mais c'était tout de même une étreinte.

Après le départ de Jared, Marty fit sortir Perry et Amanda par un autre long couloir bleu. Ils marchèrent ensemble quelques instants avant que Perry ne brise le silence.

« Agréable, cette conversation avec Jared ? demanda-t-il, en s'efforçant de dissimuler son agacement.

— Oui, répondit-elle. Il est vraiment d'un grand soutien. »
Perry rumina la chose pendant qu'ils continuaient à marcher.
« Il aurait bien voulu rester un peu, mais il devait retourner
sur la planète mère. C'est le lancement des nouvelles saisons de
plusieurs de ses prograplanètes. »

Perry esquissa un tout petit sourire. « Oooh, comme c'est dommage. Ça aurait été vraiment chouette de mieux le connaître. »

Amanda le regarda de travers. « Pas besoin d'être sarcastique.

— Ah, mais oui ! J'avais oublié ! Nous sommes sur la Lune.

— Sache que Jared ne constitue pas une menace pour toi.

— Bien sûr ! Pourquoi est-ce que je me sentirais menacé par
lui ? Juste parce qu'il est terriblement grand, qu'il ressemble à
une rock star et que mes gènes pourris le font flipper ?

— Sa réponse est parfaitement compréhensible. Tu l'aurais
très bien comprise si tu connaissais mieux notre culture.

— Eh bien, je ne tiens absolument pas à mieux connaître
votre culture. Tout ce show m'a écœuré. »

Amanda écarquilla les yeux de surprise. « On *nous* rendait
hommage. Qu'est-ce tu n'as pas aimé ?

— Je ne sais pas. Euh... par exemple... tout. Je n'ai jamais vu
autant de frimeurs condescendants. Si ça, c'est un hommage, je
préfère encore la torture. »

Amanda s'arrêta net. « Je sais que le cynisme est pratiquement une religion pour les Terricules et, étant donné ce qu'est
votre planète, je comprends pourquoi. Mais tu ne peux pas
t'arrêter un moment ? Tu es obligé de voir toujours le mauvais
côté des gens ?

— On m'a comparé à un chimpanzé volant !

— Les chimpanzés volants d'Altaïr 7 sont des créatures merveilleuses. Ils font même de meilleures audiences que nous. Tu
devrais te sentir honoré.

— Elvis a dit que j'avais moins de personnalité qu'un sandwich.

— C'est ce qu'il a pensé la première fois qu'il t'a rencontré. Tu lui as prouvé qu'il avait tort. Tu l'as entendu : tu as changé l'image que les gens ont des PF.

— La chanson me fait passer pour un loser total.»

Amanda soupira.

«Perry, tous ces gens t'*aiment*. Et c'est pour ça qu'ils ont dit tout ça. *Et c'est pour ça que nous sommes encore en vie.*

— Eh bien, je ne suis pas certain que ce soit la meilleure part du marché.»

Amanda leva les yeux au ciel, ce qui ne fit qu'irriter davantage Perry.

«C'est vrai. Tu devrais être mort à l'heure qu'il est.

— Je préférerais être aussi loin que possible de leur amour», répliqua Perry.

Amanda le regarda comme si c'était un inconnu. Même si elle savait très bien que c'était parfaitement irrationnel, elle ne pouvait s'empêcher d'interpréter son mépris à l'égard de cet hommage et des Édenites en général comme un jugement à son encontre. Mais qui était-il donc, ce Perry Bunt, pour se permettre de juger *qui que ce soit*? N'avait-elle pas tiré un trait sur sa carrière pour lui sauver la vie? C'était un *Produit de Fornication*, nom d'Adam! Et elle, un génotype de niveau 4, le plus haut niveau d'élaboration génétique de l'univers connu. Elle pouvait choisir d'être avec qui elle voulait, mais elle avait *tout* abandonné, même sa dignité pour sauver Perry et sa planète !

«La Terre est sauvée. Nous sommes ensemble. Pourquoi te comportes-tu ainsi? Est-ce impossible pour toi de faire preuve d'un peu de gratitude?

— Difficile d'avoir de la gratitude à l'égard de ceux qui ont commencé par vouloir me tuer. Et si la Terre est vraiment

413

sauvée, qu'est-ce que je fais ici ? Tu peux me le dire ? Pourquoi est-ce que je fais encore partie de leur numéro de cirque ? Pourquoi est-ce qu'on ne me laisse pas rentrer chez moi ? » Le « me » de sa dernière phrase résonna de façon très lourde entre eux. « Et si tu trouves que Capitaine Beau Gosse est d'un tel réconfort, pourquoi ne rentres-tu pas avec lui ?

— Pardon, mes chéris, les interrompit Marty qui avait reparcouru tout le couloir en sens inverse pour revenir à leur hauteur. Il ne faut pas traîner. On a un emploi du temps excessivement serré. »

Perry et Amanda continuèrent à marcher, tous deux très contrariés par leur conversation et la manière dont elle s'était achevée. Marty les conduisit devant un alignement de grandes portes en acier. « Bonne chance », leur dit-il, avant de se retourner et de s'en aller d'un bon pas.

Perry et Amanda le regardèrent partir, puis Amanda ouvrit une des portes. Ils pénétrèrent dans une grande salle de conférences. Au fond se trouvait une petite estrade. Sur cette petite estrade, quatre chaises étaient disposées autour d'une petite colonne en métal ; il y avait également un très grand écran, en arrière-plan, sur lequel on pouvait voir une image de la Terre. Près de l'estrade, Elvis était en grande conversation avec un homme qui paraissait prodigieusement âgé. Cet homme avait une longue barbe, aussi blanche que ses cheveux, et parut étrangement familier à Perry, sans qu'il sache très bien pourquoi. Puis, subitement, il sut où il l'avait vu : sur le plafond de la chapelle Sixtine.

Elvis leva les yeux et les aperçut.

« Salut, Perry, et Amanda. Il y a là quelqu'un que j'aimerais vous présenter. » Il enveloppa le vénérable vieillard de son bras. « Voici... DIEU. »

CANAL 33 : DIEU

ERRY ET AMANDA REGARDÈRENT LE VIEILLARD, totalement abasourdis. «C'est DIEU qui a créé la Terre et qui est le responsable général de l'ensemble de la production, dit Elvis, de sa voix traînante. Nous avons l'immense chance de l'avoir parmi nous aujourd'hui. Ça fait combien de temps que vous n'étiez pas venu?»

Le vieil homme remua sa tête ornée de cheveux blancs. «Trop longtemps, je le crains. Maintenant, je dois avoir l'œil sur toute la galaxie et, pour être honnête, venir ici avait tendance à me déprimer, alors j'ai arrêté.»

Tandis que Perry, pétrifié, contemplait bouche bée le créateur de la Terre, Amanda fit un pas en avant et lui tendit la main. «Enchantée, monsieur, dit-elle.

— Tout le plaisir est pour moi.» Le vieil homme lui fit un grand sourire et, de ses deux grandes mains, il enveloppa celle d'Amanda. «Amanda Mundo. C'est Perry qui a principalement retenu l'attention des gens, mais je tiens à vous dire que vous avez joué un rôle absolument crucial dans tout ça. Voilà long-temps que j'avais envie de vous rencontrer. » Était-ce l'expression pleine de béatitude du vieil homme, était-ce à cause des louanges qu'il venait de lui adresser, toujours est-il que, soudain, ce fut trop pour Amanda. Elle retira sa main. Le vieillard continua à la subjuguer de son regard bienveillant. « Félicitations pour votre grossesse. C'est un événement qui va changer tant de choses. »

Amanda détourna le regard, réellement embarrassée.

« Je vous remercie. Ça a été... une surprise.

— Et pas que pour vous ! claironna Elvis. Quand vous l'avez annoncé à Perry, près de ce champ de maïs mort, les audiences ont encore grimpé d'un cran. On a dépassé les combats de robots et la chasse aux mutants ; on a même fait mieux que la guerre des volcans !

— Je vous en prie, Elvis, dit doucement le vieillard. Nous savons parfaitement que les audiences sont bonnes. C'est même pour cette raison que je suis venu. » Il remarqua l'air ahuri de Perry et lui adressa un sourire plein de sérénité. « Détendez-vous, Perry. DIEU n'est qu'un sobriquet. Mon vrai nom est Desmond Icarus E. Upsilon. Vous pouvez m'appeler Des si ça peut vous mettre à l'aise. »

Pour pouvoir parler, Perry dut vraiment forcer les mots à sortir de sa bouche. « Vous êtes sur le plafond de la chapelle Sixtine.

— Oui, répondit Desmond Icarus E. Upsilon, le regard rieur. C'était une petite blague. À l'époque, ils m'avaient blanchi les cheveux et la barbe afin de me donner un surcroît d'autorité. Ça ne serait plus nécessaire maintenant, n'est-ce pas ?

— Alors, croire en Dieu... » La voix de Perry s'étouffa.

« Eh oui ! Il existe ! » s'esclaffa Desmond Icarus E. Upsilon. Il serra la main de Perry avec une poigne incroyablement ferme pour quelqu'un d'âgé de presque 200 ans. Perry n'avait jamais touché une main aussi chaude et aussi douce. « Je suis tellement heureux de vous rencontrer, mon fils. La Terre a toujours été un peu mon bébé mais, je dois l'admettre, je l'ai un peu laissée tomber. J'étais convaincu qu'elle avait fait son temps, que rien ne naîtrait plus jamais d'elle. Vous m'avez prouvé que j'avais tort. Et pour ça vous avez toute ma reconnaissance. » Il tapota l'épaule de Perry. « Ou plutôt, devrais-je dire, mon *éternelle* gratitude. » Perry se surprit à lui sourire en retour. « Maintenant, il nous reste beaucoup de choses à faire, en très peu de temps. »

Desmond Icarus E. Upsilon leur expliqua que tous les Édenites de la galaxie étaient fascinés par Perry et sa soudaine popularité sur une chaîne qui, depuis des années, n'avait lancé aucune star. Tout cela avait été si rapide que certains soupçonnaient Perry d'être en réalité un Édenite. Il était déjà arrivé que certains programmes essaient de faire passer des producteurs édenites pour des malheureux Produits de Fornication vivant sur des prograplanètes. « On peut dire qu'ils ont déjà été échaudés plusieurs fois par le passé. » Il jeta un coup d'œil à Elvis, qui avait l'air quelque peu sur la défensive.

« Hé ! On n'a jamais dit que j'étais un Terricule, dit Elvis. Enfin... on n'a pas été jusqu'à dire que je n'en étais pas un, mais on n'a jamais menti.

— Je sais, dit Desmond Icarus E. Upsilon. Je dis simplement qu'ils ont le sentiment d'avoir déjà été dupés. Bien évidemment, ils ne remettent pas en cause le fait qu'Amanda soit une Édenite. Mais, même si cette alchimie qui existe entre vous est excellente pour l'évolution de la série, cette relation n'a fait que susciter davantage de doutes sur l'authenticité de Perry.

— Faut tout de même admettre que c'est une drôle de relation », observa Elvis.

Perry ne se sentit aucunement obligé de l'admettre, tandis qu'Amanda s'empressa d'acquiescer.

« Quoi qu'il en soit, nous n'en sommes que plus motivés pour résoudre cette question une bonne fois pour toutes, poursuivit Desmond Icarus E. Upsilon. Nous devons montrer clairement aux médias de la galaxie que Perry n'est rien de plus qu'un Produit de Fornication. Qu'en dites-vous ? » Le directeur aux cheveux blancs fixa ses yeux marron et pénétrants sur Perry. « Vous semblez dubitatif. Vous êtes prêt pour ça ? »

Perry ne l'était pas du tout. Il était très en colère de s'être disputé avec Amanda dans le couloir. Il se tourna vers elle, mais elle évitait son regard. Sans elle pour alliée, il se sentait plus seul que jamais. Après toutes ses escapades pour sauver le monde, il était épuisé et avait mal partout. Et pour couronner tous les mauvais traitements qu'il avait subis, l'adulation étrange que lui vouaient désormais les Édenites, adulation uniquement fondée sur sa capacité à souffrir, avait quelque chose d'exaspérant. Il s'en tamponnait, que les médias édenites le prennent pour un Terricule, un producteur ou un paresseux à trois orteils. Il voulait simplement une garantie que lui et la Terre étaient bel et bien sains et saufs, pour pouvoir s'écrouler quelque part et sombrer dans un profond, profond, profond sommeil.

« C'est vraiment indispensable ? » demanda-t-il. Les deux cadres de l'industrie du divertissement le regardèrent, impénétrables. « Euh... Ça ne suffit pas, que tout le monde se soit de nouveau mis à regarder Channel Blue ? On ne peut pas simplement en revenir à ce qu'on faisait avant ? »

Desmond Icarus E. Upsilon remua lentement sa crinière blanche. « Je comprends totalement votre désir de reprendre votre vie, mon fils, dit-il. Vraiment. Après tout ce que vous avez subi ! Nous comprenons tous. Mais le moment n'est pas encore venu. Nous voulons tous enraciner le succès de l'émission. Et pour cela, nos amis des médias ont besoin de s'assurer que vous n'êtes pas une supercherie. Comment le leur reprocher ? Ils veulent voir par eux-mêmes si vous êtes vraiment ce que vous prétendez être.

— Nous leur avons bien entendu déjà envoyé quelques échantillons de votre ADN, intervint Elvis. C'est pour ça qu'on vous a coupé les cheveux avant l'épisode avec Del Waddle. Mais il y aura toujours des sceptiques qui nous accuseront d'avoir bidouillé vos cheveux. C'est pourquoi nous avons ce petit bébé ici présent. »

Il tapota la colonne métallique qui se trouvait au centre de l'estrade.

« Elvis, pourquoi ne montreriez-vous pas à Perry comment ça fonctionne ? » dit Desmond Icarus E. Upsilon. Elvis sauta vaillamment sur scène et s'assit sur la colonne de métal.

« Normal », dit une voix féminine apaisante.

Elvis sourit et se leva. « C'est aussi simple que ça, dit-il.

— Vous devriez essayer, Perry », dit le vénérable producteur en lui désignant la colonne.

Après un petit moment d'hésitation, Perry se traîna sur l'estrade et s'assit sur la colonne.

« Produit de Fornication », dit la voix apaisante.

Desmond Icarus E. Upsilon sourit. « Vous voyez ? Il ne se trompe jamais. C'est pourquoi nous l'appelons le Tabouret de la Vérité. »

Même déprimé comme il l'était, Perry ne put s'empêcher de glousser. « C'est vraiment comme ça que ça s'appelle ? »

Le créateur de Channel Blue lui adressa un regard empreint de gravité. « Oui. » Perry mit la main devant sa bouche, comme un petit garçon pris en train de rire à l'église. « Donc, ce soir nous ouvrirons la conférence de presse avec un montage des meilleurs moments de la série. Puis, après quelques remarques liminaires d'Elvis, vous vous assiérez sur le Tabouret de la Vérité. La question de votre prétendu maquillage génétique réglée une bonne fois pour toutes, nous nous consacrerons à faire connaître le vrai Perry Bunt... » Il tendit la main vers l'immense Terre qui figurait sur l'écran. « Et cela, pile devant cette merveilleuse image, en direct, de la planète que vous vous êtes donné tant de mal à sauver. » Il fit silence et lui adressa un chaleureux sourire : « Je pense que ça va être spectaculaire.

— Voici quelques questions qu'on va certainement vous poser », dit Elvis en tendant à Perry un petit écran.

Perry lut : « "Avez-vous l'impression d'être un animal, lorsque vous déféquez ?" "Pourquoi les Terricules aiment-ils les chiens et haïssent-ils les gens ?" "Après avoir déféqué, comment pouvez-vous essuyer les excréments de votre orifice anal sans vous répugner totalement vous-même ?" "À quel animal vous identifiez-vous le plus lorsque vous vous masturbez ?" » Perry leva les yeux de son écran. « Je suis désolé, mais ces questions sont totalement absurdes.

— Pour vous, oui, je le vois très bien, dit très gentiment Desmond Icarus E. Upsilon. Mais vous devez vous montrer indulgent à leur égard, Perry. Vous n'avez qu'à imaginer que cette conférence de presse est le prochain épisode de *Bunt à la rescousse*. Ce sera d'ailleurs le cas, bien entendu.

— J'ai une question à ce propos », dit Perry, saisissant l'occasion. Il essaya de formuler sa phrase à venir avec le plus de tact possible : « Combien y a-t-il encore d'épisodes prévus ? » À nouveau, DIEU et Elvis le regardèrent, totalement impassibles, ce qui ne fit qu'accroître son malaise. « J'apprécie l'enthousiasme de chacun. Vraiment. Je vous suis très *reconnaissant*, dit-il en insistant sur ce mot et en regardant Amanda. Et je suis vraiment content d'être en vie. Et que la Terre n'ait pas explosé et tout ça. Mais je ne pense pas que je puisse continuer sur votre chaîne.

— Perry, vous êtes une star, dit Elvis. Actuellement vous êtes la personne la plus célèbre de la Terre. N'est-ce pas ce que vous avez toujours désiré ? »

Ce que je désirais, c'est qu'il y ait quelqu'un sur Terre qui le sache, envisagea de dire Perry, mais il ne le fit pas car la dernière chose dont il avait besoin, c'était qu'on le prenne pour un ingrat. « Comme je vous l'ai dit, j'apprécie vraiment tout ça. Mais après avoir fait l'expérience de la célébrité, je crois que je préfère retourner à l'enseignement. »

Si l'expression de Desmond Icarus E. Upsilon demeurait indéchiffrable, Elvis, lui, hocha la tête et partit d'un petit rire incrédule. « Vous n'êtes pas sérieux ?

— Je sais que vous pensez qu'ici bas, notre vie est sans intérêt, dit Perry. Mais là, maintenant, je n'ai envie que d'une chose, c'est de reprendre la mienne. Je ne peux plus courir partout, me faire tabasser et quasiment tuer uniquement pour faire grimper vos audiences. Je ne peux plus. Si c'est ce que vous voulez, autant me tuer tout de suite et en finir, parce que je ne vais pas retourner sur Terre pour continuer tout ça. »

Elvis et Desmond Icarus E. Upsilon échangèrent un rapide regard. «Ne vous inquiétez pas, Perry, dit calmement le vieux producteur. Je vous promets que vous n'aurez pas à le faire. Plus jamais.»

Perry fixa le créateur de Channel Blue, craignant de n'avoir pas bien entendu. «Vraiment?»

Desmond Icarus E. Upsilon lui fit un large sourire.

«Croyez-en ma parole.

— En fait, nous sommes très heureux que vous voyiez les choses ainsi, dit Elvis. Ces histoires de passage à tabac, ça commençait à devenir *démodé*.

— Le temps où vous vous faisiez maltraiter par les Terricules est *révolu*, dit Desmond Icarus E. Upsilon avec emphase.

— Merci, dit Perry, proche de l'évanouissement tant il était soulagé. Dans ce cas...» Il se tourna vers Amanda. Elle le regarda avec circonspection. Il prit sa respiration et parla. «Amanda, je veux que tu viennes avec moi. Et je travaillerai tous les jours jusqu'à la fin de ma vie pour que tu ne regrettes pas cette décision. Tu veux bien y réfléchir?»

Au bout d'un moment, Amanda fit un grand sourire, et Perry sentit toute la tension qu'il y avait entre eux deux s'évaporer dans l'air recyclé. «Oui», répondit-elle.

Perry lui sourit à son tour et lui prit la main.

Desmond Icarus E. Upsilon rayonnait, lui aussi, irradiant une aura d'immense bienveillance. «Comme c'est charmant.»

Elvis retira ses lunettes teintées et s'essuya le coin des yeux. «Sur ma vie, il faut que vous refassiez ça devant les caméras.» Il remit ses lunettes. «Amanda, vous êtes totalement imprévisible. Je me souviens de ces histoires d'hormones de femmes enceintes, du temps où j'étais sur Terre. Vous êtes vraiment complètement cintrée et j'adore ça!»

Le créateur de Channel Blue intervint : « Restez ici autant que vous voudrez, faites comme chez vous. Pensez simplement tous les deux à vous reposer avant la conférence de presse. Malheureusement, je ne pourrai pas y assister – on a besoin de moi ailleurs. Mais j'ai foi en vous deux. Je vous regarderai. » Un sourire illumina son visage et il sortit à pas légers de la salle de conférences.

« Les Kings, ce soir, c'est vous ! » déclara Elvis, en se dirigeant vers la porte, après avoir tapé dans le dos de Perry.

« Lorsque j'ai dit que je haïssais votre musique, je ne le pensais pas vraiment, laissa échapper Perry. En fait, je l'ai toujours aimée. »

Elvis s'arrêta sur le seuil de la porte. « À la vérité, je n'ai jamais vraiment considéré que c'était de la musique. Je suis juste descendu retourner le cerveau des adolescents pour les rendre complètement dingues. Et ça a marché. » Il fit une moue qui finit dans un sourire et sortit de la pièce.

Lorsque la porte se fut refermée derrière lui, Perry se précipita vers Amanda et la souleva dans ses bras. « On a réussi ! »

— Je t'avais dit que ça marcherait. »

Amanda n'en revenait pas. « Tu te rends compte ? Desmond Icarus E. Upsilon est venu en personne jusqu'ici pour nous parler ! Pour nous parler d'une conférence de presse ! C'est inouï. Il ne se mêle jamais de ce genre de détails ! Il ne s'occupe que de ce qu'il y a de plus important.

— Il l'a dit, hein ? Il a bien dit que je n'aurais plus à sauver la Terre ? »

Amanda opina de toutes ses forces. « C'est ce qu'il a dit. Et il ne ment jamais. Tout le monde le sait, dans la galaxie. »

Pour la première fois depuis des jours, Perry s'autorisa à se sentir soulagé. Toute la terreur qu'il avait enfouie remonta soudain et il se mit à sangloter, comme pris de convulsions. Amanda l'entoura de ses bras et baisa ses larmes. Elle trouva ses lèvres et ils s'embrassèrent. Perry s'écarta soudain et inspecta la pièce.

« Il n'y a pas de caméras, dit Amanda, lisant dans ses pensées.

— Tu es sûre ?

— La Lune n'est pas connectée. Tout le monde n'est ici que pour observer la Terre. »

Ils s'embrassèrent de nouveau. Perry lui caressa le visage. « Combien de temps va durer cette connerie de conférence de presse ?

— À peu près une heure.

— Une heure entière ? » Il lui sourit. « C'est long. Surtout quand on pense que nous n'avons besoin que de, comment avais-tu dit déjà ? De "quelques secondes" ? »

Amanda éclata de rire et lui donna un petit coup. « J'aurais dû dire "les quelques secondes les plus mémorables de ma vie". » Et ils s'embrassèrent encore.

« Je déteste être en compétition avec moi-même, dit Perry, mais je pense que nous pourrons faire mieux la prochaine fois.

— Ah oui ?

— Oui. En ce qui me concerne, je suis prêt à viser une minute. » Il l'allongea sur l'estrade, déboutonna sa veste blanche et se pressa contre elle. « On sera tout suants et tout collants pour la conférence de presse. Ça donnera un sujet de conversation au reste de la galaxie. »

Amanda rit. « Ça me plaît », dit-elle et elle fit glisser ses mains sur le pantalon de Perry, le prenant totalement au dépourvu. Il sauta en l'air, entraînant Amanda avec lui, ce qui la fit tomber en arrière. Au dernier moment, elle tendit le bras et ne put reprendre son équilibre qu'en s'agrippant au Tabouret de la Vérité.

« Produit de Fornication », déclara la voix apaisante.

CANAL 34 : PF

L'APPARTEMENT QU'OCCUPAIT AMANDA SUR LA LUNE était entièrement vide à l'exception d'un canapé et d'une bouteille millésimée de champagne de Cassiopée qui, à en croire l'étiquette nouée autour du goulot, était un cadeau de la part de DIEU. Elle reposait dans un seau à glace en argent, attendant d'être débouchée. Perry était assis sur le canapé et regardait, très embêté, Amanda qui arpentait la pièce en jouant avec une boucle de ses cheveux et en soliloquant à voix basse. Perry ne parvenait pas à saisir grand-chose de ce soliloque, même s'il atteignait parfois un volume assez audible.

Soudain, elle s'arrêta net. « Mes B en cours de chimie ! Personne n'a jamais compris pourquoi. Mes capacités de raisonnement déductif sont supérieures à la moyenne ; ça fait partie de mon profil, alors pourquoi avais-je des B ? Parce que je n'ai *jamais* eu des capacités de raisonnement déductif supérieures à la moyenne.

— Ou peut-être était-ce parce que les seuls gamins à avoir des A en chimie étaient de vrais *geeks*, dit Perry, tentant désespérément d'introduire un peu de légèreté.

— Et mes cheveux! dit-elle, ignorant Perry, absorbée qu'elle était par l'examen de sa boucle. Ils sont censés être blonds, mais il leur arrive de devenir plus foncés. Parfois, ils sont presque *bruns.* »

Perry n'avait jamais vu Amanda dans un tel état. C'était officiel : elle lui faisait peur. « Tu as déjà dû croiser un de ces Vrais Tabourets auparavant ?

— Ça ne s'appelle pas un Vrai Tabouret.

— Tabouret de la Vérité, si tu veux.

— Ça m'est arrivé, oui, mais il n'a jamais été nécessaire de me tester. Mon profil génétique est dans la médibase depuis ma conception.

— Quelqu'un a dû le truquer.

— C'est impossible. Personne ne tenterait une chose pareille. Et si quelqu'un le faisait, il serait aussitôt pris. »

Perry haussa les sourcils. « Tu en es absolument sûre ?

— *J'en suis absolument sûre.* La police édenite n'a rien à voir avec les clowns de votre planète. Il n'y a pratiquement jamais de crimes et, quand il y en a, ils sont immédiatement punis. C'est pour ça que personne n'a jamais remis mon profil en cause. » Elle se tut un instant. « À moins qu'on ait toujours su qu'il était faux. Et c'est pour ça que j'ai décroché ce boulot à Channel Blue. » Elle se remit à faire les cent pas, mais encore plus vite qu'avant. « Mais oui, c'est ça : il devait y avoir au moins plusieurs centaines de candidats plus qualifiés que moi. » Elle ouvrit grand les yeux. « *C'est pour ça* qu'ils m'ont encouragée à me mêler aux PF! Ils voulaient que je me retrouve parmi vous parce que, depuis le début, ils savaient que j'étais l'une d'entre vous : que, moi aussi, je ferais toutes ces choses horribles et débiles que vous aimez tellement faire...

— Hé ! ho ! dit Perry.

— Désolée, mais c'est la vérité ! Nous sommes dégoûtants. » Amanda se mit à pincer la chair de ses bras. « Rien que de penser à tous ces gènes merdiques qui se trouvent à l'intérieur de chacune de mes cellules, ça me donne envie de vomir.

— Bon Dieu, Amanda ! Calme-toi un moment...

— C'est impossible ! Toute ma vie, j'ai pensé que j'étais le summum de la génétique humaine alors que je ne suis rien d'autre que... le bébé de quelqu'un qui a simplement tiré un coup. »

Perry n'en croyait pas ses oreilles. « C'est ce que tu penses de notre enfant ?

— Non ! » Amanda posa une main protectrice sur son ventre. « Mais quand même, jusqu'à maintenant, je m'étais toujours dit qu'au moins la moitié de ses gènes ne résulterait pas d'un simple coup de poker. » Elle s'arrêta. « Je suis désolée, tu as dû trouver ça insultant.

— Effectivement.

— Quelqu'un a planifié tout ça depuis le début. Comment ai-je pu ne pas m'en douter ?

— Amanda, écoute-moi... »

Mais elle se remit à marcher de plus belle, les mains dans les cheveux.

« Mais *bien sûr* que je ne pouvais pas m'en douter ! Je ne suis qu'une minable PF, je ne pourrais même pas voir une comète si elle m'atterrissait en plein dessus... »

Paf ! Amanda s'arrêta d'un coup et porta la main à sa joue rougie. Perry se tenait face à elle, la paume encore brûlante de sa brève rencontre avec la figure d'Amanda. «Je suis désolé, mais je n'avais pas le choix. Tu te montes la tête toute seule. Respire un bon coup...»

Avant qu'il ait pu terminer, elle lui envoya un coup de poing dans le ventre, qui le fit s'effondrer par terre. Tandis qu'il essayait de reprendre son souffle, elle inspira longuement, avant d'expirer, apaisée.

«Tu as raison, dit-elle. Ça fait du bien.»

Perry se traîna péniblement sur le canapé. «Content de l'entendre, lâcha-t-il dans un souffle.

— Tu n'as aucun moyen de comprendre ce qui m'arrive en ce moment. Tu ne sais pas ce que c'est que de penser que ta vie t'appartient et de découvrir un jour que tu n'es qu'un instrument, un jouet qui sert à amuser une bande d'obsédés du contrôle affamés...» Elle s'arrêta un instant. «Si, en fait, tu dois très bien savoir ce que c'est.

— Mais toi, *non*! dit Perry. Et tu sais pourquoi? Parce que tu n'es pas un instrument, ni un jouet.» Il se frotta la poitrine. «Non, tu n'es absolument pas un jouet.

— Ah bon?

— Non. C'est ce que j'essayais de te dire.

— Qu'en sais-tu?

— Parce que si Galaxy Entertainment savait que tu étais un Produit de Fornication, à l'heure qu'il est, ils seraient en train de le raconter à *tout le monde*. Et, ce soir, ils t'installeraient sur ce tabouret et se féliciteraient d'avoir révélé deux PF pour le prix d'un. Mais il est évident qu'ils n'en savent rien. Alors, il doit y avoir une autre explication.» Perry réfléchit un moment. «Pourquoi tu ne poses pas la question à tes parents?»

Amanda était tellement retournée qu'elle n'avait pas envisagé cette possibilité. Elle se dirigea vers un tableau garni de boutons, encastré dans le mur, à côté du canapé, et pressa l'un d'entre eux. Un clavier numérique surgit de l'accoudoir du canapé. Elle hésita. «Si tu ne veux pas participer à la conversation, écarte-toi», lui dit-elle, en désignant l'autre bout de la pièce. Perry obtempéra et Amanda tapa une suite de chiffres incroyablement longue sur le clavier numérique. Aussitôt, une femme apparut sur le mur qui lui faisait face – âge moyen, cheveux blonds et courts, l'air assez surexcitée.

«Par le fantôme d'Adam! Amanda! Notre grande star! Ton père ne voudra pas perdre un mot de tout ça – on vient de te regarder dans l'émission de Marty Finch! Tu te rends compte? Je voulais t'appeler, mais il m'a dit : "Elle va être occupée, c'est une vedette maintenant, toute la chaîne dépend d'elle, elle n'aura plus le temps de nous parler." Quel show merveilleux! Tu as rencontré Baby Jade? Elle est comment? Avais-tu jamais rêvé que ton travail te ferait vivre des moments aussi *excitants*?

— Non...» commença Amanda.

Mais elle fut bien vite submergée par l'exubérance de sa mère.

«Cette scène dans l'hélicoptère avec ta co-vedette! C'était tellement spectaculaire. Ton père et moi, on se cramponnait à nos sièges! Comment vous avez fait pour que ça ait l'air si réel?

— Nous étions dans un hélicoptère qui s'écrasait, répondit Amanda. Nous pensions vraiment que nous allions mourir.

— Eh bien, à moi, ça m'a paru parfaitement réel! Quel suspense! Oh! Je parle trop, mais je suis si excitée! Michael! appela-t-elle. C'est Amanda! Notre star de fille!»

Un homme d'âge mur assez distingué, aux cheveux poivre et sel et aux traits parfaitement dessinés, apparut aux côtés de la mère d'Amanda. «Comment va ma petite fusée? dit-il, en souriant jusqu'aux oreilles. Nous sommes tellement *fiers* de toi ! Quelle aventure tu as vécue ! Il faut que je te le demande tout de suite : tu as vraiment eu des relations sexuelles avec ce Terricule ? »

Amanda lança un coup d'œil à Perry, qui n'aurait pas pu s'aplatir davantage contre le mur. « Oui, répondit-elle.

— Je le leur avais bien dit, gloussa son père. Tous les gars du club m'ont demandé : "Elle a vraiment fait ça ? Elle a vraiment eu des relations sexuelles ?" Et je n'arrêtais pas de leur dire : "Bien sûr que oui. Elle est enceinte. Vous verrez, on dit bien : C'est à ses fruits qu'on reconnaît l'arbre, n'est-ce pas ?" Ils ne me croyaient toujours pas. Je leur ai dit : "C'est ma fille – Nous avons fabriqué une anticonformiste." Tout est là, dans ton génotype. Je me souviens, le programmateur m'avait demandé : "Vous êtes sûr de vouloir qu'elle soit aussi téméraire ?". Et j'ai répondu : "Oh, que oui, nom d'une pipe ! Donnez-lui les gènes qui la feront se lancer dans l'univers, découvrir de nouveaux mondes, faire l'histoire !" Et tu sais quoi, ma petite fusée ? C'est exactement ce que tu es en train de faire.

— Justement, j'ai une question à ce propos, se dépêcha de dire Amanda avant que ses parents ne lui coupent à nouveau la parole. Je viens tout juste de découvrir que je suis un Produit de Fornication. »

Les parents d'Amanda se figèrent. L'espace d'un instant, Perry crut qu'il y avait un problème technique et que l'image sur le mur était bloquée, mais le père d'Amanda inclina lentement la tête. « Comment as-tu découvert ça ? demanda-t-il.

— On a apporté un Tabouret de la Vérité pour la conférence de presse. Je me suis fait tester accidentellement. »

Son père eut l'air véritablement mortifié. « Quelqu'un d'autre est au courant ? »

Elle fit non de la tête. «Seulement Perry. Pour autant qu'on le sache.»

Sa mère s'était mise à pleurer, tout doucement : «C'est la vérité, dit-elle. Tu es bien sortie de mon vagin.» Elle prit une profonde inspiration. «Ça me fait tellement de bien de le dire, après toutes ces années.» Elle leva son visage vers le ciel et se mit à crier : «Ma fille est sortie de mon vagin !

— Je comprends parfaitement ça, maman, dit Amanda qui tentait de rester le plus pragmatique possible, mais pourquoi tu ne me l'as pas dit ?

— Tu allais si bien, lui répondit son père. Enfin, pour le reste de la galaxie, tu étais aussi parfaite que si tu avais été conçue génétiquement.»

Sa mère continuait de sangloter. «Pardonne-nous, je t'en prie. Nous n'avions pas le choix. Nous ne voulions pas te mentir, mais nous savions que c'était le seul moyen pour toi d'avoir une vie correcte.

— Maman, je t'en supplie, arrête de pleurer, dit Amanda. Je comprends. Mais je ne savais pas qu'une chose pareille était possible. Comment avez-vous fait ?»

Les parents d'Amanda se regardèrent. Son père se racla la gorge. «Lorsque la grossesse de ta mère a commencé à se voir, nous sommes allés passer quelques jours sur une planète de vacances dans le système Véga, à la frontière de la galaxie. Bien entendu, nous cherchions un monde où personne ne nous connaîtrait. À notre hôtel, nous avons fait la connaissance d'un homme très riche qui voyageait tout seul. Nous avons dîné avec lui à deux reprises et il nous a paru être quelqu'un de confiance. Nous lui avons parlé de notre situation et, à notre grande surprise, il nous a dit qu'il pourrait nous aider. Il nous

a raconté qu'il savait comment introduire ton faux profil génétique dans la médibase. Et ça a marché. Tant que toi et tout le
monde pensiez que tu étais un génotype de niveau 4, tu as agi
en tant que tel.

— Jusqu'aux B en cours de chimie, bien évidemment, ajouta
sa mère.

— Oui, dit son père. Ça, ça nous a un peu inquiétés.

— Qui était cet homme ? les coupa Amanda. Pourquoi vous
a-t-il proposé son aide ? »

Son père haussa les épaules. « Il ne nous l'a jamais dit. Il ne
nous a rien demandé, ni argent, ni quoi que ce soit. »

— Mais ça n'a pas de sens, dit Amanda. Aucun Édenite ne
voudrait transgresser la loi, quel que soit le nombre de gens que
ça puisse aider.

— Oh ! je ne pense pas que c'était un Édenite, dit sa mère.

— Qui était-il, alors ?

— Nous n'avons pas posé de questions, répondit son père.
Moins nous en savions, mieux nous nous portions. »

Un bruit strident fit soudain bondir Perry loin de son mur
protecteur jusqu'au milieu de la pièce. « C'était quoi, ça ?

— La sonnette, répondit Amanda.

— Mais c'est Perry Bunt, ton partenaire ! » s'écria sa mère.
Les parents tournèrent la tête pour voir Perry, qui envisagea
brièvement de retourner à son refuge contre le mur avant de
prendre conscience que ça ne ferait que rendre les choses encore
plus bizarres. « Perry, je trouve que vous êtes le Terricule le plus
drôle qui ait jamais existé. C'est que, Michael et moi, nous n'ap-
précions pas particulièrement les autres – nous n'avons jamais
été des grands fans de la Terre. Mais vous, on vous aime bien.

— Merci, dit Perry, pas très sûr de lui.

— Vous êtes vraiment trop, dit le père d'Amanda en riant. Allez-vous encore avoir des relations sexuelles avec ma fille ?

— Je... Je... Je ne sais pas, bégaya Perry.

— Je parie que vous en avez bien envie, hein ? »

Le bruit strident se fit à nouveau entendre. « Maman, papa, je vous rappelle, dit Amanda. Il y a quelqu'un à la porte.

— D'accord, lui répondit sa mère. Nous t'aimons très fort. Je sais que tu adores ton travail, mais penses-tu que, lorsque tu en auras fini avec toute cette histoire sur Terre, tu pourras venir nous rendre une petite visite ? Au moins deux petits jours ? »

Amanda acquiesça, appuya sur un bouton et ses parents disparurent.

« Merci, mon Dieu, dit Perry. Ils sont toujours comme ça ?

— Ils m'ont toujours beaucoup soutenue », répondit Amanda.

Elle appuya sur un autre bouton et un petit garçon à lunettes et aux cheveux roux apparut sur le mur. Il se tenait devant la porte de l'appartement d'Amanda.

« Qui est-ce ? demanda-t-elle.

— Salut. Je suis vraiment désolé de vous déranger, mais je suis votre plus grand fan, répondit le petit garçon. Je pourrais avoir un scan de votre œil pour ma collection ? S'il vous plaît. »

Amanda pressa un bouton plus petit sur le clavier numérique et l'image disparut. « Il a dû venir ici voir le spectacle et échapper à la sécurité.

— Pourquoi veut-il un scan de ton œil ?

— C'est comme un autographe. Je vais vite nous débarrasser de lui. »

Elle alla vers la porte et l'ouvrit. Le petit rouquin la contourna d'un bond et se retrouva dans son appartement avant qu'elle n'ait pu l'en empêcher.

« Hé ! ho ! cria Amanda.

— Ferme la porte ! Vite ! dit le petit garçon, en enlevant sa perruque rousse et ses lunettes. On n'a pas beaucoup de temps. »

À sa grande consternation, Perry vit Nick Pythagore se tenir devant lui. « Encore vous ?

— Oui, encore moi. »

Amanda fit un pas vers le panneau mural. « J'appelle la sécurité. »

Nick se mit en travers de son chemin du mieux qu'il put. « Attends, Mandy. J'ai quelque chose que vous aurez tous les deux envie de voir. » Il sortit un petit écran de la poche arrière de son jean et le lui tendit.

Amanda se tourna vers Perry. « On ne peut pas lui faire confiance. Il est avec le Mouvement. »

Perry éclata de rire. « Je suis désolé. C'est ce nom, ça me tue, chaque fois.

— C'est quoi, le problème avec le Mouvement ? » demanda Nick.

Et Perry rit de plus belle. Amanda leva les yeux au ciel et dit : « Alors, je vais être plus précise : on ne peut pas lui faire confiance, parce qu'il travaille avec Leslie Satan. Ils veulent détruire tout le complexe spectaculo-industriel.

— Je plaide coupable, dit Nick Pythagore, comme vous, une fois que vous aurez lu ça. »

Il lui tendit à nouveau le petit écran. Cette fois-ci, Perry s'en empara et lut ce qui ressemblait à un courrier d'entreprise.

Mémo confidentiel
De : Desmond Icarus E. Upsilon
Destinataire : Conseil d'administration interplanétaire
Sujet : À la rescousse d'À la rescousse ?

Même si les audiences demeurent élevées, je crains que nous ne soyons, prochainement, confrontés à une certaine lassitude de la part du public si nous ne changeons pas le cadre général de l'émission. Ne nous laissons pas une nouvelle fois prendre au piège qui consisterait à jouer trop longtemps la même chanson. Certes, le rôle principal masculin est extrêmement convaincant mais il nous a bien montré qu'il ne sera finalement jamais capable de réellement modifier son habitat et que sa prestation se révélera sans doute tout aussi bonne ailleurs, d'autant plus que les enjeux incluront bientôt l'arrivée d'un enfant. Un nouveau cadre sera un soulagement pour toutes les personnes concernées. Je ne vois pas d'autre possibilité que de continuer avec notre plan d'origine et de trouver un nouveau lieu pour nos vedettes, de préférence une des toutes dernières prograplanètes qui témoignent d'un grand potentiel pour de nouvelles histoires aussi performantes que nous le souhaitons.

Perry remua la tête. «Je ne comprends pas.» Il se tourna vers Amanda, qui lisait par-dessus son épaule. «Qu'est-ce que ça veut dire?»

Amanda s'empara de l'écran et décocha un sombre regard à Nick.

«Comment t'es-tu procuré ça?

— Ils n'ont pas pu changer *tous* les codes après m'avoir viré, répondit le petit garçon. Ils auraient été obligés de couper tout le réseau. Alors je l'ai piraté.

— C'est un faux.»

Elle lui balança l'écran à la figure.

«Y a-t-il quelqu'un qui veuille bien m'expliquer ce que ça signifie? demanda Perry.

— Tu n'as qu'à vérifier, dit Nick à Amanda. Ça devrait être facile pour toi. Tu as toujours une connexion avec le bureau de L. A.?

— Mais vérifier quoi ? » demanda Perry.

Amanda s'approcha de son panneau de contrôle et pressa un nouveau bouton. Un cadran surgit de l'accoudoir du canapé. Amanda le fit tourner et toute une série d'images se mirent à défiler très rapidement sur le mur d'en face. Elles clignotaient l'une après l'autre à une telle vitesse que Perry ne put en identifier aucune. Il crut apercevoir Drummond Nash en train de monter un lit de camp dans son bureau souterrain, mais rien n'était moins sûr. Puis il vit ce qui ressemblait à Ralph en train de s'adresser à une grande assemblée devant la Maison-Blanche, mais pas moyen d'en être certain non plus. Et ça, ce n'était pas Noah Overton qui remplissait des carafes d'eau ?

Parfois, Amanda faisait tourner le cadran moins vite, s'arrêtait sur une image, mais c'était pour examiner un placard ou bien le pied de quelqu'un – ce qui n'avait aucune signification pour Perry, mais suscitait chez Nick et Amanda des grognements de confirmation.

« Quelqu'un pourrait me dire ce qu'on cherche ? demanda Perry.

— Des cartons de déménagement, répondit Amanda. Et il y en a partout. » Elle poussa le bouton pour faire rentrer le cadran dans l'accoudoir et les images disparurent. « Galaxy est en train de rapatrier tous ses employés. »

Perry examina l'expression du visage d'Amanda. « Le grand finale est maintenu, c'est ça ? »

L'espace de quelques instants, Amanda donna l'impression de ne pas trop savoir où regarder. Et lorsqu'elle finit par croiser son regard, il s'aperçut qu'elle avait les yeux pleins de larmes. « Je suis désolée, Perry. C'est vraiment la fin. »

CANAL 35 : LE REBELLE

« **M**ALHEUREUSEMENT POUR LA TERRE, LE SCÉNARIO que j'ai mis au point était parfait, dit Nick, un peu trop fier de lui au goût de Perry. Les tremblements de terre et la famine en Russie ont permis aux nationalistes d'asseoir leur pouvoir, les tsunamis et les émeutes de la faim sont en train de déstabiliser l'Asie, et les stylos avec les femmes en burqa toutes nues ont mis le feu à la poudrière du Moyen-Orient. La seule séquence que nous n'avons pas réussi à réaliser comme prévu, c'est l'attentat terroriste aux États-Unis. Vous savez... le vol 240. » Nick regarda Perry de travers. « Et c'est à cause de vous. Mais, même pour ça, j'avais un plan B. Après le succès de votre conférence de presse, Channel Blue lancera, depuis un de ses satellites, une cybersonde sur le Kremlin, déclenchant ainsi une fausse alerte nucléaire. Les Russes vont lancer plusieurs missiles balistiques intercontinentaux RS-24 armés de têtes nucléaires contre les États-Unis. Le président Grebner n'aura d'autre choix que d'ordonner aussitôt des représailles de la même ampleur. Les médias de toute la galaxie auront donc la chance d'être au premier rang pour assister à l'immolation de la Terre – tout en vous regardant simultanément péter les plombs parce que vous pensiez l'avoir sauvée. On ne peut pas rêver mieux en matière de direct télévisuel.»

Nick était totalement euphorique, avant d'afficher un air nettement plus soucieux lorsqu'il vit l'air réprobateur de Perry et Amanda. «Désolé d'avoir écrit un scénario aussi béton.

— Les plans B coûtent toujours incroyablement cher, dit Amanda. Surtout les cybersondes. Et le finale en est déjà à un dépassement de budget de plusieurs billions...

— *DIEU* veut que ça se passe comme ça, Mandy, dit Nick en brandissant l'écran comme pour le lui rappeler. À ce niveau-là, l'argent n'entre plus en ligne de compte. Ça paraît bizarre, mais, d'une certaine manière, c'est votre petite émission qui a scellé l'affaire. Ils se sont dit qu'ils allaient compenser leurs pertes sur le grand finale avec les recettes publicitaires des prochains épisodes de *Bunt à la rescousse.*»

Perry ne pouvait pas y croire. «Comment DIEU a-t-il pu me mentir comme ça?»

Cela ne manqua pas de passablement troubler Nick. «Desmond Icarus E. Upsilon est venu ici?»

Amanda hocha la tête; Nick parut terriblement déçu. «Je l'ai raté?

— Il a menti, dit Perry.

— Vous devez vous tromper, dit Nick. DIEU ne ment jamais – même ses ennemis le savent. S'il est le producteur de divertissement le plus doué de la galaxie, il y a bien une raison : c'est parce que sa parole est juste.

— Absolument pas! Il vient tout juste de me dire que je n'aurai plus à participer à l'émission.

— Sur Terre, ajouta Amanda. »

Nick hocha la tête. « Eh oui, ce n'était donc pas un mensonge. Ils vont vous spinoffer[1].

— Me spinoffer ? » demanda Perry.

Nick remua la tête, visiblement agacé. « Vous êtes vraiment longs à la détente. Tout ce show sur la Lune ne servait qu'à une chose : c'était de la gestion de marque. Ils sont en train de créer une franchise qu'ils vont pouvoir coller partout — le malchanceux mais non moins résolu Terricule, sa partenaire génétiquement supérieure et bientôt leur petit PF. Vous allez devoir tous les trois essayer de sauver chaque planète sur laquelle ils vous largueront, et le reste de la galaxie vous regardera faire. »

Perry lui jeta un regard plein de fureur. « Jamais !

— Alors ils vous rebalanceront sur Terre et vous tueront avec tous les autres. Ils colleront votre chère et tendre ici présente sur un minable astéroïde et, une fois que votre fils sera assez grand, ils s'en serviront pour tourner une suite. »

Perry se tourna vers Amanda. « C'est vrai ? DIEU ferait une chose pareille ? »

Amanda opina tristement : « C'est un plan parfait.

— Quoi ?

— Je ne dis pas que j'approuve. Mais c'est très malin. Pourquoi se cantonner à une seule série quand on peut avoir une franchise ?

— C'est pour ça qu'il est DIEU », conclut Nick.

Perry se dressa sur ses pieds. « Comment pouvez-vous vanter les mérites d'un plan qui consiste à tuer *sept milliards de personnes* ?

---

1. Du mot anglais *spin-off*. Dans le monde des séries télévisées, un *spin-off* est une série dérivée d'une première, où le personnage principal de l'une est un personnage secondaire de l'autre, où les intrigues changent d'environnement. *(N.d.T.)*

— Vous ne vous rendez pas compte d'à qui vous avez affaire, Terricule, dit Nick, non sans une petite touche de mépris dans la voix. Vous ne comprendrez jamais. » Le petit garçon se tourna vers Amanda. « Sérieusement. Comment tu fais avec ce crétin ?

— Espèce de petite merde ! »

Perry attrapa Nick, le souleva en l'air et le secoua violemment. « Encore une idée de génie, dit Nick de sa voix haut perchée qui chevrotait à chaque nouvelle secousse. Molester la seule personne susceptible de vous aider ! »

Perry le laissa retomber sur le sol. « Comment pouvez-vous nous aider ? »

Nick s'assit et réajusta ses vêtements. « Leslie Satan a suivi la situation de près. Il a une solution, et il m'a demandé d'organiser une rencontre. »

Amanda s'esclaffa. « La conférence de presse est dans moins d'une heure. »

Nick baissa la voix. « Il va venir *ici*.

— Ici ?

— Sur la Lune. En personne. Nous n'avons pas de temps à perdre. Suivez-moi. » Nick ramassa sa perruque rousse et ses lunettes sur le canapé, remit le tout et ouvrit la porte. « Venez. C'est votre seul espoir. »

Quelques minutes plus tard, Nick, Perry et Amanda avaient enfilé des combinaisons spatiales de location et franchissaient un sas les menant à la surface de la Lune. Étant donné que, pour les résidents de la Station de base de Channel Blue, se promener sur les étendues lunaires était un passe-temps des plus relaxants, il n'y avait rien d'anormal à voir Perry et Amanda partir en balade avec un de leurs tout jeunes fans. Pendant une dizaine de minutes, ils suivirent une piste balisée. Lorsque le sentier disparut, Nick les mena vers une colline abrupte qui se révéla être le bord d'un cratère.

Ils longèrent le pourtour de ce cratère jusqu'à ce qu'un rocher de la taille d'un château leur bloque la route. Nick s'empressa de le contourner, suivi de Perry et Amanda. De l'autre côté se déployait une vaste plaine ; à l'horizon on pouvait voir une chaîne de montagnes dentelées. Nick s'arrêta et examina l'écran qu'il tenait dans sa main gantée.

« Et maintenant ? » demanda Amanda à travers le haut-parleur de son casque.

Nick pointa du doigt une étoile. Perry mit un moment à s'apercevoir qu'elle grossissait à vue d'œil et s'approchait d'eux à grande vitesse. À très grande vitesse. Au bout de quelques secondes, il put voir qu'il s'agissait en fait d'un assemblage hétéroclite de containers tout cabossés qui fonçait dans l'espace. À mesure qu'il s'approchait, l'engin ralentit, son ventre cracha des jets de flammes, puis il descendit vers la surface de la Lune tout en soulevant des nuages de poussière qui retombèrent sur Perry, Amanda et Nick. Il se retrouva à flotter au-dessus de la plaine lunaire – à ce moment-là, les réacteurs furent coupés et l'appareil alunit en heurtant le sol, sans autre forme de cérémonie. Il se mit ensuite à hoqueter comme une grosse baleine échouée, avec force secousses et crépitements, expulsant de la fumée et des jets de liquide orange.

Jusqu'à maintenant, Perry n'avait été confronté à la technologie édenite qu'à travers des bases lunaires secrètes, des appareils admirablement profilés, des robots affreusement efficaces ainsi que des ascenseurs volants et invisibles. Il fut donc subjugué par la vue de ce tas de ferraille qui glougloutait devant lui – ça ne ressemblait pas vraiment à une vision du futur, plutôt à un déchet spatial égaré. Au bout de quelques instants, une des extrémités de l'appareil tomba sur le sol, laissant entrevoir une sorte d'entrée. Nick s'approcha rapidement de l'engin. Perry et Amanda se regardèrent, puis le suivirent.

Une fois qu'ils eurent emprunté l'ouverture pour pénétrer dans une petite cabine assez sale, le vaisseau se referma. Des jets de fumée sifflèrent tout autour d'eux. Après avoir retiré son casque et ses gants, Nick franchit deux portes coulissantes qui s'ouvrirent en grinçant sur une grande cabine faiblement éclairée. Perry et Amanda ôtèrent à leur tour leur casque puis le rejoignirent.

Si une vieille folle à chats possédait un vaisseau spatial, se dit Perry, *voilà à quoi il ressemblerait.* La cabine était remplie de bidons empilés les uns sur les autres, de circuits imprimés, de matériel électronique et de ce qui ressemblait à des pièces de moteur de rechange, le tout recouvert de filets ou fixé au sol avec de grosses sangles. Au fond de la cabine, il y avait quelques chaises dépareillées, installées sur un tapis délavé, devant un mur où clignotaient des lumières et des écrans. Une femme plutôt âgée, en peignoir, se leva d'une des chaises, une tasse à la main. « Quelqu'un veut quelque chose à boire ? » demanda-t-elle.

Nick, Perry et Amanda firent non de la tête.

« Comme vous voudrez », dit-elle, avant de s'approcher d'une double porte coulissante, dont un seul panneau s'ouvrit, ce qui l'obligea à se faufiler de profil.

On entendit quelqu'un éternuer très fort et Perry, dont les yeux se faisaient à l'obscurité, s'aperçut qu'il y avait quelqu'un d'autre dans la cabine. Confortablement installé sur une vieille méridienne en cuir marronnasse, d'où s'échappaient des morceaux de mousse jaune, se trouvait un homme incroyablement âgé, avec un bandeau sur l'œil, qui était en train de fumer un petit cigare. La gravité lunaire avait beau être très faible, il avait l'air d'exercer toute la force de sa volonté rien que pour s'assurer un semblant de verticalité.

« Je vous présente mes excuses pour ce décor peu raffiné. » Le vieil homme parlait d'une voix éraillée et sifflante. Il sortit laborieusement un mouchoir de la poche de sa robe de chambre et se tamponna le nez. « Nous n'avons jamais accordé beaucoup d'importance à l'aspect matériel des choses, tous nos moyens vont directement au Mouvement. »

Amanda lança un regard sévère à Perry, par anticipation d'un rire que, cette fois-ci, il parvint à retenir.

« Monsieur Satan, dit Nick, c'est un honneur de vous rencontrer. »

L'air un peu éberlué, le vieil homme regarda Nick comme s'il venait de tomber du plafond. « Tu es qui, toi ?

— Nick Pythagore, répondit Nick d'un ton morveux. Je suis votre nouvel agent sur Terre.

— Ah ! dit Leslie Satan. Tu es plutôt petit, on dirait ?

— Je n'ai que 9 ans.

— Je vois », dit Leslie Satan. Il jeta son petit cigare dans une tasse à café et éternua à nouveau, en se couvrant la bouche de la main. Il poussa un grognement avant de retirer sa main, dans laquelle se trouvaient maintenant plusieurs dents. Il jeta un bref regard à celles-ci et les rangea dans la poche de sa robe de chambre. « Putain de poussière lunaire. Ça me donne des allergies.

— Je vous présente Amanda Mundo et Perry Bunt, dit Nick. Vous m'aviez donné pour mission de vous les amener ; les voici.

— Les voici, les voici », répéta Leslie Satan. Son œil unique fixa Perry avec une grande attention. « Perry Bunt. »

Perry ne savait pas trop quoi faire, alors il hocha la tête.

Leslie Satan hocha la tête en retour. « Surpris de voir que je n'ai ni cornes ni queue ? C'est souvent comme ça avec les Terricules. C'est une petite blague de Desmond : il a donné mon nom au croquemitaine de la Terre. » Il continua à dévisager Perry comme s'il cherchait quelque chose. « À la télé, tu es différent. Plus impressionnant. » Avant que Perry n'ait pu réagir, Leslie Satan eut un nouvel éternuement, qui lui projeta quelque chose directement dessus. Instinctivement, Perry se pencha, et la chose vola par-dessus sa tête, heurta le mur et retomba sur le pont du vaisseau avec un petit bruit sec. Il regarda par terre et vit le nez de Leslie Satan.

« Tu peux me le récupérer ? » demanda le vieil homme d'une voix encore plus étrange qu'avant, car il avait maintenant deux fentes sur le visage, là où, jusque très récemment, se trouvait encore son nez. Tout en tâchant de dissimuler son dégoût, Perry se baissa, ramassa délicatement le morceau de chair et le lâcha dans la main de son propriétaire, qui le mit dans sa poche.

« Alors, ça y est, tu as sauvé la Terre ? Bien sûr que non. Jamais Desmond ne t'aurait laissé faire. Jamais ! » Après avoir posé délicatement une canne en métal devant lui, Leslie Satan entreprit, avec moult souffles et moult grognements, de se lever de son siège, tout en continuant à parler. « Et tu sais pourquoi ? Parce que ça prouverait à toute la galaxie qu'un minable Produit de Fornication peut, d'une manière ou d'une autre, vraiment changer les choses. Et ça, on ne peut pas se le permettre, n'est-ce pas ? L'univers entier pourrait s'effondrer ! » Dans un ultime grognement, extrêmement sonore, Leslie Satan parvint enfin à se mettre debout. Perry se rendit compte qu'il avait été si absorbé par la lutte du vieillard se levant de sa chaise qu'il n'avait rien écouté de ce qu'il disait.

«Assieds-toi là que je puisse mieux te voir.» De sa main tavelée, Leslie Satan tapota la méridienne sinistrée. Perry s'assit sans discuter. L'homme tourna lentement autour de lui, en titubant, et s'arrêta derrière son dos. «Je n'ai plus un seul de mes organes d'origine. Certains sont de troisième ou quatrième génération. Comme ce vaisseau, ou le Mouvement lui-même, la seule chose qui me fait tenir debout, c'est l'espoir, et cet espoir est né d'une seule et unique vision.»

Perry sentit un souffle tiède sur son crâne chauve pendant que le vieil homme en examinait attentivement le sommet. «L'année dernière, j'ai en effet eu une vision lorsque nous avons été entraînés dans un trou noir à cause d'un émetteur-récepteur encrassé. Je me suis souvent trouvé pris au piège de ce genre d'anomalies cosmiques, et ça a toujours été une déception. Je connais beaucoup de gens qui ont pu lire l'avenir au cours de phénomènes de ce type. Mais pas moi – ça me rendait juste constipé. Jusqu'à cette dernière fois, où j'ai vraiment eu une vision du futur.»

Le vieil homme fourra ses doigts dans la chevelure clairsemée de Perry, comme s'il y cherchait quelque chose, sensation passablement déconcertante pour l'intéressé. «J'ai appris qu'un jour, sur une modeste prograplanète – la vision n'a pas daigné me dire laquelle –, un Produit de Fornication se soulèverait et entraînerait tous les PF dans une grande guerre contre les Édenites et leur règne de terreur. Si je t'ai fait venir, Perry, c'est parce que je pense que tu pourrais bien être celui que nous attendons tous...» Leslie Satan replia l'oreille de Perry pour regarder derrière. «Mais il s'avère qu'il n'en est rien. Vous pouvez tous vous en aller. Pardon pour le dérangement.» Il ôta un bouchon du mur et hurla dans un petit trou : «Doris! Paré pour le décollage!»

Perry, Amanda et Nick regardaient le vieil homme, totalement interloqués.

«Allez-y, dit Leslie Satan, avec un geste de la main. Le sas se fermera automatiquement derrière vous.» Perry se leva, ne sachant pas trop quoi faire. Leslie Satan agitait maintenant son bras en direction du sas. «Allez-y! Courez! Je ne vais quand même pas leur laisser une occasion de m'attraper?»

Ce fut Amanda qui parla la première.

«On nous a dit que vous aviez une solution à notre problème.

— S'il avait été l'Élu, dit Leslie Satan en désignant Perry, je l'aurais aidé à retourner sur Terre et à sauver sa planète. Mais il n'est pas l'Élu, donc ça ne rime à rien, bien entendu.

— Comment savez-vous que ce n'est pas lui?

— Ma vision m'a dit que l'Élu aurait une tache de naissance en forme d'étoile sur le cuir chevelu.» Il montra Perry du doigt. «Il n'a rien du tout. Juste quelques grains de beauté – que vous devriez faire surveiller, soit dit en passant. Maintenant, si vous me permettez, je n'ai pas beaucoup de temps.»

Nick fit un pas vers le vieil homme. «Je peux vous aider. Je connais leurs codes, je connais toute leur infrastructure. Je peux vous aider à *détruire* Galaxy Entertainment.»

Le simple fait d'envisager cette éventualité parut épuiser Leslie Satan. «Ça vaut à peine le coup. Galaxy n'est que le cinquième plus gros conglomérat de divertissement de l'univers connu. S'il tombe, les autres vont absorber ses holdings et tout sera comme avant.

— Je vous en prie, dit Nick, laissez-moi venir avec vous.

— Désolé. Je n'ai vraiment pas de place.»

La lèvre inférieure de Nick se mit à trembloter; il ressemblait soudain totalement au petit garçon qu'il était. «Je n'ai nulle part où aller! Je comptais sur vous!»

Leslie Satan leva la main en l'air et, une seconde après, il éternua. Il fouilla dans sa poche, en sortit son mouchoir et tamponna les deux fentes qu'il avait à la place du nez. Perry ne put s'empêcher de remarquer que l'une des oreilles du vieil homme s'était détachée et pendouillait, seulement retenue par un bout de peau. « Tu m'as l'air d'être un très gentil petit garçon, mais nous n'avons pas assez de puissance pour un passager supplémentaire. »

Depuis un petit moment, Perry faisait tout son possible pour contenir son irritation à l'encontre de Leslie Satan – après tout, le vieillard semblait sur le point de tomber en morceaux à force d'éternuer – mais l'aspect lamentable de l'excuse qu'il venait de donner le mit en rage. « Vous n'avez qu'à vous délester de quelques déchets, dit-il, en montrant tout ce qui était entassé partout autour d'eux. Et si vous aimez tant que ça les PF, pourquoi ne pas nous aider à empêcher DIEU d'en tuer plusieurs milliards – même si je *n'ai pas* cette fichue tache de naissance ? Qu'est-ce que c'est donc que ce Mouvement ? »

L'homme passablement âgé et dénué de nez avait l'air de vouloir simplement faire une sieste.

« Écoutez, dit-il de sa voix éraillée, nous devons choisir nos combats avec soin. Ça ne sert pas à grand-chose de se mêler des affaires de la Terre. Non seulement tous ses habitants ignorent totalement la nature des forces qui contrôlent leurs vies, et, s'ils l'apprennent un jour, je ne vois pas trop ce qu'ils pourraient faire. D'ordinaire, je serais prêt à me battre pour n'importe quel peuple aux gènes aléatoires, mais les Terricules... » Il remua la tête. « Ils sont impossibles. Vous êtes d'ailleurs bien placé pour le savoir. Au fait, nous avons tous regardé l'émission, elle était vraiment très bien... vraiment hilarante. Je suis un grand fan.» Le visage du vieillard se fendit d'un sourire édenté. «Plus vous essayiez de les sauver, plus ils vous faisaient du mal! Vous êtes donc conscients de la situation. J'ai passé un certain temps là-bas, en bas. J'ai fait de mon mieux, mais c'est inutile. Si aujourd'hui je redescendais pour essayer de les aider, ils me tueraient, voleraient mon vaisseau et essaieraient de s'en servir pour massacrer leurs ennemis. Ça ne sert à rien. C'est tout.

— Mais...»

Du regard, Amanda intima à Perry de se taire et se tourna vers le chef du Mouvement. «Vous ne pouvez absolument *rien* faire pour nous aider?»

Le vieil homme étudia la question, non sans une certaine lassitude, puis se pencha en avant, retira le bouchon du mur et hurla dans le trou : «Doris! Prends deux déchargeurs dans le placard du pont et apporte-les-moi. Vérifie qu'ils soient pleins!»

Quelques instants plus tard, la femme âgée en peignoir entrait dans la pièce en traînant les pieds, portant dans les mains deux tubes de métal brillant pourvus de gâchettes rouges. Elle les donna à Leslie Satan qui, en grognant d'effort, les tendit à Amanda et Perry.

«À quoi ça sert? demanda Perry.

— C'est l'arme à feu la plus puissante que nous possédions, répondit Leslie Satan. Avec un peu de chance, ça vous permettra de faire sauter la Lune avant que leurs robots ne vous embarquent. Bien entendu, ils finiront quand même par revenir pour vous achever, vous et votre planète, mais ça vous fera gagner un peu de temps.

— Et moi? dit Nick. Où est mon déchargeur?

— Je ne donne pas d'armes aux enfants. Maintenant, je vous prie de quitter mon vaisseau, tous autant que vous êtes. Il y a une rébellion sur une planète de Dingues près de Corvus 9 et je suis déjà très en retard.»

Il n'y avait apparemment rien à ajouter. Perry, Amanda et Nick regagnèrent le sas. Ils avaient atteint la porte lorsque, brusquement, Nick se précipita vers un des tas de déchets.

«Qu'est-ce que tu fais? demanda Amanda.

— Je vais voyager en clandestin. Lorsqu'il sera coincé avec moi, il comprendra combien je peux être utile au Mouvement.» Il regardait subrepticement dans toutes les directions. «Allez-y! Vous allez me faire repérer!»

Perry et Amanda pénétrèrent tous les deux dans le sas et, après avoir enfilé casques et gants, ils traversèrent une autre écoutille, descendirent une rampe et foulèrent à nouveau la surface de la Lune. Le fuselage se referma brusquement derrière eux, et à peine avaient-ils eu le temps de s'écarter que l'étrange appareil décolla en crachant une colonne de feu. Ils le regardèrent devenir un petit éclat de lumière parmi les étoiles, avant de disparaître.

«Je n'aurais jamais imaginé que Satan serait aussi décevant», dit Perry.

Amanda essuya la poussière blanche qui recouvrait la visière de son casque. «Au moins, Nick ne nous posera plus de problème.»

Perry opina. «C'est vrai, il y a de quoi être reconnaissant.» Il installa une de ses mains gantées sur la gâchette de son déchargeur. Il avait beau se méfier des armes, il trouva ça très agréable. Certes, il était toujours un Produit de Fornication sur une Lune remplie d'ennemis bien plus puissants et plus intelligents que lui mais, maintenant, il possédait *une puissance de feu*. Sans avoir toutefois la moindre idée de ce qu'il pourrait en faire.

Il regarda Amanda. «Et maintenant?

— J'imagine que nous devons retourner à la base et tout faire sauter, répondit-elle. Nous bénéficierons certainement de l'effet de surprise. Les stars n'ont pas l'habitude d'arriver armées à leur conférence de presse. »

Perry regarda attentivement cette femme qui ne cessait de le surprendre. « Tu es vraiment prête à ça ? On va vraiment tuer Marty ? Et Vermy ? Et *Elvis* ? »

Elle haussa les épaules. « C'est bien le seul moyen de les empêcher de supprimer la Terre, non ?

— Tu m'as pourtant dit que vous ne croyiez pas au meurtre. Que les Édenites ne s'entretuaient pas.

— C'est vrai », répondit-elle. Elle fuyait son regard – elle était trop occupée à examiner son déchargeur. « J'ai toujours été mal à l'aise avec ce genre d'engin. Enfin… c'est la première fois que j'en *vois* un. Mais je connais bien les gens qui peuplent cette base et je sais ce qu'ils pensent de nous. » Perry ne l'avait jamais entendue les considérer comme appartenant tous les deux à un même groupe ; il en fut réconforté, malgré tout ce que leur situation avait de désespéré. « Je sais quelle est leur attitude en ce qui concerne le talent des gens. Si nous sommes encore en vie, c'est uniquement parce que nous avons fait grimper les audiences. Alors, pourquoi hésiter, si notre seule chance d'avoir une vie correcte, c'est de les tuer ? » Elle était manifestement stupéfaite des mots qui venaient de sortir de sa propre bouche. « Il faut croire que je vois les choses sous un angle tout différent depuis que je suis passée de l'autre côté de la caméra. »

Perry fit la moue, guère convaincu. « Mais Leslie Satan nous a bien dit qu'ils reviendraient le faire plus tard. Ça pourrait même booster l'audience de leur éventuel finale – augmenter les enjeux et tout ça. Tu vois ce que je veux dire. »

Il prit la voix d'un commentateur de bande-annonce : «*Cette fois, c'est personnel*!

— C'est vrai, dit Amanda. Mais que peut-on faire d'autre?»

Perry étant totalement incapable de répondre à ça, ils amorcèrent leur retour vers la Station de base, leurs déchargeurs à la main. Alors qu'ils longeaient le bord du cratère, Amanda prit la main gantée de Perry dans la sienne; il se sentit submergé par un espoir totalement irrationnel. Puis il trébucha sur un rocher et tomba, ce qui le fit presser accidentellement la gâchette de son déchargeur. Un rayon bleu un peu tremblotant sortit de l'extrémité du tube en métal et vaporisa le bloc de roche de la taille d'un château, qui ne fut bientôt plus qu'un nuage de poussière blanche.

Perry était couché sur le flanc, fixant ce nuage silencieux, là où se trouvait auparavant l'amas rocheux. «Wouaouh!»

Amanda l'aida à se relever. «Ça va?»

Il entendait le son de son propre souffle à l'intérieur de son casque de communication. «Oui.» Puis, au bout d'un moment, il remua la tête. «Non.» Il y avait quelque chose, quelque part, qui l'ennuyait profondément mais il lui était quasiment impossible de l'exprimer. Quelques respirations plus tard, il essaya tout de même de le formuler. «Ce n'est pas comme ça que cela doit finir.»

Amanda fronça les sourcils. «Quoi?

— Ça ne doit pas se passer comme ça, c'est tout.»

Perry regarda le long tube argenté qui était toujours par terre. Il se pencha, le ramassa, puis, d'un soudain mouvement du bras, le jeta dans le cratère.

Amanda le regardait, abasourdie. «Mais qu'est-ce que tu fais?

— Je te l'ai dit : ce n'est pas censé se terminer ainsi.

— Tu n'arrêtes pas de dire ça. De quoi parles-tu ?

— L'émission. Jusqu'ici, ça a été une comédie. Pas pour moi, bien sûr – pour moi ça a été vraiment atroce. Mais tous ceux qui regardent trouvent ça drôle. Même ce vieux débris de Leslie Satan estime que c'est une comédie. »

Derrière la visière de son casque, Amanda paraissait de plus en plus inquiète. « Personne ne nous regarde, Perry. Nous sommes sur la Lune. Ce n'est pas une émission.

— Je sais. Mais tu l'as dit toi-même : il se passe quelque chose ici. Ce n'est peut-être pas le destin ni quelque chose de ce genre, mais c'est indiscutablement une sorte d'histoire, n'est-ce pas ? Et je ne crois pas qu'elle doive avoir une fin comme celle-ci. Pense à tout ce qui est arrivé depuis que tu as mis les pieds dans ma classe : on m'a pris à tort pour un prophète, puis pour un terroriste. Ce que nous avons fait dans le van. Toi qui tombes enceinte. Noah Overton qui finit par avoir réellement une chance de sauver le monde. Est-ce le genre de choses qui arriveraient dans un drame ? Non. Tous ces éléments sont le propre d'une comédie. » Perry avançait et reculait sur place, au bord du cratère. « Bon, je n'écris pas de comédies, mais j'enseigne l'écriture de comédies. Et une comédie ne se terminerait pas sur nous entrant dans une salle de conférence de presse sur la Lune, pour massacrer tout le monde. »

Amanda intégra tout cela. « D'accord », dit-elle.

Elle observa le déchargeur qu'elle tenait dans ses mains puis, d'un geste mesuré, elle le lança du haut de la falaise. Ils le regardèrent disparaître en tournoyant. Quelques secondes plus tard un rayon bleuté et tremblotant jaillit du cratère et vint frapper la falaise.

Perry et Amanda se mirent alors à tomber, lentement, le sol sous leurs pieds étant inexorablement aspiré vers le fond du cratère, à cause de la faible gravité de la Lune. Pareils au coyote du dessin animé qui reste suspendu momentanément en l'air, ils se débattirent pour s'arracher au sol qui se dérobait, en plongeant les bras tendus à la recherche d'un terrain solide. Ils se retrouvèrent suspendus au bord du cratère, accrochés aux rochers lunaires tandis que leurs jambes s'agitaient dans le vide.

Amanda fut la première à se hisser de nouveau à la surface, puis elle aida Perry à grimper à son tour. Ils restèrent accroupis, les yeux au sol, pendant quelques secondes, leurs mains gantées sur les genoux de leur combinaison spatiale, pour reprendre leur souffle, avant de pouvoir parler à nouveau.

« Tu vois ? dit Perry d'une voix sifflante. Une comédie.

— Alors, explique-moi, dit Amanda. Comment ça se termine ? C'est quoi, la fin ? »

CANAL 36 : COMMENT TOUT
EST CENSÉ FINIR

PERRY ET AMANDA ÉTAIENT SUR L'ESTRADE, ENTRE LE Tabouret de la Vérité et la grande image de la Terre en temps réel ; face à eux étaient réunis les envoyés spéciaux de tous les médias de la galaxie. Les journalistes avaient les yeux rivés sur les écrans qui tapissaient l'auditorium et diffusaient une sélection des « temps forts » de *Bunt à la rescousse* : Perry se faisant passer à tabac par un gang, Perry poursuivi par une clocharde, Perry gazé par la police, Perry roué de coups par Del Waddle, Perry noyé par la Jardinière. Le principal concerné ne savait guère ce qui l'irritait le plus : les gloussements polis de l'assemblée ou bien les éclats de rire particulièrement sonores de Marty Finch, qui était assis à côté de lui et balançait la tête d'avant en arrière, de façon quasi hystérique, Vermy pendouillant de son oreille droite. Peut-être était-ce le fruit de son imagination, mais Perry crut également discerner un certain amusement dans les yeux du parasite cérébral.

Enfin, les extraits s'arrêtèrent. Avant que la lumière ne se rallume, Amanda serra fort la main de Perry, se leva et se glissa hors de la salle. Quelques instants plus tôt, dans leur loge, ils étaient convenus que ce serait le moment idéal pour elle de s'en aller sans trop attirer l'attention ni retarder le début de la conférence de presse.

Ils avaient décidé cela, juste après que Perry lui eut fait part de l'idée qui lui était venue aux toilettes. En pénétrant dans la salle de bains, Perry était totalement paniqué. La conférence de presse devait commencer dans quelques minutes et il n'avait toujours pas la moindre idée pour empêcher la destruction de la Terre, censée clore la réunion. Il traversa la pièce carrelée jusqu'à un réceptacle en métal fixé au mur, qu'il supposa être l'urinoir.

Dans le miroir qui lui faisait face, il vit un homme terrifié, dont le maquillage rendait la peur étrangement comique. Marty avait insisté : en plus de se raser, Perry devait se faire maquiller, pour compenser le caractère non génétiquement modifié de son teint. « Les téléspectateurs se sont plaints de votre mine blafarde dans mon émission, lui avait expliqué Marty. Votre regard de dingue du genre "Qu'est-ce que je fous ici ?" ne me dérange pas. On ne peut rien y faire. Mais on peut vous donner l'air moins anémique. Plusieurs milliards de téléspectateurs vont regarder cette conférence de presse, alors on a besoin que vous ayez l'air au top. »

Totalement absorbé par le destin de la Terre et sa propre incapacité à trouver un plan pour la sauver, Perry n'avait pas été en mesure de lui objecter quoi que ce soit. Maintenant qu'il était en train de se regarder dans le miroir, il le regrettait ; il était totalement ridicule : une drag queen en costume blanc, à l'air lugubre, et qui perdait ses cheveux.

Au moins, il n'y aurait personne de sa connaissance parmi ses milliards de téléspectateurs.

Les mains tremblantes, Perry ouvrit sa braguette. Pourquoi son esprit était-il aussi à sec? Ce n'était pas comme s'il était assis dans son appartement crasseux, tout seul, incapable de trouver une idée digne de ce nom pour un scénario que personne ne lirait, et encore moins ne produirait. Le monde entier comptait sur lui! Amanda comptait sur lui! *Son futur enfant* comptait sur lui! Pas étonnant qu'en ouvrant sa braguette, il ne trouva rien du tout, son sexe ayant tenté d'échapper à tout cela en se ratatinant à l'intérieur de lui-même. Tout le contraire d'une érection, c'est bien ce qui était en train d'arriver à Perry.

Il baissa son pantalon d'un coup sec, saisit l'instrument rétif et le pointa en direction du réceptacle. Ce faisant, il s'aperçut que ses poils pubiens étaient en train de repousser malgré la vaporisation subie lors de son premier voyage sur la Lune. Il trouva surprenant que, cette fois-ci, on ne les ait pas jugés suffisamment longs pour les brûler.

C'est alors qu'il la trouva... La fin.

«Pourquoi urines-tu dans le lavabo? lui demanda Amanda qui se tenait sur le seuil de la porte.

— T'occupe, répondit Perry en remontant son pantalon. J'ai besoin du rasoir et du nécessaire à maquillage.»

Assis dans la salle de conférences, Perry s'agitait sur sa chaise pendant que les derniers applaudissements s'évanouissaient. Il n'avait pas réussi à uriner et n'allait pas avoir de sitôt l'occasion de se soulager. Les lumières s'allumèrent et Elvis grimpa sur un podium installé à côté de la scène. Il expliqua en quelques mots combien tout le monde était content de cette nouvelle émission et que M. Perry Bunt était sur le point de devenir une des plus

grandes stars de la galaxie, «qu'il essaie de sauver la Terre ou
quoi que ce soit d'autre». Perry nota que le choix de ces mots ne
devait rien au hasard, mais il s'efforça de conserver son sourire
nerveux. «C'est un interprète tellement fascinant, poursuivit
Elvis, qu'il semblerait que certains d'entre vous soient portés à
croire qu'il est plus qu'un Produit de Fornication. Eh bien, nous
allons régler la question tout de suite. Monsieur Bunt, voudriez-
vous vous asseoir sur le Tabouret de la Vérité?»

Perry resta sur sa chaise, comme s'il n'avait pas entendu.
«Monsieur Bunt?» le pressa Elvis.

Perry lui fit un signe de tête. Il prit une grande inspiration, se
leva et se plaça au-dessus du tabouret. Il commença à se baisser
pour s'asseoir dessus, puis eut comme un instant d'hésitation.
Marty tendit le bras et posa sa main sur l'épaule de Perry.

«Tout va bien, monsieur Bunt, dit-il. Allez-y.»

Et, comme Perry continuait à se tenir au-dessus du tabouret,
Marty lui appuya sur l'épaule. Perry s'écarta adroitement en
tournant sur lui-même, évacuant la main de Marty d'un coup
d'épaule; il tendit à son tour le bras et arracha Vermy de l'oreille
de son hôte. Le parasite était plus long que ce à quoi il s'attendait; il continua à le tirer par la tête. Sa queue sortit en claquant
de l'oreille droite de Marty avant de s'enrouler, tel un fouet,
autour du poignet de Perry.

Comme l'avait prévu Amanda, Marty fut totalement sidéré
par ce geste. Ce qu'elle n'avait toutefois pas prévu est ce qui se
produisit ensuite: Vermy eut un clignement d'yeux, se projeta
brusquement en avant et s'engouffra dans l'oreille de Perry.
Avant même que celui-ci ait pu réagir, Vermy était entré profondément à l'intérieur de sa tête et commençait à faire ce que
fait tout bon parasite: changer son environnement pour qu'il

réponde au mieux à ses besoins. Une fois confronté à ce nouveau milieu qui portait le nom de « cerveau de Perry », Vermy se mit aussitôt à le modifier en lui transmettant la vision du futur qu'il voulait désormais pour son nouvel hôte. Dans cette vision, Perry était assis sur le Tabouret de la Vérité, qui confirmait qu'il était un Produit de Fornication, puis, après la destruction de la Terre, il faisait une escapade en amoureux avec Amanda sur une autre prograplanète, pour une nouvelle saison triomphante de *Bunt à la rescousse*. Perry et Amanda devenaient rapidement tellement célèbres et tellement riches qu'ils n'avaient plus besoin de divertir les gens. Au lieu de cela, ils se baladaient d'un système solaire à l'autre à bord de leur luxueux vaisseau spatial, quand ils ne se prélassaient pas sur leur propre planète, un merveilleux écosystème de jungles et d'océans où ils pouvaient s'allonger, enlacés, sur des plages vierges durant des journées entières, pendant que des créatures télépathes aux allures de dauphins leur servaient à boire et à grignoter...

Perry émergea brutalement du brouillard engourdissant de la vision provoquée par le parasite et se retrouva à nouveau sur la scène de la salle de conférences, face à un Marty totalement ahuri, et avec un *Vermis solium* qui s'entortillait autour de son poignet. Le futur avait duré moins d'une seconde. Rassemblant tout son courage, il écarta vivement son bras de son corps, extirpant violemment Vermy de l'intérieur de sa tête, puis jeta le parasite vers le fond de la salle de conférences, par-dessus la tête des journalistes. Marty Finch se mit à hurler comme une veuve sicilienne et bondit dans le public.

Maintenant seul sur scène, Perry se tourna vers Elvis. « Je suis désolé, je ne peux pas faire ça, dit-il. Vous l'avez fait, mais moi, je ne peux pas. Je n'en peux plus de tous ces mensonges. »

C'est un Elvis bouche bée, totalement dérouté, qui regardait Perry, de son podium. Perry profita de sa confusion pour s'adresser aux représentants de tous les médias de la galaxie : « Je ne suis pas un PF. Je suis producteur pour Channel Blue. »

Il souleva la manche de sa veste, révélant une mouche bleue tatouée sur son poignet. Même pressée par le temps, Amanda avait admirablement réussi à dessiner l'insecte, rien qu'avec du mascara et du fard à paupière bleu. Une fois sec, elle l'avait même recouvert d'un peu de fond de teint, comme si Perry avait voulu mettre du maquillage pour dissimuler son tatouage.

Tous les journalistes eurent l'air de retenir leur souffle en même temps. Le King sourit et remua sa grosse tête. « Je ne sais pas ce que ce Terricule a en tête, mais il ment. D'ailleurs, n'est-ce pas exactement ce que font tous les PF ? Ils mentent de toutes leurs forces. Il n'y a d'ailleurs pas plus PF que ce foutu Perry Bunt ! Même si on demandait à un singe aveugle de programmer ses gènes, on n'obtiendrait pas une pareille bouillie d'ADN.

— Il sait la vérité ; il ne veut tout simplement pas que vous la connaissiez, hurla Perry. Je suis un Édenite ! Si vous ne me croyez pas, regardez vous-mêmes. » Et dans un geste théâtral, Perry abaissa d'un coup sec son pantalon, révélant, outre chaque partie de lui-même, une absence totale de poils. L'élément décisif se situait toutefois au nord de cette zone, là même où Amanda avait dessiné, au crayon à sourcils, une dérivation des plus crédibles.

Jusque-là, la foule des journalistes avait assisté à ce spectacle totalement stupéfaite. Mais lorsque Perry descendit son pantalon, ce fut comme si une bombe avait explosé. Les journalistes se mirent à hurler, à rugir ; Perry crut même entendre des grincements de dents. Il remonta son pantalon, soudain inquiet de la quasi-émeute qu'il venait de déclencher. La partie du plan à venir était la plus cruciale : Amanda et lui en étaient arrivés à la conclusion que la seule façon de sauver la Terre était de faire en sorte que *ne pas* détruire la Terre soit plus rentable que de la détruire. Et l'unique moyen pour parvenir à cela était de se débrouiller pour que les téléspectateurs cessent de regarder Channel Blue avant le début du finale. Ils savaient que Desmond Icarus E. Upsilon était avant tout un homme d'affaires. Si faire exploser la Terre ne boostait plus les audiences, il n'y aurait aucune raison de dépenser davantage d'argent pour le faire. Perry prit une grande respiration et hurla à la foule :

«Écoutez-moi!»

Les correspondants des médias se turent et tournèrent leurs visages incrédules et luisants de sueur vers Perry. «Vous vous dites journalistes, mais vous ne savez absolument rien de ce qui se passe ici! La Terre n'est rien d'autre qu'un gigantesque simulacre. Tout ce que vous avez vu sur Channel Blue était écrit et produit. En bas, ce sont tous des acteurs! Nous avons été engagés pour nous comporter comme des crétins et vous amuser. Mais nous en avons marre, et nous en avons marre des mensonges!»

Elvis avait maintenant perdu toute trace de son habituelle attitude décontractée. «Ne l'écoutez pas! cria-t-il. Nous allons le faire asseoir sur ce foutu tabouret, et vous verrez la vérité!

— Vous pensiez réellement que les êtres humains pouvaient être aussi égoïstes et fous? poursuivit Perry, tout en s'éloignant d'Elvis et des deux roboflics qui venaient de monter sur la scène. Toutes ces années, vous pensiez regarder des idiots, mais les seuls crétins, c'étaient *vous*!»

Les roboflics avancèrent en direction de Perry, qui bondit de la scène dans la mer de journalistes. Il se jeta parmi eux, piqua un sprint dans l'allée et sortit par la porte la plus proche, talonné par les vigiles. Avant même que les journalistes n'aient pu réagir, les roboflics ramenaient Perry dans la pièce. Il avait l'air d'avoir perdu toute envie de lutter et se laissait mollement transporter dans leurs bras.

« Mettez-le sur le tabouret ! » hurla Elvis.

Les roboflics obtempérèrent, traînant à nouveau Perry sur l'estrade et le hissant sur le Tabouret de la Vérité.

« Produit de Fornication », déclara la voix féminine apaisante.

Elvis se tourna vers les journalistes avec un immense sourire de soulagement. « Vous voyez ? Tout ce boucan pour rien...

— Normal », l'interrompit la voix féminine apaisante. Elvis regarda Perry et le tabouret, complètement décontenancé. « Produit de Fornication, dit la voix. Normal... Produit de Fornication... Impossible de lire... Inapte à lire... Inapte à lire... »

La voix baissa et l'appareil émit un bourdonnement sonore, suivi de quelques cliquetis, puis ce fut le silence. Il s'était autodéconnecté.

Elvis s'avança vers Perry, qui paraissait enchanté par tout ça, et l'attrapa par les revers de sa veste. « Qui êtes-vous ? demanda-t-il. Où... » Mais avant d'avoir prononcé la moindre syllabe, Perry se transforma en singe volant et décolla de la scène. Il se mit à brailler très fort et à battre des ailes à travers la pièce tout en lâchant des excréments sur les journalistes qui se trouvaient en dessous, semant ainsi le chaos parmi eux.

Elvis se tourna vers les roboflics. « C'est un fac-similien, grogna-t-il. Où est le vrai Perry Bunt ? »

À ce moment précis, Perry était en train de s'éloigner à toute vitesse de la salle de conférences à bord d'une aérovoiture, qui franchit le couloir à toute allure jusqu'à une rangée de trente ascenseurs à destination de la Terre. Il vit Amanda qui l'attendait devant la dernière cabine mais, ne sachant plus comment arrêter le véhicule, pris de panique, il sauta hors de l'habitacle et roula sur le sol, pour se retrouver à ses pieds.

« Monte », lui dit-elle.

Perry se précipita dans la cabine, les portes se refermèrent et Amanda appuya sur le bouton 1. L'ascenseur glissa en silence dans l'obscurité spatiale, quittant rapidement la surface lunaire. Pendant que l'appareil faisait le tour du satellite, Perry vit d'autres ascenseurs en orbite tout autour d'eux. « Tu les as tous appelés ? »

Amanda acquiesça. Après avoir quitté la conférence de presse, elle était parvenue à appeler tous les ascenseurs pour les envoyer vers Los Angeles. Elle avait expliqué à Perry que cela contraindrait la sécurité de Galaxy à pister chaque cabine jusqu'à la surface, ce qui leur permettrait de gagner du temps et leur éviterait d'être repérés. Galaxy avait truffé la Terre de caméras, mais n'avait pas daigné en mettre dans ses propres ascenseurs.

« Comment s'est passée la conférence de presse ? »

Perry luttait pour reprendre son souffle. « Je pense qu'ils m'ont cru.

— Jeff a réussi ? »

Perry acquiesça. « C'était bizarre de courir dans le couloir et de me voir moi-même.

— Il m'a dit qu'il pourrait nous faire gagner quelques minutes. Avec un peu de chance, ça suffira.

— Comment l'as-tu convaincu de faire ça ?»

Amanda sourit. «Tu plaisantes ? Il adore jouer les Terricules. Il dit toujours : "Plus on a l'air drôle, mieux c'est."» Perry fit la moue. «Et aussi, il se réjouissait à l'idée de ridiculiser les producteurs, s'empressa-t-elle d'ajouter.

— Ça va aller, pour lui ?

— Ils ne pourront pas l'attraper. Et même s'ils y arrivaient, les fac-similiens sont rarement jugés responsables de leurs actes. Il est dans leur nature de faire semblant d'être quelqu'un d'autre.»

Ils regardaient la Terre grossir face à eux, en se retenant de parler, comme si le moindre mot pourrait leur porter malheur. Alors que la planète bleue remplaçait peu à peu l'obscurité de l'espace, Perry fut soudainement émerveillé. *Je rentre à la maison*, pensa-t-il. Et, pour la première fois de sa vie, il se dit que tous ceux avec lesquels il partageait cette maison étaient, en quelque sorte, sa famille. C'est vrai qu'ils étaient tous terriblement imparfaits, qu'ils étaient prédestinés à désirer des choses qu'ils ne pourraient jamais avoir, ce qui les rendait fous et, en certaines occasions, dangereux. Mais la plupart d'entre eux aspiraient à quelque chose de mieux et, rien que pour cela, ils étaient plus vivants que ne le seraient jamais les Édenites, qui avaient tous les secrets de l'univers à portée de main.

Lorsqu'ils traversèrent les tourbillons de nuages, Amanda souffla : «On va y arriver. Maintenant, c'est la partie délicate.

— Quoi ? dit Perry. Tout ce qui s'est passé là-haut n'était pas délicat ?»

Pas de réponse d'Amanda. Elle avait les yeux fixés sur le littoral californien, qui semblait s'élever à toute vitesse dans leur direction. Perry pouvait à présent distinguer les immeubles et les routes de Los Angeles, qui se développaient comme un cancer, les collines de Santa Monica, à l'ouest, et une mince bande de plage jaune qui longeait le bleu profond de l'océan Pacifique. Sans prévenir, Amanda tendit la main vers le panneau de contrôle de l'ascenseur et abaissa l'interrupteur rouge estampillé ARRÊT D'URGENCE. L'ascenseur, qui avait pénétré dans l'atmosphère terrestre de façon légèrement inclinée, se mit à vibrer, fit une embardée et commença à tomber encore plus vite. Cramponné au garde-corps en métal de la cabine, Perry sentit toute la peau de son visage comme attirée par le sol.

« Mais qu'est-ce que tu fabriques ? réussit-il à crier.

— Il ne faut pas qu'il nous ramène à la station – on nous attend, là-bas. Nous devons nous arrêter manuellement.

— On va finir écrabouillés !

— L'appareil est programmé pour ne pas se crasher. »

Malgré l'assurance d'Amanda, Perry regardait avec une terreur croissante le littoral se ruer vers eux.

« Oh oh, dit Amanda.

— Je t'en supplie, dis-moi que tu ne viens pas de dire "Oh oh" !

— Nous sommes encore au-dessus de l'océan. Appuie-toi de ce côté. » Amanda pressa son corps contre un des murs de verre de l'ascenseur.

Pétrifié, Perry ne pouvait que la regarder. « Tu es sérieuse ?

— Viens t'appuyer, comme moi, ou on va percuter l'eau ! »

Perry se rua vers le mur pour y plaquer son corps, à côté de celui d'Amanda. L'ascenseur se mit à osciller tout en continuant à foncer vers le sol. Perry ne voyait que l'océan. Il ferma très fort les yeux pour anticiper l'impact. Puis il entendit un léger *ding* et le bruit des portes qui s'écartaient. Une mouette qui criait. Perry ouvrit les yeux. Devant eux s'étendait une magnifique plage. Il se tourna vers Amanda. Elle lui sourit et remonta l'interrupteur ARRÊT D'URGENCE. Ils sortirent de la cabine et Perry entendit les portes de l'ascenseur se refermer derrière eux; pourtant, lorsqu'il se retourna, tout avait disparu. Quiconque aurait été là, à regarder, aurait seulement vu Perry et Amanda sortant de nulle part. Mais personne ne regardait. Les seuls occupants humains de cette plage étaient un surfeur, qui flottait sur les vagues, une femme qui faisait son yoga sur le sable, et deux adolescents occupés à se lancer un Frisbee rouge; aucun d'entre eux ne prêta attention à l'homme et la femme vêtus de blanc. Si un extraterrestre venu des confins de l'espace avait atterri sur la plage à ce moment précis, il aurait pu interpréter ces différentes activités comme des rites religieux célébrant les différents éléments – l'eau, la terre et l'air – qui composent la planète Terre. Il aurait pu avoir le sentiment que ces êtres, avec leur façon d'honorer leur environnement, toute primitive mais empreinte de poésie, valaient la peine d'être sauvés.

Ou bien il aurait tout simplement ressenti ce que ressentirent Perry et Amanda : de la reconnaissance.

ÉPILOGUE

Ç A AVAIT MARCHÉ.

La crise nucléaire au Moyen-Orient prit fin et fut remplacée par les habituels bombardements et massacres quotidiens, au grand soulagement de tous.

À l'exception, toutefois, des dirigeants de la toute nouvelle religion nommée monpotisme, qui s'étaient tellement cramponnés à l'idée d'une fin imminente du monde qu'ils n'avaient pas imaginé de plan B au cas où la Terre survivrait. Leur chef, Frère Ralph, partit se cacher quelque part. La dernière fois qu'on le vit, c'était devant une supérette dans le sud de la Californie.

Étrangement, les mouches disparurent.

Le président Grebner reçut une lettre anonyme. Son auteur affirmait avoir été séquestré et torturé dans une prison secrète, située à l'intérieur d'une grotte, sous le pavillon de chasse de Drummond Nash. La lettre intimait au président de fermer toutes les prisons secrètes des États-Unis, sous peine de révéler leur existence au reste du monde.

La lettre s'achevait par ces mots : « Réfléchissez : qu'est-ce que Jésus vous demanderait de faire ? »

Peu de temps après, le Sénat des États-Unis ordonna une enquête concernant une unité antiterroriste sauvage au sein de la CIA. On découvrit alors l'existence de la prison secrète enfouie au cœur des Rocheuses du Colorado, et la plupart des détenus furent libérés.

L'un de ces détenus, Alistair Alexander, fut rapatrié en Angleterre, où il s'empressa d'abandonner ses études de littérature à Cambridge. Après cette douloureuse expérience, les livres, qu'il aimait tant auparavant, lui paraissaient terriblement creux ; il se rendit compte que toutes ces histoires ne lui avaient jamais apporté la moindre solution et qu'elles ne le feraient jamais. Il rencontra un imam intégriste, célèbre pour prêcher une rhétorique anti-occidentale. Il lui confia ce dont il avait pris conscience lors de son incarcération au Colorado, à savoir que Drummond Nash avait raison. Alistair était bien le genre de personne aspirant à tuer les gens comme Drummond Nash, et même tous ceux qui leur ressemblaient vaguement. Il était, par définition, un terroriste. « Il leur a fallu un certain temps pour me convaincre, mais finalement, ils ont réussi. » L'imam mit Alistair en relation avec un groupuscule qui le fit passer au Pakistan, où il amorça un tout nouveau champ d'études de troisième cycle universitaire.

Le hasard faisant bien les choses, un de ses professeurs fut Ali al-Zander.

Il ne vit jamais les Rockettes.

Étant donné que l'essentiel de son travail était considéré comme secret pour des raisons de sécurité nationale, Drummond Nash ne fut personnellement jamais obligé de répondre aux questions de la commission d'enquête sénatoriale. La rumeur voudrait que son nouveau pavillon de chasse soit situé en Idaho.

Le président prit quant à lui un « congé » de trois semaines, arguant de problèmes de santé non spécifiés. Dans ses rêveries médicamenteuses, il voyait le visage de Perry Bunt dans un hélicoptère en flammes. Il priait tous les jours avec ferveur de pouvoir l'oublier.

Galaxy Entertainment ne manqua de surprendre les analystes de Wall Street par sa décision de s'autodissoudre et la vente de tous ses actifs à une autre société du câble. Les bureaux de Ventura Boulevard furent condamnés, puis, après un vaste réagencement, convertis en restaurant : la Maison Internationale des Pancakes.

Certains samedis matin, on pouvait voir Perry Bunt et Amanda Mundo y prendre leur petit-déjeuner avec leur bébé. Le petit Milo était né avec une abondante chevelure noire, par une nuit d'été venteuse qui était incontestablement devenue la plus belle nuit de la vie de ses parents. Si Perry et Amanda avaient choisi ce restaurant, ce n'était pas tant pour ses pancakes que pour sa localisation. Quant au petit Milo, seuls les pancakes l'intéressaient. Il les dévorait à pleines bouchées, en engluant ses bouclettes de sirop.

Perry reprit ses cours de scénario au Community College d'Encino. La direction avait accepté l'excuse passablement tirée par les cheveux qu'il leur avait présentée pour justifier sa disparition (il s'était cogné la tête contre la porte d'un sèche-linge dans une laverie automatique et avait contracté une amnésie temporaire). Il soupçonna que sa réintégration tenait essentiellement au fait que rares étaient ceux qui désiraient plus que tout au monde enseigner l'écriture de scénarios en université. À sa grande surprise, il se prit d'un amour tout nouveau pour son travail. Dans un univers aux dimensions aussi infinies qu'insondables, il trouva quelque chose de profondément thérapeutique à s'immerger dans des mondes imaginaires finis.

Amanda trouva un emploi dans la télé-réalité et devint une des productrices les plus demandées. En vérité, elle adorait travailler et vivre parmi les Terricules malgré leur, comment dire, côté *terre à terre*. C'était surtout leur obstination qu'elle trouvait comique et, avec Perry, ils passaient des soirées entières, après avoir couché Milo, à boire du vin et à rire de leurs Produits de Fornication de congénères.

Ses parents et ses amis d'Éden lui manquaient, mais elle savait qu'elle les reverrait un jour. Elle était parvenue à bricoler les connexions d'un ordinateur portable et une antenne satellite pour communiquer avec sa mère et son père, qui lui promirent d'économiser pour venir en vacances sur Terre.

Elle ne pensait plus que les événements qui l'avaient amenée à croiser le chemin de Perry étaient le fruit d'un complot, ni qu'une providence ou une destinée inéluctables avaient influencé le cours de sa vie. De ce point de vue-là, son côté rationnel proprement édenite était plus fort que jamais, à une exception majeure : Milo. Dans son esprit, seul un miracle pouvait expliquer la naissance de son fils. Lorsque, tard dans la nuit, elle le regardait dormir, elle avait l'impression de tourner le dos à plusieurs millénaires de savoir et de contempler un des insondables secrets de l'univers, inscrit dans les boucles de ses cheveux, l'arrondi de ses oreilles et les petites amandes qui lui tenaient lieu d'ongles de pied.

Sur Terre, bien entendu, c'était toujours un grand n'importe quoi – même si plus personne n'était là pour regarder ; ses violents et toxiques occupants semblaient plus déterminés que jamais à finir le travail que Galaxy Entertainment avait préféré ne pas mener à terme. Perry ne pouvait toujours pas se résoudre à lire les journaux mais, une fois par semaine, il se rendait à Saint-Jude pour faire du bénévolat, à la soupe populaire, au côté de Noah Overton. Tout en reconnaissant qu'il ne serait jamais capable d'égaler la ferveur qui était celle de Noah pour secourir les gens, Perry appréciait désormais ce genre d'activité. Noah, quant à lui, avait rangé ses mésaventures aux côtés de Perry et Amanda dans la catégorie « aider des amis qui traversent des temps difficiles ». Il était heureux de voir leur couple apparemment libéré des illusions qui avaient transformé son voyage de triste mémoire à Washington en un véritable cauchemar.

Il n'avait plus d'hallucinations avec Gandhi, ni personne d'autre, ce qu'il attribuait à son nouveau régime végétarien.

Bien entendu, personne ne savait que Perry et Amanda avaient sauvé la Terre : ils étaient même peu nombreux à savoir que la planète avait été au bord de la destruction. Et, de toute évidence, personne ne savait que Perry Bunt, grâce à sa débrouillardise, sa détermination et un peu de chance, avait libéré le monde et ses habitants du joug du divertissement colonialiste. En vérité, ça ne posait aucun problème à Perry. Maintenant qu'il partageait sa vie avec Milo et Amanda, il se fichait complètement d'être un héros. Il ne ressentait plus la force marémotrice du destin, le besoin d'accomplir de grandes choses. Son expérience tourmentée d'une civilisation avancée lui avait appris à savourer les joies simples. Il s'asseyait à la table de la cuisine avec Amanda et Milo, une tasse de café à la main, et se disait : *Que peut-on désirer de plus ?*

Eh bien, le succès, par exemple. Mais Perry ne perdait plus des heures à le désirer ardemment – ce qui était une bonne chose car, du succès, il n'en avait pas. Malgré la mort de Del Waddle, son scénario *Tweet mortel* resta moribond, comme le reste de son œuvre qui n'était jamais passé à la réalisation. Et après qu'il eut montré un certain empressement à répondre à ses appels, son agent Dana Fulcher arrêta soudainement de répondre aux siens. *Dernier jour d'école* demeura un monument inachevé à la médiocrité ; et Perry n'entendit plus jamais le chant des sirènes de la Bonne Idée.

Il commença à écrire sous la forme d'une fiction quelque chose inspiré de son expérience hors du commun, mais renonça rapidement à ce projet. Une fois mise sur le papier, son aventure semblait bien trop absurde et peu crédible, même pour un public amateur de science-fiction. Il se rendit compte qu'il était satisfait de vivre l'histoire de sa propre vie, sans avoir à en revendiquer la paternité.

Le salaire de productrice d'Amanda leur permit de s'offrir un appartement plus agréable, sur la colline juste au-dessus de celle où avait vécu Perry. Un soir, alors que Perry donnait son bain à Milo, il décida, sous le coup d'une sorte d'impulsion, de laver les cheveux de son fils. Alors qu'il les mouillait délicatement avec un gant de toilette, il aperçut quelque chose qu'il n'avait jamais vu auparavant. « Amanda ! appela-t-il.

— Oui ?

— Viens voir ça. »

Amanda entra dans la salle de bains. « Qu'est-ce que c'est que ça ? » Perry lui désignait le crâne de Milo ; sous les cheveux mouillés de son fils, on pouvait clairement voir une marque de naissance : une petite étoile.

Dans la salle de bains de Los Angeles, sur la côte occidentale du continent nord-américain, dans l'hémisphère occidental de la Terre, laquelle était en orbite autour d'une étoile de classe 2 à l'extrémité de la galaxie de la Voie lactée, qui tourbillonnait près du centre des cinquante galaxies étroitement rapprochées qui comprenaient la moitié du superamas de la Vierge, Perry et Amanda échangèrent un regard ahuri qui fut observé avec une grande joie par des formes de vie qui les observaient, un univers plus loin. Ces êtres ne ressemblaient pas du tout à Perry et Amanda ; ils étaient entièrement composés d'une substance différente : ils étaient immenses et leur enveloppe corporelle pouvait prendre des aspects innombrables. Ce qui ne les empêchait pas d'admirer ce qu'ils étaient en train de regarder. Ils se manifestèrent leur joie par de bruyants cliquetis.

On aurait pu traduire ces cliquetis par quelque chose comme : « Eh bien, ça valait le coup. »

Ouvrage réalisé par Cursives à Paris
Imprimé en France par Normandie Roto Impression s.a.s. à Lonrai
Dépôt légal : mars 2015
N° d'édition : 022 – N° d'impression : 1500539
ISBN 978-2-37056-022-3